2 B1

QUARTIER D'AFFAIRES

Français professionnel et des affaires

DELPHINE JÉGOU | MARI PAZ ROSILLO

Crédits photographiques

FOTOLIA

p. 7 : pp76 (arbre) et Gabriel Blaj – **p. 8 (haut) :** lightpoet – **p. 8 (bas) :** Julián Rovagnati – **p. 9 :** Kaarsten – **p. 10 :** Monkey Business – **p. 11 (haut) :** lapencia – **p. 11 (bas, de gauche à droite) :** kozaksalo ; C-You ; Piotr Pawinski ; jojje11 – **p. 12 :** Monkey Business – **p. 13 (de haut en bas) :** pathdoc ; Picture-Factory ; Rido – **p. 14 (haut) :** drubig-photo – **p. 14 (bas) :** Philippe SURMELY – **p. 15 (bas) :** DURIS Guillaume – **p. 17 (de haut en bas) :** Lukasz Janyst ; Mihai-Bogdan Lazar ; pauws99 – **p. 18 :** Carlos Caetano – **p. 19 :** EduardSV – **p. 20 :** Andreas P – **p. 21 :** Beboy – **p. 22 (haut, de gauche à droite) :** alinamd ; Elnur ; Unclesam – **p. 22 (bas) :** Kzenon – **p. 23 :** Kurhan – **p. 24 (haut) :** tiero – **p. 24 (bas) :** nicholashan – **p. 26 (gauche) :** auremar – **p. 26 (droite) :** pixbox77 – **p. 27 (haut) :** Andrea Danti – **p. 27 (bas) :** fotoplot – **p. 31 :** denira – **p. 32 :** apops – **p. 33 :** Sergey Nivens – **p. 34 (haut, gauche) :** volff – **p. 34 (haut, droite) :** .shock – **p. 34 (bas) :** henryk_macrofilm – **p. 35 (de haut en bas et de gauche à droite) :** issumbosi ; Mickaël Plichard ; niroworld ; Tatiana ; Visty – **p. 38 :** Rock and Wasp – **p. 38 (bas) :** Africa Studio – **p. 39 (col. de gauche haut et milieu) :** leremy – **p. 39 col. de gauche (bas) :** Gstudio Group – **p. 39 (col. de droite, de haut en bas) :** THesIMPLIFY ; ProMotion ; Pepperwest – **p. 40 :** Sandra Cunningham – **p. 41 (bas) :** Picture-Factory (café) et Brad Pict (étiquette) – **p. 44 :** Elnur – **p. 45 :** yuriyzhuravov – **p. 46 :** Theresa Martinez – **p. 47 (de haut en bas) :** krooogle ; PiK – **p. 48 :** Food photo – **p. 49 :** fotogestoeber – **p. 51 :** Minerva Studio – **p. 52 :** iko – **p. 53 (de haut en bas et de gauche à droite) :** Yali Shi ; emevil ; Food photo ; natali1991 ; smereka ; cynoclub ; Anyka ; arthurdent – **p. 57 :** Konstantinos Moraiti – **p. 58 :** Rawpixel – **p. 59 :** iko - Fotolia.com – **p. 60 (haut) :** Ainoa – **p. 60 (bas) :** Franck Boston – **p. 61 :** photlook – **p. 62 :** ldprod – **p. 62 (signature) :** pitris – **p. 65 :** Syda Productions – **p. 66 (haut) :** .shock – **p. 66 (bas) :** lexandr – **p. 67 (bas) :** JiSIGN – **p. 70 (haut) :** valdis torms – **p. 70 (bas) :** bzyxx – **p. 71 :** Serg Nvns – **p. 74 :** alphaspirit – **p. 76 :** alphaspirit – **p. 77 :** olly – **p. 78 (haut) :** Mila Supynska – **p. 78 (bas) :** Andres Rodriguez – **p. 79 (gauche) :** treenabeena – **p. 83 (de gauche à droite) :** auremar ; fabianaponzi – **p. 84 :** Web Buttons Inc – **p. 85 :** olly – **p. 86 :** peshkova – **p. 87 :** auremar – **p. 88 (haut) :** Picture-Factory – **p. 88 (bas) :** Pixel & Création – **p. 89 :** monticellllo – **p. 90 :** Robert Kneschke – **p. 91 :** Gajus – **p. 92 :** Cozyta – **p. 93 (haut) :** berc – **p. 93 (milieu) :** puckillustrations – **p. 93 (bas) :** dell – **p. 95 de haut en bas) :** Jacques PALUT ; slavun ; Robert Kneschke – **p. 96 :** pressmaster – **p. 97 :** Serg Nvns – **p. 99 :** nerthuz – **p. 100 (haut) :** Picture-Factory – **p. 100 (bas) :** wellphoto – **p. 103 :** berc – **p. 104 :** DOC RABA Media – **p. 105 (haut) :** maho – **p. 105 (bas) :** WavebreakmediaMicro – **p. 110 :** Picture-Factory – **p. 111 :** ra2 studio – **p. 112 :** NAN – **p. 114 :** K.-U. Häßler – **p. 116 (haut) :** md3d – **p. 106 (bas) :** svl861 – **p. 117 (de gauche à droite) :** matka_Wariatka ; Ljupco Smokovski ; coco ; Gina Sanders ; Gerald Bernard – **p. 118 (haut) :** Brad Pict – **p. 118 (bas) :** cutecancerian – **p. 119 (haut) :** Lulu Berlu – **p. 119 (bas) :** paulmz – **p. 122 :** Brian Jackson – **p. 123 :** xavier gallego morel – **p. 124 (haut) :** Jérôme Rommé – **p. 124 (bas) :** olly – **p. 126 :** Trueffelpix – **p. 127 :** Female photographer – **p. 128 :** Serg Nvns – **p. 129 :** FotolEdhar – **p. 130 :** karelnoppe – **p : 130 (bas) :** sumnersgraphicsinc – **p. 133 (gauche) :** Rawpixel – **p. 133 (droite) :** style-photography.de – **p. 136 :** Rawpixel

Page 72 : © : Brainberry Stratégies Créatives pour Ogo, la forme au bureau

Couverture : mario beauregard - Fotolia.com

Direction éditoriale : Béatrice Rego
Marketing : Thierry Lucas
Édition : Sylvie Hano
Conception graphique : Lucia Jaime
Couverture : Lucia Jaime
Mise en pages : AMG
Enregistrements : Vincent Bund
Vidéos : BAZ

ISBN : 978-2-09-038663-9

Quartier d'affaires 2 est un cours de français professionnel destiné à un public adulte en **situation d'apprentissage** (apprenants de cours FOS, étudiants en filières professionnelles), en **contexte professionnel** ou en situation de **recherche d'emploi**. *Quartier d'affaires 2* fait suite à *Quartier d'affaires 1*. L'objectif de ce manuel est avant tout l'optimisation du profil professionnel, par le développement de leurs compétences linguistiques, de ces apprenants qui peuvent être amenés ou qui souhaitent **travailler dans un environnement francophone**.

Les utilisateurs de ce manuel auront déjà atteint un niveau **A2** avec *Quartier d'affaires 1* : ils auront donc environ 200 heures d'apprentissage du français. *Quartier d'affaires 2* couvre les objectifs du **niveau B1** et permet d'entamer le **niveau B2** avec une base solide.

Quartier d'affaires 2 conserve la méthodologie de *Quartier d'affaires 1* : il s'agit avant tout d'une méthode **communicative**, claire et fonctionnelle. L'apprenant peut consulter son manuel de manière aisée grâce à son **organisation structurée**, agréable à feuilleter. Le manuel, tout comme le niveau 1, est organisé autour de **10 unités**. Chaque unité contient une page de présentation des objectifs et des outils linguistiques, grammaticaux et culturels nécessaires pour les atteindre, 3 leçons avec des contenus clairs et progressifs, une double page de civilisation, une double page d'entraînement aux examens (Delf Pro B1 et Diplôme de français professionnel de la Chambre de commerce et d'industrie Paris Île-de-France). Toutes les deux unités, deux pages de bilan permettent à l'apprenant de s'entraîner à l'utilisation des nouveaux acquis linguistiques et grammaticaux. Une **tâche** finale permet de mettre en pratique les acquis de l'unité, dans des activités **réalistes** et **réalisables**, avec des objectifs clairement énoncés, et qui encouragent les travaux en groupe. De plus, et c'est une nouveauté par rapport à *Quartier d'affaires 1*, nous avons ajouté, à la fin de chaque leçon une **micro-tâche** permettant d'achever la leçon d'une manière agréable et créative. Les différentes leçons contiennent deux types d'encadrés : les points grammaire et *les mots pour* (qui reprennent le lexique abordé dans la leçon). La grammaire, avec quelques rappels des éléments grammaticaux du niveau **A2**, est abordée de manière simple et illustrée avec des exercices d'application. Il en est de même pour le lexique, qui est repris à chaque leçon dans les encadrés, et qui est retravaillé dans de petits exercices au cœur des leçons. La composante **interculturelle** a de nouveau été mise en valeur et apparaît également tout au long du manuel : nous avons voulu prendre en compte la culture francophone dans le domaine de l'entreprise, en tachant d'éviter les stéréotypes, et en proposant une vision ouverte sur les pays francophones.

Un DVD-Rom contient tous les enregistrements des documents audio ainsi que cinq vidéos directement en lien avec les unités.

Nous avons également souhaité insister sur les **nouvelles technologies**, dans la mesure où elles sont de plus en plus présentes dans l'environnement professionnel.

Enfin, nous avons voulu accompagner les apprenants qui souhaitent obtenir une **certification professionnelle**, comme le **DELF Pro B1** ou le **Diplôme de français professionnel B1 de la Chambre de commerce et d'industrie Paris Île-de-France**, leur permettant de rendre leur profil professionnel plus complet et compétitif.

En résumé, nous espérons que les apprenants trouvent dans *Quartier d'affaires 2* les mêmes aspects pratiques et communicatifs qui les avaient séduits avec *Quartier d'affaires 1*. Nous souhaitons également que les apprenants qui souhaitent **travailler** en France ou en français, qui veulent **se socialiser** avec des interlocuteurs francophones, ou qui comptent **voyager** dans un pays francophone trouvent dans ce manuel un outil utile et profitable.

Les auteures

Tableau des contenus

	SAVOIR-FAIRE	GRAMMAIRE	LEXIQUE	CIVILISATION
9. Vive la crise ! Pages 111-122	■ Présenter et commenter des données chiffrées ■ Décrypter la crise économique et financière ■ Rebondir en temps de crise ■ Découvrir des idées originales et innovantes	■ Le discours indirect ■ Le passif ■ Les pronoms *en* et *y*	■ Les commentaires de données chiffrées ■ La crise économique ■ L'innovation	■ Le « made in France » fait vendre ■ « Sauveteur » pour étudiant étranger ■ La solidarité en période de crise ■ Une lucarne chinoise au Sénégal
10. Je crée mon entreprise Pages 123-136	■ Faire le point sur ses compétences et ses motivations ■ Se renseigner sur les aides à la création d'entreprise ■ Procéder à un recrutement ■ Analyser la situation des femmes entrepreneures	■ Les articulateurs du discours ■ Les verbes de sentiments ■ La préposition *sans* + infinitif	■ Le bilan de compétences ■ Les aides à la création d'entreprise ■ L'innovation ■ Les femmes entrepreneures	■ Le Steve Jobs congolais ■ Le profil des créatrices d'entreprise ■ L'épargne coopitaliste, une nouvelle forme de financement ■ Attirer au Canada les meilleurs talents

Au séminaire

UNITÉ 1

PRÉSENTATION DES CONTENUS

Je prends la parole et je fais une présentation, j'utilise le benchmarking, je fais un plan d'action, je fais le point et je définis des objectifs.

J'ai besoin des éléments grammaticaux suivants :

La comparaison
Le passé composé et l'accord du participe passé
Le futur simple
Les articulateurs chronologiques

J'ai aussi besoin des outils lexicaux suivants :

La présentation de projet
Le benchmark
La description

1 UNITÉ

Au séminaire

1 Le séminaire d'entreprise

1. Lisez l'article et répondez.

a. Quelle est la fonction première d'un séminaire ?
b. Quelles activités peuvent être pratiquées pendant un séminaire ? Pourquoi ?
c. Pourquoi, aujourd'hui, le séminaire est-il indispensable ?

Les mots pour

- Un séminaire
- Une envergure
- Une ambiance de travail
- La bonne marche
- Ludique
- Team building
- Team development
- Incentive
- Stimuler
- Récompenser
- Primordial(e)
- Ponctuer
- La synergie

Qu'est ce qu'un séminaire ?

Outil de management désormais indispensable à la bonne santé d'une entreprise et de ses ressources humaines, un séminaire peut être de petite, de moyenne ou de très grande envergure (d'une dizaine à plusieurs centaines de participants) selon la nature qu'on veut lui imprimer. Il se déroule en général sur plusieurs jours et dans un lieu hors du cadre professionnel habituel, qu'il s'agisse d'un lieu touristique, d'un site à l'étranger, voire même d'une station balnéaire ou de ski.

Si la fonction première d'un séminaire d'entreprise est de réunir tous les collaborateurs dans une ambiance de travail singulière pour annoncer les résultats de l'entreprise, fixer les nouveaux objectifs ou encore féliciter les collaborateurs participants à la bonne marche de la société, il prend désormais une forme plus ludique. *Team Building*, *Team Development*, *Incentive*, le séminaire professionnel cherche à stimuler et récompenser les acteurs de l'entreprise qui le méritent. L'aspect ludique devient donc primordial. Le séminaire sera donc ponctué de différentes activités et loisirs avec un but précis : créer un esprit d'équipe, une cohésion, une synergie autour d'expériences et d'objectifs communs (sports extrêmes, voyages exotiques, courses au trésor, raids, accrobranches, etc.).

www.seminaire-expo.fr

2 Présenter un produit

(...) Voir transcription p. 142

2. Écoutez la présentation et répondez.

a. Que vont faire les employés pendant le séminaire ?
b. Pourquoi Julia Guillerm fait-elle une intervention ?
c. Pourquoi l'équipe de Vancouver a passé beaucoup de temps sur ce produit ?
d. Pourquoi les clients n'étaient pas satisfaits de la tablette IF 681 ?
e. Comment est la tablette IF 682 par rapport à la tablette IF 681 ?

3. Présentez le produit ci-dessous. Donnez ses caractéristiques, ses avantages...

Les mots pour

- Lancer un produit
- À long terme
- Commercialiser un produit
- Apporter des améliorations
- Performant(e)
- Coûteux / Coûteuse
- Une ergonomie
- Un système d'exploitation
- Se plaindre
- En profiter pour

GRAMMAIRE

La comparaison RAPPEL

L'infériorité :	***moins*** + adjectif ou adverbe + ***que...*** ***moins de*** + nom + ***que...***
L'égalité :	***aussi*** + adjectif ou adverbe + ***que...*** ***autant de*** + nom + ***que...***
La supériorité :	***plus*** + adjectif ou adverbe + ***que...*** ***plus de*** + nom + ***que...***

1 Complétez ces phrases avec un comparatif.

a. Cette tablette est ... grande ... l'autre. (–)
b. Cet ordinateur possède ... mémoire vive ... le précédent. (=)
c. Le téléphone de Léo a ... autonomie ... celui de Léa. (–)
d. Notre entreprise souhaite vendre ... tablettes ... l'année dernière. (+)
e. Nos clients sont ... nombreux ... l'année dernière (=).

3 Le benchmarking

(...) Voir transcription p. 142

4. Écoutez l'enregistrement et répondez.

a. Pourquoi le service marketing a-t-il fait un benchmark ?
b. Quels sont les deux produits retenus par l'équipe marketing ?
c. Quels sont les éléments importants selon Romain Vaillant ?
d. Quel détail peut faire la différence ? À votre avis, pourquoi ?

Les mots pour

- Un usage modéré
- Avoir les moyens
- Un benchmark / Le benchmarking
- Le cœur de cible
- Une étude comparative
- Être doté(e) de
- Un écran tactile
- L'indice DAS
- Une donnée

4 Trouvez des solutions grâce au benchmarking

5. Lisez l'article et répondez.

a. Pourquoi l'entreprise a-t-elle réalisé un benchmark ?
b. Quelles mesures ont amélioré le fonctionnement du centre d'appel ?
c. Qu'est-ce que le BtoB ? Et le BtoC ?

Un outil efficace pour trouver des idées

L'entreprise de services traditionnellement positionnée sur le secteur BtoB avait l'habitude de gérer une clientèle professionnelle. Elle s'est ensuite diversifiée vers le secteur BtoC et la gestion d'une clientèle de particuliers. Suite à ce choix stratégique, le centre de réception d'appels de l'entreprise a été fortement touché et dépassé par le comportement des clients provenant essentiellement du secteur BtoC. [...] Afin d'améliorer le service, un benchmarking est réalisé au niveau de trois centres de réception d'appels : une société de vente par correspondance, un assureur de véhicules pour particuliers, une société d'assistance en informatique à domicile. En analysant ces trois centres qui possèdent un savoir-faire en BtoC, l'entreprise a pu améliorer le fonctionnement de son centre de réception d'appels via les actions suivantes :

1. Plus d'informations sont mises sur le site Internet de l'entreprise. Ainsi les consommateurs peuvent trouver par eux-mêmes les informations et évitent donc d'appeler. [...]
2. Les équipes sont formées dans le but de gérer cette clientèle différente. Elles ont pour objectif de cerner rapidement les besoins des consommateurs et les réorienter sans hésiter vers l'information en ligne afin de réduire la longueur des conversations.
3. Les équipes sont réorganisées en deux pôles : l'un dédié aux clients professionnels (BtoB) et l'autre aux clients grand public (BtoC). Des roulements réguliers sont effectués entre les salariés d'un pôle à l'autre afin d'éviter la fatigue et l'usure sur la cible grand public.

D'après Yves Pariot, *50 outils de pilotage pour les PME* sur www. talent.paperblog.fr

Les mots pour

- Positionner
- Gérer une clientèle
- Le BtoB
- Le BtoC
- Un particulier ≠ Un professionnel
- Un choix stratégique
- Être touché(e) par
- Être dépassé(e) par
- Cerner des besoins
- Un pôle
- Un roulement

↘ Micro-tâche

Travaillez en binôme. Vous choisissez un produit. Vous faites une description du produit de départ puis vous présentez le nouveau produit. Vous expliquez les améliorations et vous utilisez la comparaison. Vous faites un tableau comparatif des caractéristiques de l'ancien et du nouveau produit.

GRAMMAIRE

Le passé composé et l'accord du participe passé

■ Le passé composé est utilisé pour parler d'une action précise, terminée, ou d'une succession d'actions passées. Formation : auxiliaire *être* ou *avoir* + participe passé
- *Nous **avons réalisé** une étude.*

■ Avec l'auxiliaire ***être***, le participe passé s'accorde en genre et en nombre avec le sujet.
- *Marie et Louise sont all**ées** au séminaire.*

Avec l'auxiliaire ***avoir***, le participe passé ne s'accorde pas avec le sujet. Mais lorsque le complément d'objet direct est placé avant le verbe, alors le participe passé s'accorde en genre et en nombre avec le COD.
- *Mes collègues ont prépar**é** des études comparatives. Ils les ont présent**ées** pendant le séminaire.*

→ conjugaison p. 137

1 Conjuguez les verbes au passé composé.

a. Nous (décider) de faire un VTT plus léger.
b. Oscar (étudier) les différents modèles. Il les (présenter) à l'équipe.
c. Notre équipe (comparer) la concurrence.
d. Nous (partir) en séminaire.

1 UNITÉ Au séminaire

1 Un atelier de travail

Sophie Janvier, responsable de l'équipe commerciale de Tunis, anime un atelier pendant le séminaire de l'entreprise Arémis.

Sophie Janvier : Vous avez entendu ce matin le directeur : nos objectifs de l'année prochaine sont élevés. Nous devons donc absolument réussir le lancement sur le marché de notre nouveau produit, le sèche-cheveux Expert 319. Et je tiens à rappeler que la concurrence est rude ! Nous allons essayer ensemble de déterminer les meilleures stratégies de lancement et trouver les moyens de motiver la force de vente. J'attends donc toutes vos idées et commentaires au cours de cet atelier. Oui, Bastien ?

Bastien : Pour augmenter notre chiffre d'affaires, nous devrons cibler un public plus large et faire davantage de publicité. Aujourd'hui, on ne peut pas se passer d'Internet et des réseaux sociaux pour faire connaître un produit.

Pauline : Pour la fidélisation des clients, les réseaux sociaux sont très utiles, mais il ne faut pas sous-estimer les autres moyens. Une enquête de satisfaction apporte toujours des renseignements intéressants, surtout quand il y a des cadeaux à gagner !

(...) Voir transcription p. 142

1. Écoutez l'enregistrement et répondez.

a. Pourquoi les employés sont-ils réunis ?
b. Qui dirige l'atelier ? Qui est cette personne ?
c. Quel est le but de l'atelier ?
d. Quelles sont les idées proposées ?

2. Par petit groupe, faites le récapitulatif des propositions. Un des apprenants note les éléments. Il les restitue ensuite au reste de la classe.

Les mots pour

- Un atelier
- Motiver
- Rude
- Une stratégie de lancement
- La force de vente
- Cibler
- La fidélisation
- Sous-estimer
- Une enquête de satisfaction
- Un stand
- Une commission
- Être investi(e)

GRAMMAIRE

Le futur simple RAPPEL

Pour les verbes en **-er** et **-ir** : infinitif + **-ai, -as, -a, -ons, -ez, -ont**
- *Nous **embaucherons** deux nouveaux commerciaux.*

Pour les verbes se terminant par la lettre « **e** », on enlève le « e » final et on ajoute les terminaisons du futur.
- *Le marché américain **vendra** notre produit en décembre.*

De nombreux verbes sont irréguliers au futur : *être, avoir, savoir, devoir, pouvoir...*

→ conjugaison p. 137

1 Complétez avec le verbe qui convient conjugué au futur simple

permettre – être – prospecter – noter – vouloir – finir – devoir

a. Vous ... les grandes surfaces pour trouver de nouveaux contrats.
b. Tu ... le plan d'action pour jeudi.
c. Les gens ... tous avoir entre leurs mains notre nouveau produit !
d. Notre produit ... numéro un sur le marché en janvier.
e. Éva ... toutes les remarques.
f. Les réseaux sociaux ... de faire connaître notre produit à un vaste public.
g. Vous ... motiver vos équipes pour le lancement.

2 Lire un plan d'action

3. Observez le tableau et répondez.

a. Quel est l'objectif visé ?
b. Quelles sont les actions prévues à court terme ? À moyen terme ? Et à long terme ?
c. Quel bénéfice va générer la signature de nouveaux contrats ? Et le lancement de l'opération marketing ?

Isotea
Plan d'action 2015

Objectifs	Actions	Calendrier			Budget	
		court terme	moyen terme	long terme	Dépenses	Recettes
Générer un chiffre d'affaires de 300 000 euros	→ Embaucher 2 commerciaux	X			40 000	160 000
	→ Lancer une nouvelle opération marketing/ publicité	X			20 000	50 000
	→ Signature de nouveaux contrats (= nouveaux clients)		X		15 000	90 000

3 Établir un plan d'action commerciale

4. Lisez l'article et répondez.

a. Quelles caractéristiques du produit faut-il mettre en valeur ?
b. Quel est l'élément principal de la promotion ?
c. Qu'est-ce que le placement ?
d. D'après vous, à quoi sert la règle des 4 « P » ?

La règle des 4 « P »

Vous avez établi un plan d'action commerciale, mais êtes-vous sûr de ne rien oublier ? Vérifiez que votre plan d'action commerciale répond à toutes ces contraintes.

- P de « Produit » : vous présentez et donnez les caractéristiques de votre produit. Vous mettez en valeur ses avantages, vous parlez du packaging et du lieu où il sera commercialisé.
- P de « Prix » : vous expliquez pourquoi vous avez fixé ce prix et comment il est concurrentiel et rentable.
- P de « Promotion » : vous détaillez les stratégies développées pour la publicité et la mise en avant de ce produit face à la concurrence. Vous n'oubliez pas de donner des dates et des lieux.
- P de « Placement » : vous parlez bien sûr des lieux où sera commercialisé le produit, vous dites s'il est vendu en ligne, par correspondance… et vous parlez du personnel qualifié pour le vendre.

Les mots pour

- Le plan d'action commerciale
- Établir un plan
- Concurrentiel(le)
- Rentable
- La mise en avant
- Le placement
- Un achat en ligne / par correspondance...
- Qualifié(e)

↘ Micro-tâche

Choisissez un produit parmi ceux proposés. Faites un tableau pour présenter votre plan d'action puis présentez-le au groupe. Appliquez la règle des 4 « P ».

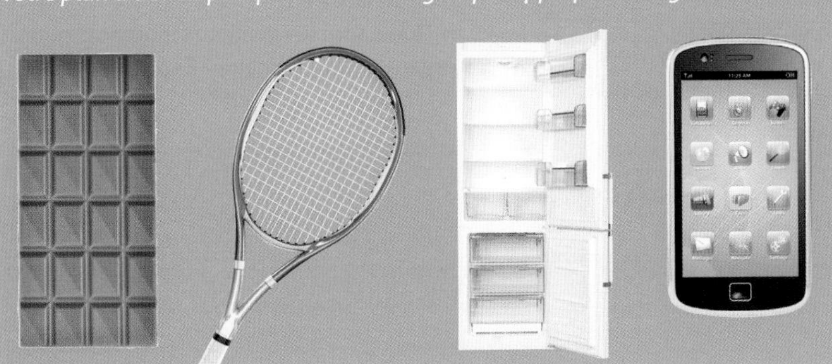

Phonétique

Les groupes rythmiques

On découpe le discours oral en groupes de mots ayant du sens : les groupes rythmiques.

Écoutez. Combien de syllabes entendez-vous ?

- Les clients sont satisfaits ?
- Cette tablette est plus grande.
- Notre équipe étudie la concurrence.
- Il faut le mettre en valeur !
- Cette personne dirigera l'atelier.

1 UNITÉ Au séminaire

1 La clôture du séminaire

Juliette Lapouge prononce le discours de clôture du séminaire annuel.
« Tout d'abord, je vous remercie tous d'être venus et j'espère que vous avez apprécié ces 3 jours. Je constate que les échanges ont été fructueux. J'ai apprécié l'engagement de tous. Cela est essentiel d'abord pour avancer et ensuite pour conserver notre place de leader sur le marché. N'oublions pas que cette position n'est jamais acquise.
(...) Voir transcription p. 142

2 Quelques critères pour bien réussir un séminaire

Quand faut-il faire un séminaire d'équipe ?

[...] toute rencontre collective a des effets relationnels bénéfiques : redécouverte des autres, actualisation de ses représentations de l'entreprise, ajustement de sa propre « identité de travail », remotivation par émulation. Il y a (ou il devrait y avoir) toujours une progression collective (team-building) dans un séminaire, quel que soit son objet. Et donc un effet notable à attendre sur l'activité elle-même : augmentation de la performance et des résultats, simplification de process, agilité, innovation... Ces effets dépendent de la justesse du processus adopté pour la conduite du séminaire, qui dépend lui-même de nombreux facteurs, en particulier : le choix du moment, l'objectif visé, la communication interne préalable et postérieure à l'événement, le process d'animation.

Alors, faut-il réserver ces temps décalés de travail en équipe à la rentrée, septembre ou janvier ? On associe assez naturellement un séminaire à un nouveau départ, un kick-off. Cependant il y a d'autres manières d'envisager ces moments collectifs. Il peut être fructueux de les utiliser en clôture de période, en décembre ou en juin par exemple. Faire le point, clarifier les enjeux, se projeter dans une vision – avant de se séparer pour des vacances.

Le journal du coach, 7 janvier 2013 ; www.troisiemevoie.com

Les mots pour

- Un ajustement
- Une émulation
- Notable
- Un process
- L'agilité
- L'innovation
- Préalable
- Postérieur(e)
- Clarifier les enjeux
- Se projeter

2. Lisez l'article et répondez.

a. Quels sont les effets bénéfiques d'un séminaire ?
b. De quoi dépendent les effets bénéfiques d'un séminaire ?
c. Quels sont les meilleurs moments pour organiser un séminaire ? Expliquez.

↘ Micro-tâche

Vous organisez un séminaire de 3 jours dans les Pyrénées pour votre entreprise. Vous proposez des activités pour favoriser la cohésion de groupe. Vous présentez ces activités aux autres apprenants.

1. Écoutez le discours et répondez.

a. Qui prononce un discours ? À quelle occasion ?
b. Comment se porte l'entreprise ?
c. Qu'est-ce qui est demandé aux salariés de l'entreprise ?

GRAMMAIRE

Les articulateurs chronologiques RAPPEL

Pour établir une chronologie, on utilise des articulateurs chronologiques : *d'abord, ensuite, et, puis, et puis, finalement, enfin, pour finir...*

- ***D'abord**, je tiens à vous remercier d'être là, **ensuite**, je tiens à souligner... et **pour finir**, j'insiste sur les objectifs...*

Les mots pour

- La clôture
- Fructueux / Fructueuse
- L'engagement
- Être leader
- Ravir une place
- Relâcher ses efforts
- Relever un défi

1 Remettez les phrases dans l'ordre et introduisez des articulateurs chronologiques.

A. **a.** Le directeur fera un discours de bienvenue.
b. Les salariés se réuniront dans la salle de conférence.
c. Tout le monde dînera à l'hôtel à 20 heures.

B. **a.** Les salariés assisteront au discours de clôture du séminaire.
b. Le directeur présentera le déroulement des journées du séminaire.
c. Les salariés arriveront sur le lieu du séminaire.

3 Pour ou contre les séminaires d'entreprise ?

**Séminaire d'entreprise, est-ce vraiment une bonne idée pour ressouder une équipe ?
Vous avez participé à un séminaire ? Faites-nous partager votre expérience.**

Aller à la page 1 – 2 – 3

Benoît
Toulouse

• Mon entreprise a organisé un séjour à Prague pendant 3 jours. C'était l'occasion de ressouder des liens. L'ambiance était détendue et il n'y avait plus vraiment de hiérarchie. J'ai rencontré des collègues que je ne connaissais pas et j'ai passé 3 jours agréables. Une journée de travail passe vite quand elle est ponctuée d'activités sportives, de visites ! C'est important que l'entreprise organise des séminaires pour favoriser la cohésion des équipes.

Aurélie
Paris

• Mon entreprise nous a emmenés à Venise. C'était très sympa mais au moment de participer à certaines activités, des collègues ont refusé de jouer le jeu. Ça leur semblait trop compétitif. Ça a créé des tensions et quelques personnes se sont retrouvées mises à l'écart. C'est dommage car ça s'est ressenti pendant la fin du séjour...

Enrico
Bruxelles

• Un séminaire, c'est un peu comme travailler en open space. On se sent libre mais on doit tout de même faire attention à son attitude. On nous fait croire que non mais on est évalué en permanence. Il faut savoir trouver les limites à longueur de temps et c'est fatigant.

Les mots pour

- Ressouder des liens
- Une ambiance
- La cohésion des équipes
- Jouer le jeu
- Créer des tensions
- Être mis(e) à l'écart

3. Lisez le forum et répondez.

a. Qui sont les participants du forum favorables aux séminaires ? Et ceux contre ?
b. Qu'est-ce que Benoît retient de son séminaire ?
c. Que s'est-il passé pendant le séminaire d'Aurélie à Venise ?
d. À quoi Enrico compare un séminaire ? Pourquoi ?

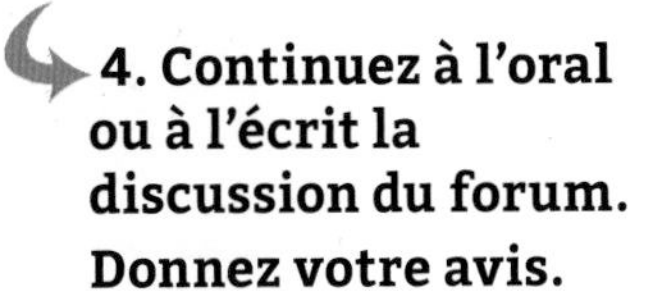

4. Continuez à l'oral ou à l'écrit la discussion du forum. Donnez votre avis.

Atelier et expérience collective

Terminées les longues conférences inaugurales, désormais remplacées par une courte plénière d'ouverture animée par un expert (scientifique, sociologue, sportif...) lequel cède ensuite la place au travail collaboratif par ateliers. « Les clients demandent plus d'espace afin de varier les configurations : des tables cabaret pour se réunir par groupes, des espaces libres pour travailler debout autour d'un mur d'idées, mais aussi la possibilité de réfléchir en plein air », note Pierre-Etienne Caire, qui suggère volontiers le format « walk and talk » : une balade dans le parc de l'une des « maisons » autour d'un thème « durant laquelle des binômes successifs se font et se défont permettant l'échange d'idées ». Tout aussi bucoliques, les ateliers « sourire » : « Dans un contexte économique morose, certains montent des modules de bonne humeur pour porter la motivation des salariés », remarque Agnès Benveniste. Autre tendance, les *serious games*, ces jeux sérieux permettant de tester des situations de travail, bien adaptés à la population de jeunes Y.
Faute de temps et de budget, les activités détente jadis programmées sur une demi-journée se resserrent sur une poignée d'heures avec un seul impératif : donner du sens. Chanter permet, à peu de frais, de renforcer la cohésion.

Marie-Sophie Ramspacher, 26 avril 2013 ; www.business.lesechos.fr

1. Quelles activités sont mentionnées dans le texte ?
2. Selon vous, que sont les « ateliers sourire » ?

Un séminaire dans un lieu original

Organiser un séminaire à 2 877 mètres d'altitude ? C'est ce que propose le Pic du Midi, un site touristique classé situé au sud de Tarbes. Idéal pour prendre de la hauteur ! Accessible uniquement en téléphérique, l'endroit n'est certes pas immense, mais dispose tout de même de deux salles de 80 m² et 122 m², entièrement équipées avec sonorisation, vidéo projecteur et connexion Internet. Le restaurant *Andromède* offre un panorama inoubliable sur toute la chaîne des Pyrénées. Attention : le lieu ne peut être entièrement privatisé qu'en soirée et n'offre que 15 chambres pour passer la nuit.

www.challenge-performances.com, 5 novembre 2013.

1. **Trouvez des lieux originaux mais réalistes pour organiser des séminaires.**

L'histoire du benchmark

[...] le terme « benchmarking » existait depuis un moment avant sa naissance officielle. Mais une entreprise en a cristallisé une définition qui s'est ensuite répandue dans tous les États-Unis, avant de traverser les océans.
Ça se passe dans les années 80, à New York, racontent les deux chercheurs dans leur ouvrage Benchmarking *(éd. Zones, mars 2013). L'entreprise s'appelle Xerox, le spécialiste des photocopieurs.*
À l'époque, le modèle est le Japon et son « miracle économique ». Dans son domaine, Xerox s'est engagée dans une stratégie de contre-attaque face aux entreprises japonaises qui ont déjà commencé à lui prendre d'importantes parts de marché : « C'est en 1979 que l'expression "competitive benchmarking" semble avoir été utilisée pour la première fois au sein de la firme, à propos d'une étude comparative des coûts de fabrication unitaires engagée au Japon. »
Dans son laboratoire, Xerox rassemble une soixantaine de photocopieurs produits par la concurrence. On y démonte chaque appareil afin d'en étudier les caractéristiques, les composants et les performances : « Il ne s'agit plus seulement de copier les produits concurrents, mais de fixer et surtout de justifier, par comparaison, les cibles à atteindre. » Autrement dit, on diagnostique où en est alors la concurrence et on se projette à cinq ans afin d'estimer l'écart qu'il faudrait combler pour rattraper les leaders.
On exige alors que chaque unité atteigne et maintienne une performance supérieure à celle du meilleur concurrent aussi bien en termes de coûts, de qualité, de rapidité d'exécution que de frais de personnel, de taux d'erreur de facturation ou de temps de réponse des services... « Le benchmarking en train de naître matérialise la concurrence en donnant à voir les performances enregistrées ailleurs et en les rendant tangibles sous forme de modèles et de cibles. Le but est ainsi de faire (ré)agir les cadres en suscitant une motivation élémentaire : "Ne pas vouloir faire moins bien que le voisin." »
L'usage du benchmarking n'a rien d'obligatoire, mais les managers qui ne l'utilisent pas s'exposent à des reproches de la direction, précisent les auteurs. Résultat : chez Xerox, 237 « éléments de performance » font l'objet d'un benchmarking en 1993 contre 14 en 1984.

Elsa Fayner, 22 juillet 2013, www.rue89.nouvelobs.com

1. Qui a inventé le benchmarking ? Et quand ?
2. Pourquoi le benchmarking est-il inventé ?

Au séminaire

▶ **Résumé**

Caroline et Stéphanie participent au séminaire de leur entreprise et profitent d'un temps libre pour faire un footing.

▶ **Objectifs**

- Comprendre à quoi sert un séminaire
- Découvrir les activités pratiquées lors d'un séminaire

→ **Cahier d'activités**

JE BENCHMARKE, TU BENCHMARKES...

Les établissements scolaires, la qualité des transports publics, le nombre de diplômés dans une matière donnée, les salaires et même les salariés : aujourd'hui tout se benchmarke ! Et déjà en 1999, Jacques Santer, alors président de la Commission européenne, déclarait :
« Maintenant, nous sommes tous des benchmarkers ! »

1. Et vous, avez-vous déjà fait du benchmark ? Racontez.

Entraînement aux examens

1 Compréhension de l'oral

Exercice 1
Lisez les questions, écoutez le document, puis répondez aux questions.

a. La scène se déroule quand :
- ❒ Magali va partir en séminaire.
- ❒ Magali rentre d'un séminaire.
- ❒ Ariane rentre de séminaire.

b. De quelles activités non-professionnelles parle Magali ?

c. Pour, Magali, « Faire une course avec son patron » :
- ❒ c'est étrange et amusant.
- ❒ c'est ridicule et étrange.
- ❒ c'est amusant et important·

d. Pour Magali, passer 3 jours avec des collègues :
- ❒ c'est très agréable.
- ❒ c'est désagréable.
- ❒ c'est un peu difficile.

e. Les cours de cuisine pendant un séminaire servent à :
- ❒ renforcer la hiérarchie.
- ❒ travailler de son côté.
- ❒ supprimer les liens hiérarchiques.

f. Que pense Magali des séminaires ?

Exercice 2
Lisez les questions, écoutez le document, puis répondez aux questions.

a. Quel produit est présenté ?
b. Dans combien de temps ce nouveau produit sera-t-il commercialisé ?
c. Donnez trois caractéristiques du nouvel aspirateur.
d. Comparez son prix à celui de l'ancien modèle ?

2 Production orale

• Exercices en interaction

a. Vous rentrez d'un séminaire de trois jours au Canada. Vous rencontrez un(e) collègue de travail qui n'était pas au séminaire. Il(elle) vous demande comment c'était. (Le professeur jour le rôle du (de la) collègue de travail.)

b. Vous êtes en séminaire avec un(e) collègue qui se plaint d'être là. Vous lui expliquez que ce séminaire est mieux que le séminaire de l'année dernière. (Le professeur joue le rôle du (de la) collègue mécontent(e).)

• Monologue suivi

Vous dégagez le thème soulevé par le document et vous présentez votre opinion sous la forme d'un exposé personnel de 3 minutes environ.

> Le séminaire d'entreprise peut paraître proche du concept de team-building. Les ressemblances sont nombreuses. Dans les deux cas, le but est de fédérer des équipes autour de messages clairs, de valeurs, de créer une cohésion entre les équipes. Un séminaire d'entreprise ne doit pas être contraignant, il doit attirer et motiver le plus grand nombre. La formule est idéale dès lors que l'on sent une baisse de motivation.

3 Production écrite

Exercice 1
Vous êtes parti en séminaire pendant trois jours, vous racontez ce que vous avez fait : activités professionnelles, activités ludiques... (160 mots)

Exercice 2
Vous avez réalisé un benchmark sur un produit. Vous présentez les résultats de votre étude et vous indiquez les améliorations à apporter au produit pour le rendre concurrentiel. (160 mots)

4 Compréhension des écrits

Exercice 1

a. Lisez le document, puis complétez le tableau en fonction de la demande ci-après. Mettez une croix lorsque les critères sont remplis.

Vous devez organiser un séminaire pour 130 personnes pendant 3 jours. Vous cherchez un bel endroit, spacieux, dans la nature. Vous avez besoin d'une grande salle de conférence pouvant accueillir tous les participants mais aussi de plusieurs salles pour des ateliers (groupes de 15 personnes environ). Vous avez besoin d'un accès Internet. Vous souhaitez pouvoir organiser des activités de plein air. Tous les participants dormiront sur place en chambre individuelle. L'endroit doit être situé à moins de 3 heures de Paris par le train.

1

Le château Latour est situé dans les Pyrénées, à seulement 2 heures en voiture de Barcelone. La salle « Amphithéâtre » permet d'accueillir 500 personnes. Les pièces du château sont aménagées en salles de réunions équipées de matériel informatique et de connexion Internet. En pleine nature, loin de la ville, vous pourrez profiter des pistes de ski en hiver et de circuits de randonnées en été. Nous pouvons aussi vous mettre en contact avec des spécialistes d'activités de séminaires. Pour l'hébergement, le château vous conseille un hôtel 3 étoiles situé à dix minutes en voiture.

Au calme, en plein cœur de d'une belle région, la Bourgogne, le Manoir de Grand Air, est l'endroit idéal pour organiser des séminaires d'entreprise (jusqu'à 180 personnes). Il est accessible en moins de 2 heures de Paris par le train. Vous disposez d'une salle de réunion (150 places) et de petites salles de réunions aménagées et équipées d'ordinateurs, de connexions wifi et d'écrans plats. Dans le parc du manoir, parcours d'accrobranches, piste de karting, étang avec barques. Pour la nuit, le manoir possède 150 chambres avec salle de bains. Vous pourrez prendre tous vos repas sur place (petit-déjeuner, déjeuner, dîner) dans une vaste salle ou dans le jardin en été.

2

3

La Ferme des Étangs organise vos séminaires dans la région Nord-Pas-de-Calais. À moins d'une heure trente de Paris en train, nous serons heureux de vous recevoir dans cette ferme du XVIIe siècle. Les repas sont servis dans une vaste salle conviviale. Notre ferme est aménagée spécialement pour les séminaires : vous disposez de 10 salles équipées d'ordinateurs et de connexion Internet. La grande salle de réunion peut accueillir 140 personnes en même temps. Nous proposons de nombreuses activités : rallyes en voitures anciennes, promenades dans la nature. Vous avez également accès à un parcours de golf près de la ferme. Nos 130 chambres individuelles sont toutes équipées de salle de bains.

b. Quel est le lieu idéal pour organiser le séminaire ?

	1 Château Latour	2 Manoir de Grand Air	3 Ferme des Étangs
Nombre de personnes			
Salle de conférence			
Salles de réunions			
Connexion Internet			
Hébergement			
Activités cohésion			
Distance de Paris			

Exercice 2

Lisez le document, puis répondez aux questions.

a. Quelle est la spécialité de l'entreprise Team Venture ?
b. Que doivent faire les participants ? (3 réponses attendues)
c. Quelle impression a la personne qui participe à cette activité ?
d. Pourquoi ces chasses au trésor sont parfaitement organisées ?
e. À qui s'adresse ce genre d'activités ?
f. Quels adjectifs sont utilisés pour qualifier les chasses au trésor de Team Venture ?

Les experts de la chasse au trésor en entreprise

Team Venture est spécialisé dans l'organisation de chasses au trésor pour les entreprises. Pendant ces aventures, un meurtre fictif a lieu. Les participants doivent identifier le coupable parmi un groupe de suspects. Ils doivent également trouver des preuves et le motif du crime. Les participants sont totalement immergés dans un autre univers. Les chasses au trésor de Team Venture se distinguent des activités habituelles de team building.

Team Venture est le créateur du jeu d'enquête en entreprise. Avec ses 15 ans d'expérience dans le domaine, les chasses au trésor de Team Venture sont parfaitement organisées. À la fois ludiques et originales, ces chasses au trésor peuvent servir d'introduction ou de conclusion à un séminaire ou pour toutes autres occasions.

D'après www.teamventure.fr

Organiser un séminaire d'entreprise

Objectif : organiser un séminaire afin de souder votre équipe et d'intégrer les nouveaux arrivés dans l'entreprise.

Étape 1
Vous choisissez le lieu de votre séminaire. Vous vous renseignez sur les différentes possibilités. Vous justifiez votre choix en fonction de différents critères que vous déterminerez : situation géographique, accessibilité, nombre de participants, coût, cadre, objectif du séminaire...

Étape 2
Vous fixez les dates du séminaire et sa durée. Puis vous informez par mail vos collaborateurs des dates du séminaire.

Étape 3
Vous préparez le programme du séminaire : présentations, ateliers, activités diverses... Vous détaillez ce programme : contenus des interventions et des ateliers, noms des participants... Vous présentez les éventuels intervenants extérieurs. Vous justifiez toujours vos choix.

Étape 4
Vous présentez un document, sous la forme que vous souhaitez, qui récapitule le programme en détail (avec les horaires).

Étape 5
Vous préparez un questionnaire à remettre à tous les participants à l'issue du séminaire pour recueillir leur avis sur le séminaire.

Méthode

- Déterminer précisément l'objet du séminaire et les participants.
- Réfléchir à l'image de la manifestation pour choisir un lieu qui convient. Consulter différents prestataires afin de comparer les prix.
- Préparer dès que possible le contenu des réunions avec les personnes concernées (collaborateurs, consultants extérieurs...). Attribuer certains rôles (désigner les personnes chargées d'animer les ateliers, d'autres chargées de la restitution des échanges...).
- Capitaliser sur le contenu en préparant un questionnaire à remettre aux participants à l'issu du séminaire (ou la semaine suivante).

Une commercialisation réussie

UNITÉ 2

PRÉSENTATION DES CONTENUS

Je fixe un prix, je découvre la législation sur les prix, je choisis un canal de distribution, je consomme autrement, je me renseigne sur les conditions de livraison, je livre un particulier ou des entreprises.

J'ai besoin des éléments grammaticaux suivants :

Si + conditionnel présent
Les adverbes en *-ment*
Les prépositions de temps

J'ai aussi besoin des outils lexicaux suivants :

Le prix d'un produit
Les soldes et les promotions
La distribution
La livraison

Une commercialisation réussie

1 Le prix psychologique

1. Lisez le texte et répondez.

a. En fonction de quoi sont calculés les prix ?
b. Que signifie un prix bas pour un consommateur ? Et un prix cher ?
c. Qu'est ce que la stratégie du prix psychologique ? Et celle du nombre impair ?

Pas assez cher mon fils !

Fixer un prix n'est pas une mince affaire. Le prix de vente est aujourd'hui décliné à toutes les sauces : produits low-costs, prix bas, prix promos, prix de gros... Ces prix de vente sont calculés en fonction du coût de revient, de la concurrence ou encore des barrières psychologiques.

Dans la tête du consommateur, un produit cher est associé à un produit de qualité. Un produit à bas prix est perçu comme de mauvaise qualité, même si ce n'est pas toujours vrai. Qui ne connaît pas ce spot publicitaire de Publicis, de janvier 1993, dont la phrase « Pas assez cher mon fils ! » est ancrée dans les mémoires. Le spot publicitaire, qui présentait le dernier modèle de voiture Renault, la Clio, mettait en scène le dialogue entre un riche émir et son fils sur le point de lui succéder à la tête des affaires. La Clio a beau « avoir tout d'une grande » au niveau du confort et des équipements, pour le père, elle n'est pas assez chère. Elle ne convient pas à une personne de son rang. Si elle a vraiment tous les avantages d'une « grande », elle doit être plus chère ! La stratégie du prix psychologique fonctionne dans les deux sens. Le plus souvent elle est associée à la stratégie du nombre impair qui consiste à vendre un produit toujours un centime moins cher. Si le seuil des 10 euros est atteint, l'impact sur le consommateur ne sera pas le même que si le prix est fixé à 9, 99 euros.

Les mots pour

- Un produit low-cost
- Un prix promo
- Un coût de revient
- Une barrière psychologique
- Ancrer dans les mémoires
- Le prix psychologique
- Succéder à
- À la tête de
- Le seuil

2 Fixer un prix

(...) Voir transcription p. 143

2. Écoutez l'interview et répondez.

a. Quels sont les quatre postes principaux dans le prix d'un paquet de café ?
b. Quels sont les coûts spécifiques au commerce traditionnel ? Et au commerce équitable ?
c. Quand le label équitable est-il profitable au producteur ?

Les mots pour

- Le commerce équitable
- Une réputation
- Un intermédiaire
- La matière première
- Un producteur / Une productrice
- Une coopérative
- La distribution
- Un organisme certificateur
- Un label
- Une filière
- Le cours
- La bourse
- Aligner ses prix
- S'amenuiser

3 Les soldes et les promotions

(...) Voir transcription p. 143

3. Écoutez l'interview et répondez.

a. Qui est Patrick Lelba ? Où travaille-t-il ?
b. Comment le prix des produits soldés est-il fixé ? Sur quels produits ?
c. Quelles différences y a-t-il entre soldes et ventes promotionnelles ?

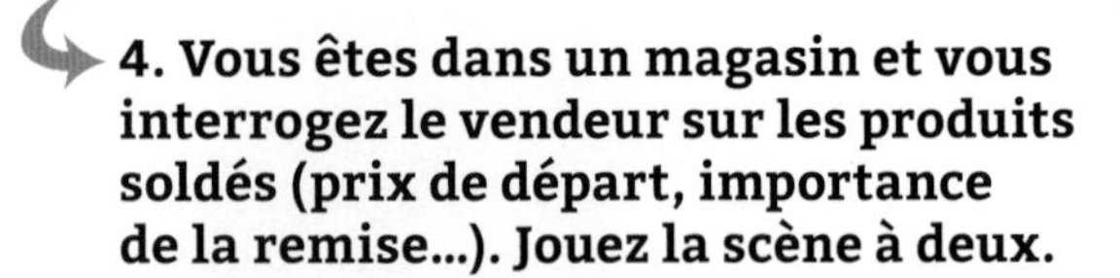

4. Vous êtes dans un magasin et vous interrogez le vendeur sur les produits soldés (prix de départ, importance de la remise...). Jouez la scène à deux.

Les mots pour

- Les soldes / Soldé(e)
- Une liquidation
- Une offre promotionnelle
- Ponctuel(le)
- Sanctionner
- Avantageux(se)
- Occasionnel(le)
- Une revente à perte
- Abusivement
- Un prix d'appel
- Disponible ≠ Indisponible
- Une fraude

4 La législation sur les prix

5. Lisez l'article et répondez.

a. Quels secteurs ne peuvent pas fixer leurs prix librement ? Pourquoi ?
b. Qu'est-ce qui est interdit aux entreprises lorsqu'elles fixent leurs prix ?
c. Que signifie « les pratiques restrictives de concurrence » ?

Les mots pour

- Structurel(le)
- Conjoncturel(le)
- Une contrepartie
- Anticoncurrentiel(le)
- Un obstacle
- La fixation
- Le libre jeu
- L'abus de position dominante
- Entraver
- Prohiber
- Restrictif / Restrictive
- Violer un accord
- Discriminatoire
- Sanctionner
- Civilement
- Pénalement

Fixer ses prix de vente : une liberté encadrée par la loi

La grande majorité des prix des biens, des produits et des services sont librement déterminés par les professionnels. Cette règle ne prévoit que deux types d'exceptions, liés à des causes structurelles ou conjoncturelles.

La première concerne certains secteurs professionnels comme la santé, l'édition, l'électricité, le gaz, dans lesquels une réglementation des prix continue de s'exercer, en tout ou partie, dans l'intérêt des consommateurs. De même, dans des circonstances exceptionnelles ou dans une situation anormale du marché pour un secteur déterminé, les prix peuvent être réglementés au maximum pendant six mois. Sous certaines conditions, il est ainsi possible, par exemple, de réglementer le prix des carburants. Surtout, le principe de liberté des prix a des contreparties.

Entre professionnels, les pratiques anticoncurrentielles dont le but est de limiter l'accès d'une entreprise au marché, de faire obstacle à la fixation des prix par le libre jeu du marché ou de favoriser artificiellement la hausse ou la baisse des prix, sont interdites. L'abus de position dominante, qui entrave le fonctionnement compétitif du marché, est également une pratique anticoncurrentielle prohibée.

De même, les pratiques restrictives de concurrence, comme le fait d'imposer un prix minimal, de revendre un produit en dessous de son prix d'achat effectif, de violer un accord de distribution sélective en vendant des produits hors du réseau ou d'obtenir des prix d'achat discriminatoires, sont sanctionnées civilement et (ou) pénalement.

François Sabarly, LEntreprise.com, 13 décembre 2012. www.lentreprise.lexpress.fr

Phonétique

L'accent lexical

En français, on allonge la dernière syllabe des groupes rythmiques : c'est la syllabe accentuée.
- Il calcule le prix de vente en fonction du prix de revient.
- Le prix est plus élevé à cause des intermédiaires.
- Comment calculez-vous vos prix au moment des soldes ?
- Ce produit vous sera livré en moins de 24 heures.

GRAMMAIRE

Si + conditionnel présent

Le conditionnel présent se forme à partir du radical du futur auquel on ajoute les terminaisons de l'imparfait : ***-ais, -ais, -ait, -ions, -iez, -aient.***
- ***Pourriez****-vous me donner votre carte de visite ?*

Lorsqu'il est utilisé pour exprimer l'hypothèse, il est en général introduit par « *si* » :
- ***Si*** *vous pouvez demain, ça* ***serait*** *parfait.*
- ***Si*** *vous étiez disponible demain, nous* ***pourrions*** *convenir d'un rendez-vous.*

Les verbes irréguliers au conditionnel sont les mêmes que les verbes irréguliers au futur simple.

→ conjugaison p. 137

1 Mettez au conditionnel présent.

a. Si le commerçant n'avait pas d'autorisation, il ne (pouvoir) pas lancer ses promotions.
b. Si certaines règles n'étaient pas respectées, le commerçant (risquer) une amende.
c. Si le prix indiqué était inférieur au prix de revient, alors le commerçant (vendre) à perte et (être) sanctionné.

↘ Micro-tâche

Vous choisissez un produit avec un ou plusieurs apprenants de votre groupe. Vous définissez le prix de ce produit, vous expliquez ce qu'il inclut et vous justifiez votre décision finale.

UNITÉ 2 Une commercialisation réussie

1 Les canaux de distribution

1. Lisez le document et répondez.

a. Combien de personnes fait intervenir le canal ultra court ? Le canal court ? Et le canal long ?
b. Quels sont les avantages du canal court ?
c. Quel type de canal utilisent les supermarchés ?

Canal ultra court	Canal court	Canal long
Aucun intermédiaire entre le producteur et le consommateur.	Un seul intermédiaire entre le producteur et le consommateur.	Nombre d'intermédiaire égal ou supérieur à deux.
Producteur ↓ **Consommateur**	**Producteur** ↓ **Détaillant** ↓ **Consommateur**	**Producteur** ↓ **Grossiste / centrale d'achat** ↓ **Détaillant** ↓ **Consommateur**
Vente à la propriété : vin, fruits et légumes...	*Boutique de vêtements*	*Grande distribution*

2 Le cross-canal

Les mots pour

- Le cross-canal
- Logistique
- Amont ≠ Aval
- Un approvisionnement
- Le stockage
- Se positionner
- Individualiser
- Un référentiel

2. Lisez l'article et répondez.

a. Qu'est-ce que le cross-canal ?
b. Quel est l'avantage d'une stratégie cross-canal ?
c. Quelle est la différence entre le commerce traditionnel et le commerce électronique ?

Une nouvelle réalité pour les distributeurs

Cross-canal : c'est le principe de pouvoir acheter par différents canaux (Internet, mobile, magasin) et de pouvoir être livré où je veux et quand je veux (récupération de la marchandise).

La mise en place d'une distribution cross-canal modifie considérablement les fonctions logistiques tant en amont (approvisionnement) qu'en aval (préparation des commandes). La stratégie de stockage change également. Les nouveaux systèmes logistiques du cross-canal changent techniquement et économiquement les moyens à disposition des distributeurs.

Le cross-canal à pour but d'accompagner le client durant tout son processus d'achat. Mais pour être efficace, il faut se positionner selon le point de vue du client. Ainsi l'entreprise peut répondre aux besoins de celui-ci, mais également lui procurer le meilleur service. L'entreprise peut alors identifier et valoriser toutes les occasions de contact, afin de définir une communication pertinente et cohérente. L'avantage d'une stratégie cross-canal est de pouvoir individualiser, personnaliser l'offre proposée au client, et de respecter les exigences du client.

[...] En commerce traditionnel, « le client va vers la marchandise » alors que « dans le commerce électronique, c'est l'inverse : la marchandise va vers le client ».

D'après www.ecommerce-live.net

3 Des lunettes en ligne

(...) Voir transcription p. 143

3. Écoutez la chronique et répondez.

a. Quel projet de loi a adopté l'Assemblée nationale ? Quand ?
b. Qui est pour ? Qui est contre ?
c. Qu'est ce que démontrent les rapports de Marc Simoncini ?
d. Qu'est-ce que dénonce Marc Simoncini ?
e. Que va permettre la mesure prise par le gouvernement ?
f. Pourquoi la profession dénonce une dérive ?

4 Consommer autrement

Les mots pour

- Collectivement
- Bio
- Une plateforme
- Un collectif
- Interactif / Interactive
- Une revanche
- Une centrale d'achats
- Un concept
- Récemment

La Ruche qui dit oui

Ils sont amis ou simplement voisins et s'organisent collectivement pour commander des produits aux paysans près de chez eux. Ils souhaitent manger local, la plupart du temps bio.

Le principe est simple, bien trouvé, et locavore, terme qui désigne les personnes qui ont décidé de consommer uniquement les produits fabriqués à moins de 160 kilomètres de chez eux. Une plateforme Internet permet à des consommateurs de constituer un collectif, « une ruche », de passer des commandes groupées à des producteurs locaux qui les livreront quand une quantité suffisante est atteinte. Vous payez votre commande en ligne, et vous récupérez facilement votre panier à une heure définie sur un lieu de distribution. Contrairement aux sites d'achats groupés, le fonctionnement est interactif, vous pouvez suggérer à votre ruche, des produits que vous aimez, fabriqués près de chez vous.

Pour les producteurs, c'est une revanche. La vente directe leur permet de faire plus de marge que la vente aux centrales d'achats. Fini aussi l'anonymat, raconte Yves de Rochefort, agriculteur et meunier bio : « Mon père vendait son blé à la coopérative qui ensuite le vendait "à Chicago" au prix fixé sur les marchés internationaux. Moi je n'ai pas du tout envie de faire ça, donc je crée mon propre réseau de distribution. »

5. Lisez le texte et répondez.

a. Décrivez le concept de « La Ruche qui dit oui ! ».
b. De quel type de canal de distribution s'agit-il ? Justifiez.
c. Qu'est-ce qui différencie la Ruche d'un site d'achats groupés ?
d. Pourquoi les producteurs sont satisfaits ?
e. Pourquoi Yves de Rochefort n'a pas suivi le mode de distribution de son père ?

GRAMMAIRE

Les adverbes en *-ment*

Pour former un adverbe en *-ment*, en général on ajoute *-ment* à l'adjectif au féminin.
- *douce → doucement ; lente → lentement*

Pour les adjectifs terminés par *-ant* ou *-ent*, on supprime *« nt »* et on ajoute *-mment*.
- *courant → couramment ; méchant → méchamment*
- *violent → violemment ; prudent → prudemment*

Pour les adjectifs terminés par une voyelle, on ajoute *-ment* au masculin de l'adjectif
- *vrai → vraiment ; poli → poliment*

1 Remplacez ce qui est en gras par un adverbe en *-ment*.

a. Au contraire de son père, Yves de Rochefort utilise un canal de distribution court.
b. Les voisins s'organisent **en collectif** pour commander aux producteurs locaux.
c. Les gens de la ruche consomment **en exclusivité** les produits locaux.
d. Louis commande par Internet **au contraire** de ses parents qui ne commandent jamais par Internet.

Les mots pour

- L'optique / Un opticien
- Adopter
- Un projet de loi
- Faciliter
- Une disposition
- Une association de consommateurs
- Obtenir gain de cause
- Une pratique anticoncurrentielle
- Arguer
- Une dérive
- La sécurisation

4. Vous voulez acheter des lunettes. Vous allez chez un opticien. Vous lui parlez de l'achat de lunettes en ligne. Jouez la scène à deux. L'un est le client, l'autre l'opticien.

↘ Micro-tâche
Vous choisissez un produit et vous proposez trois façons différentes de le commercialiser (3 canaux).

2 UNITÉ Une commercialisation réussie

1 Darty : la livraison express

LA LIVRAISON EN 24H PAR CHRONOPOST

PC, tablette tactile, chaîne Hi-Fi, grille-pain... Vous avez trouvé votre bonheur ? En dehors des moyens classiques de livraison, Darty vous propose la **livraison en 24h par Chronopost**, pour les articles non volumineux.

▸ **Directement à votre domicile :** pour toute commande effectuée du lundi au samedi de 8h à 13h, vous recevez votre colis dès le lendemain, dans toute la France métropolitaine ! Les frais de livraison s'élèvent à 9,90 euros, quels que soient le montant et le poids de votre commande. En cas d'absence au moment de la livraison, votre colis est déposé au bureau de Poste dont vous dépendez, et conservé sur place pendant 15 jours.

▸ **En point relais Chronopost :** en passant commande en ligne ou par téléphone, vous pouvez choisir de faire livrer vos colis de moins de 20 kilos directement chez l'un de vos commerçants de quartier (frais de port : 4,99 euros). Votre colis sera mis à votre disposition dès le lendemain, à partir de 13h, dans le relais de votre choix – à proximité de votre domicile ou de votre lieu de travail par exemple. Vous profitez ainsi d'horaires d'ouverture étendus et flexibles. Vous disposez ensuite de 8 jours pour venir le chercher.

www.darty.com

1. Lisez le document et répondez.

a. Vous achetez un ordinateur le samedi à 17 heures, quand recevrez-vous votre colis chez vous ?
b. Et si vous l'achetez le lundi matin à 11 heures ?
c. Si vous n'êtes pas chez vous le jour de la livraison, que se passe-t-il ?
d. Pendant combien de temps votre colis est disponible au bureau de Poste ?
e. Vous achetez votre ordinateur par téléphone : où sera-t-il livré pour 4,99 euros ?
f. Combien de temps avez-vous pour le récupérer ?

Les mots pour

- Une tablette tactile
- Volumineux / Volumineuse
- Effectuer une commande
- Un colis
- Dépendre de
- Disposer de

2 Amazon : la livraison par drone

(...) Voir transcription p. 144

2. Écoutez la chronique et répondez.

a. Quel est le projet de Jeff Bezos ?
b. Pour le client, quelles sont les conditions pour avoir accès à ce type de livraison ?
c. Quels sont les obstacles qui rendent difficile la réalisation de ce projet ?
d. Qu'est-ce qui est en opposition avec le modèle économique d'Amazon ? Expliquez.

Les mots pour

- Un drone
- Un engin
- Un entrepôt
- Semé d'embûches
- Un aléa
- Viable
- Un périmètre
- Démultiplier
- Un modèle économique

3 Le fret international

3. Lisez le document et répondez.

a. Que vous assure TNT pour votre livraison ?
b. Comment TNT fait pour réussir à livrer en France et à l'étranger ?
c. Que devez-vous faire pour que TNT accepte de prendre en charge vos colis ?
d. Qu'est-ce que le service Express ?
e. Quels types de produits peut-on faire livrer par TNT ?

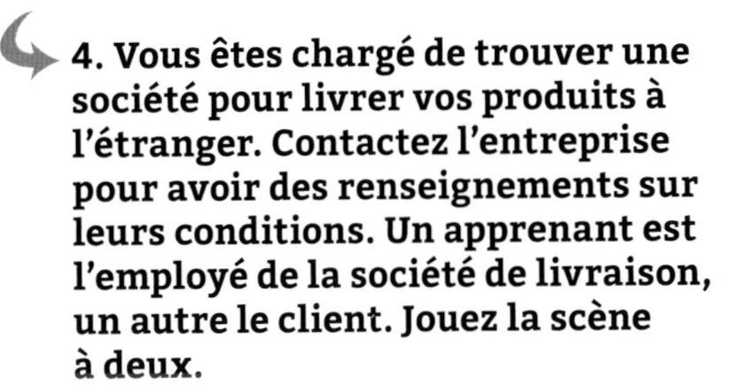

4. Vous êtes chargé de trouver une société pour livrer vos produits à l'étranger. Contactez l'entreprise pour avoir des renseignements sur leurs conditions. Un apprenant est l'employé de la société de livraison, un autre le client. Jouez la scène à deux.

Les conditions de livraison en entreprise pour les entreprises :
Pourquoi choisir TNT pour organiser votre fret aérien ?

En choisissant TNT Express pour organiser votre **fret aérien**, vous êtes assuré de voir votre marchandise livrée en temps et en heure, en toute sécurité et cela, à l'endroit que vous avez préalablement choisi.

C'est grâce à notre importante chaîne logistique, notre équipe dévouée et expérimentée, ainsi que nos nombreuses infrastructures (présentes dans plus de 60 pays) et notre flotte (30 000 véhicules et 46 avions) que nous pouvons assurer la globalité du fret de votre marchandise en France comme à l'étranger.

Nous prenons en charge des colis de toutes tailles à condition que ceux-ci soient correctement emballés. Les marchandises se situant entre 70 et 1 000 kg, à destination d'un **fret international** par voie **aérienne** ou routière, doivent être obligatoirement palettisées.

Quel que soit votre secteur d'activité (médical, industrie, automobile, luxe, e-commerce, etc.) nous sommes en capacité de vous proposer des solutions de transport adaptées à vos besoins et contraintes pour l'organisation de votre **fret aérien.**

Autre solution : le service express avec une livraison en 24h réalisable en Europe. Ces délais très serrés peuvent être tenus grâce à un réseau aérien très développé et des équipes aussi réactives que consciencieuses.

Enfin, c'est un service transparent et compétent que vous propose TNT. Vous pouvez suivre l'acheminement de votre **fret aérien** et profiter d'un service porte-à-porte durant lequel tout est pris en charge y compris le dédouanement export et import.

www.tnt.fr

Les mots pour

- Le fret
- Aérien(ne)
- Une promesse
- Dévoué(e)
- Une flotte
- La globalité
- Être palettisé
- Être en capacité de
- Un délai serré
- Réactif / Réactive
- Consciencieux / Conscencieuse
- L'acheminement
- Une palette
- Le porte-à-porte
- Prendre en charge
- Le dédouanement
- Import ≠ Export

↘ Micro-tâche

Un ami qui réside à l'étranger vous a demandé de lui acheter 5 livres et de les lui envoyer. Vous allez sur le site de la FNAC : 4 livres sont en stock et la sortie du cinquième est prévue dans 4 jours. Vous lui envoyez un mail en lui expliquant les différentes possibilités de livraison, les délais, le coût... Sur le site de la FNAC, choisissez la rubrique « Aide » puis « 3. Délais de livraison ».

GRAMMAIRE

Les prépositions de temps

- ***En*** exprime le temps qu'il faut pour accomplir une action.
  - *Votre colis livré **en** 24 heures.*
- ***Il y a*** indique un moment passé.
  - *Mon colis est arrivé **il y a** 2 jours.*
- ***Pendant*** exprime une durée déterminée.
  - *Votre colis restera au Relais **pendant** 15 jours.*
- ***Depuis*** exprime une action commencée dans le passé et qui continue dans le présent.
  - *J'attends ma livraison **depuis** 3 semaines.*
- ***Dans*** exprime une action à venir.
  - *Vous serez livré **dans** deux jours.*

1 Complétez par la préposition de temps qui convient.

a. Chronopost m'a livré mon paquet ... moins de 2 heures.
b. Si j'expédie mes colis aujourd'hui, ils seront livrés ... 2 jours.
c. Tu as reçu un appel, ton colis est au relais ... 10 jours.
d. La livraison par drone existera peut-être ... 5 ans.
e. Si vous venez chercher votre colis ... 2 semaines, ce sera trop tard.
f. Ce laboratoire travaille avec France Express ... plus de 10 ans.

La baguette, symbole de la France et baromètre de l'inflation

L'origine de la baguette de pain française remonte à la fin du XVIIIe siècle, à l'époque de la Révolution. Un décret stipule alors que, par souci d'égalité, les boulangers ne doivent faire qu'une seule sorte de pain. Dès lors, on tentera de réglementer la taille, le poids et, bien sûr, le prix de la baguette. Jusqu'à la fin des années 1970, le prix de la baguette, de 250 grammes et d'une longueur de 80 cm, est fixé par un arrêté préfectoral. Aujourd'hui les boulangers peuvent fixer librement le prix de la baguette, qui est un excellent baromètre de l'inflation. En dix ans, son prix a augmenté de 30 %. Début 2014, une baguette coûtait environ 0,90 euro.

Décomposition du prix d'une baguette en France

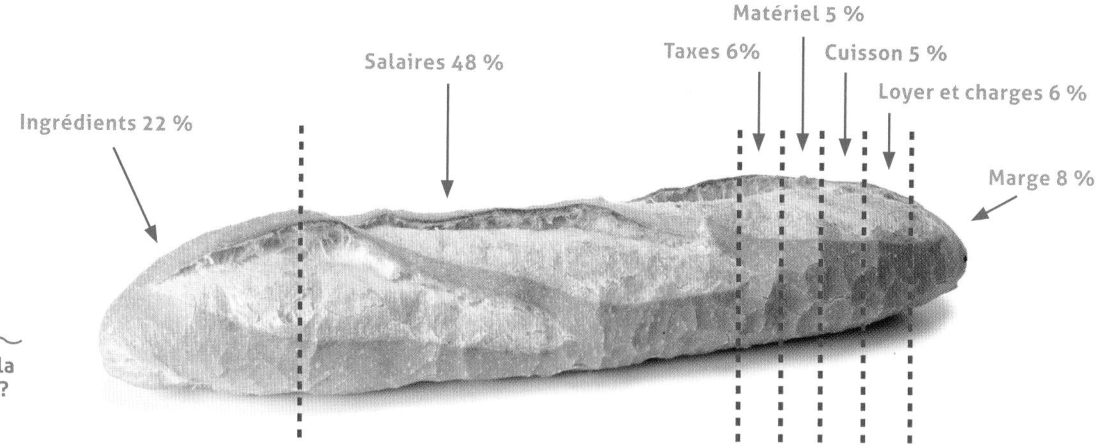

1. Pendant longtemps, quelle a été la particularité du prix de la baguette ?
2. Que pensez-vous de la marge du boulanger sur une baguette ?

LE RECOURS AU PRICING

Le *pricing* est un moyen pour une compagnie aérienne d'optimiser les recettes en établissant des règles tarifaires suivant différents éléments recueillis en amont de la création d'un vol. L'analyste *pricing* est responsable d'un portefeuille de vols qu'il suit en temps réel afin d'établir les grilles tarifaires suivant les classes de réservation tout en intégrant l'environnement concurrentiel : état de la concurrence, destination des vols, événements particuliers, niveaux de prix pratiqués... Le « *pricer* » actualise les prestations dans une compagnie aérienne pour les passagers ou le fret.

Appliqué dans un premier temps dans le secteur de l'hôtellerie, le *Revenue Management* ou *Yield Management* (tarification en temps réel) a fait son apparition au milieu des années 80 dans les compagnies aériennes américaines. Le *Revenue Management* est un enjeu économique essentiel et vital pour les compagnies aériennes car il permet à ces dernières d'accroître leur rentabilité.

D'après www.airemploi.org.

1. Qu'est-ce que le pricing ?
2. Quel est son intérêt ?

Une expérience qui suscite des interrogations

Le docteur Kai-Markus Mueller, neuroscientifique fondateur de l'entreprise Neuromarketing Labs, a mis en doute les méthodes classiques de choix des prix. Ayant travaillé dans une entreprise de marketing avant de faire du neuromarketing, il remet en cause la méthode classique d'interrogation des individus sur le prix qu'ils sont prêts à payer pour un produit.
En prenant l'exemple de l'expresso de Starbucks, il a cherché à mesurer la différence entre ce que l'individu dit oralement être prêt à payer et ce qu'il dépenserait réellement pour le café. [...]
Pour mener à bien son expérience, le docteur Kai-Markus Mueller a utilisé la technique de l'électroencéphalogramme (EEG). L'EEG consiste à mesurer l'activité électrique du cerveau à l'aide d'électrodes placées sur le cuir chevelu. Le tracé alors obtenu ressemble à celui d'un électrocardiogramme. Ce signal, qui représente l'activité électrique des neurones, permet de mesurer des états psychologiques, voire de déceler les informations concrètes et personnelles d'une personne. Le décor est planté.
Le principe de l'étude est de placer les volontaires dans un appareil qui va enregistrer leur EEG devant un écran d'ordinateur où est projeté la photo d'un expresso de Starbucks, ainsi que différents prix. À chaque prix affiché, l'individu doit dire s'il achèterait le produit. Ce système permet de regarder la différence entre la réponse consciente et inconsciente d'un individu.

Alix Birchenall-Nicoud, www.rue89.nouvelobs.com

1. Expliquez l'expérience du docteur Kai-Markus Muelller ?
2. Qu'en pensez-vous ?

Free casse les prix

1. Qu'est-ce que Free a annoncé ? Comment ?
2. Que pensez-vous de cette offre ?

Free vient de frapper un nouveau coup de massue sur le marché de la téléphonie mobile. Dans un tweet laconique, le patron d'Iliad, la maison mère de Free, a annoncé mardi 3 décembre que l'opérateur incluait désormais la 4G dans un forfait au prix équivalent au forfait 3G : soit 19,99 euros/mois.
La 4G permet d'accéder à Internet depuis un appareil portable avec des débits comparables à ceux offerts par la fibre optique (jusqu'à 150 Mbits/seconde). Dans un communiqué, Iliad affirme que cette offre divise par cinq le prix proposé sur le marché pour ce genre de forfait. Par ailleurs, l'opérateur propose un volume de données de 20 Go, inclus dans ce forfait au prix défiant toute concurrence.
Cette annonce était attendue : Xavier Niel, le patron de Free, a en effet expliqué à plusieurs reprises qu'il souhaitait fortement diminuer les prix des forfaits 4G. [...]
L'opérateur affirme posséder désormais plus de 700 relais permettant de diffuser la 4G, ce qui rend ses services accessibles dans « plus de 1 000 communes ». Et pour les quelque 35 5000 autres ? Ce réseau va croître rapidement avec la mise en place de plusieurs centaines de nouveaux sites 4G « dans les prochaines semaines », promet encore le groupe.

www.francetvinfo.fr

Entraînement aux examens

1 Compréhension de l'oral

Exercice 1
Lisez les questions, écoutez le document, puis répondez aux questions.

a. Qui sont les deux personnes ?
❒ une cliente et une employée
❒ deux clientes
❒ une employée et son patron

b. Dans quel pays le colis doit-il être livré ?

c. Combien pèse le colis ?
❒ 6 kilos ❒ 7 kilos ❒ 8 kilos

d. Quel est le délai de livraison pour un Chronopost ?
❒ 2 à 4 jours ❒ 4 à 6 jours ❒ 6 à 8 jours

e. Quel est le délai de livraison pour un Collisimo ?
❒ 2 à 4 jours
❒ 4 à 6 jours
❒ 6 à 8 jours

f. Quelle option choisit la cliente ?
❒ Collisimo ❒ Chronopost

g. Combien va-t-elle payer ?

h. Comment sait-on que le colis est livré ?

i. La cliente utilise quel moyen de paiement ?

Exercice 2
Lisez les questions, écoutez le document, puis répondez aux questions.

a. Qui appelle ?
❒ un employé ❒ un client ❒ un livreur

b. Pourquoi monsieur Monet téléphone ?

c. Quel est le numéro de commande ?
❒ XW 21352 ❒ XV 21352 ❒ XV 20352

d. Quand a eu lieu l'achat ?
❒ Il y a 4 jours. ❒ Il y a 3 jours. ❒ Il y a 5 jours.

e. Quand sera livré le réfrigérateur ?
❒ aujourd'hui ❒ demain ❒ après-demain

f. À quelle heure ?

g Qui se charge de l'installation du réfrigérateur ?

h. Que font les livreurs 30 minutes avant la livraison ?

2 Production orale

• Monologue suivi
Vous dégagez le thème soulevé par le document et vous présentez votre opinion sous la forme d'un exposé personnel de 3 minutes environ.

> L'un des intérêts d'acheter vos lunettes en ligne, à part le fait de ne pas se déplacer, est de pouvoir bénéficier de tarifs intéressants. Il est possible de trouver des lunettes à partir d'une vingtaine d'euros. Pour des corrections multiples et de jolies lunettes, comptez une grosse centaine d'euros. Côté qualité, on peut être surpris dans le bon sens. En effet, les sites Internet ayant moins de charges que les boutiques, ils peuvent proposer une qualité très correcte à un prix low cost.
>
> *Nicolas Alamone, 12 avril 2013, www.lexpress.fr*

• Exercices en interaction
a. Vous avez commandé des produits par Internet. Vous ne les avez toujours pas reçus. Vous appelez le service clientèle pour avoir des explications et savoir quand vous recevrez votre colis. (Le professeur répond au téléphone.)

b. Vous allez à la poste pour expédier des documents, vous vous renseignez sur les différentes conditions de livraison. (Le professeur joue le rôle de l'employé de la poste.)

3 Production écrite

Exercice 1
Vous êtes boulanger. Vous expliquez comment vous fixez vos prix et ce qu'ils incluent. (180 mots)

Exercice 2
Vous êtes opticien et vous donnez votre opinion sur un forum à propos de l'autorisation pour les sites Internet de vendre des lunettes. Vous n'êtes pas d'accord. Vous expliquez pourquoi, selon vous, ce n'est pas une bonne chose. (180 mots)

4 Compréhension des écrits

Lisez le document et répondez aux questions. Cochez la bonne réponse et justifiez par une phrase du texte.

La livraison et la mise en service offertes des appareils encombrants
Livraison à domicile
Pour tous les appareils encombrants (par exemple : gros électroménager, TV de taille et/ou de poids imposants, etc.), la livraison à domicile vous est offerte.
Participation aux frais de port de 29 € pour une commande inférieure à 300 €.

Mise en service
Pour pouvoir profiter immédiatement de vos nouveaux appareils, nos livreurs ne se contentent pas de les déposer : ils effectuent aussi gratuitement leur mise en service sur installation existante et conforme aux normes en vigueur et vous expliquent leur fonctionnement.

La livraison des produits non encombrants
Choisissez le mode de livraison qui vous convient
Livraison offerte à partir de 20 euros d'achats.*
Pour tout achat sur www.boulanger.fr, nous vous proposons sur l'ensemble de la France Métropolitaine :
- soit la livraison à domicile en 48 heures ou Express (le lendemain avant 13 heures),
- soit la mise à disposition dans un point relais de proximité de votre choix.

> Découvrez tous nos modes de livraison.
* *En fonction du mode de livraison choisi.*

La livraison sans contrainte
Un créneau de votre choix !
Lors de votre achat en magasin, nous fixons avec vous une date de livraison. Pour un achat sur le site, vous aurez la possibilité de choisir le jour et l'heure qui vous conviennent le mieux, directement depuis votre panier !
Nous vous contacterons au plus tard le jour de la livraison pour vous préciser l'heure de livraison.

www.boulanger.fr

a. Vous venez d'acheter en magasin une machine à laver à 329 euros.	Vrai	Faux
• Vous devez payer des frais de livraison.	☐	☐
• Le livreur vous explique comment installer votre machine à laver.	☐	☐
• Vous ne savez pas quand vous serez livré.	☐	☐

b. Vous commandez sur Internet un sèche-cheveux. Vous ne voulez pas vous déplacer pour récupérer votre article.	Vrai	Faux
• Vous pouvez vous faire livrer votre produit en 72 heures.	☐	☐
• Vous ne pouvez pas avoir votre produit le lendemain de votre achat.	☐	☐
• Une date et une heure de livraison vous sont imposées quand vous commandez par Internet.	☐	☐

c. Vous avez acheté un appareil encombrant en magasin, vous avez payé 289 euros.	Vrai	Faux
• Vous paierez 20 euros de frais de livraison.	☐	☐
• Les livreurs installent votre appareil quand ils le livrent.	☐	☐
• Vous serez prévenu de la date et de l'heure de livraison la veille.	☐	☐

Bilan

1 Conjuguez les verbes au passé composé.

a. Nous (prendre) l'avion pour participer au séminaire à Marrakech.
b. Tu (faire) une très bonne présentation.
c. Le benchmark que l'entreprise (réaliser), (permettre) des améliorations dans la production du nouveau produit.
d. Vous (partir) à quelle heure du séminaire ?
e. Lucas et Oscar (arriver) jeudi et (rentrer) à Paris dimanche soir.

2 Conjuguez les verbes au passé composé, puis mettez les phrases dans l'ordre chronologique.

a. À la fin, le directeur (présenter) ses remerciements aux employés présents et nous (féliciter) du travail fait pendant le séminaire.
b. Nous (déjeuner) tous ensemble pendant que les organisateurs (mettre en place) les activités de l'après-midi.
c. Nous (partir) en train dans la matinée.
d. Le séminaire (être) une réussite : tout (être) parfaitement organisé.
e. En arrivant, nous (s'installer) dans nos chambres d'hôtel.
f. Le soir, les responsables (organiser) les ateliers de travail pour le lendemain.

3 Vous voulez générer un chiffre d'affaires plus important l'année prochaine. Faites 4 phrases au futur simple pour expliquer ce que vous allez inclure dans votre plan d'action.

5 Complétez avec des articulateurs chronologiques et conjuguez les verbes au futur simple.

..., vous (assister) à l'ouverture du séminaire par le directeur. ..., vous (faire) une visite des environs du château où vous (passer) 4 jours. ..., nous (aller) au restaurant pour déjeuner et l'après-midi, ..., nous (se mettre) au travail.

6 Répondez librement en une phrase.

a. Qu'est-ce que le benchmarking ?
b. À quoi sert un benchmark ?
c. Pourquoi les entreprises organisent-elles des séminaires ?
d. Quels sont les différents canaux de distribution ? Donnez leurs caractéristiques.

7 Lisez le texte et répondez.

Pendant un séminaire d'entreprise, on propose souvent des activités extra-professionnelles. Mais il faut faire attention à bien les choisir afin qu'elles plaisent au plus grand nombre. Tout le monde n'a pas envie de faire du karting, de l'accrobranche ou de participer à une chasse au trésor ! Il faut éviter que certains refusent de participer. Ils casseraient alors la dynamique de groupe. Les salariés qui restent à l'écart remettent en cause l'efficacité et l'utilité de ce type de réunions professionnelles.

D'après www.petite-entreprise.net

a. Pourquoi le choix des activités qui sont proposées en séminaire est important ?
b. Quelles sont les activités citées dans le texte ?
c. Que se passe-t-il si certains salariés refusent de participer aux activités ?

4 Comparez ces deux séminaires. Faites 5 phrases avec des comparatifs.

	Entreprise Kaleomi	Entreprise Fedalo
Nombre de personnes présentes	89	95
Lieu du séminaire	Istanbul	Genève
Activités proposées	Cours de gastronomie, bains turcs, découverte de la ville	Ballade en VTT, excursion en bateau sur le lac, chasse au trésor, séance de yoga
Conférences	3	2
Pourcentage de personnes satisfaites du séminaire	92 %	98 %

8 Retrouvez le nom ou le verbe.

Nom	Verbe
Une cible	...
La ...	Fidéliser
Un ...	Placer
Une innovation	...
Le ...	Lancer

9 Écoutez le dialogue et répondez. 

a. Pourquoi monsieur Fayet téléphone à madame Leverne ?
b. Pourquoi y a-t-il un problème de livraison ?
c. Pourquoi madame Leverne ne sera pas au bureau dans 10 jours ?
d. Quelle date propose monsieur Fayet ?
e. Quelle date est finalement retenue ?
f. À quelle heure la livraison aura-t-elle lieu ?

10 Conjuguez les verbes au conditionnel présent.

a. Si je ne recevais pas mon colis à la date prévue, je (réclamer) auprès du magasin.
b. Si tu avais la possibilité de commander par Internet, tu le (faire).
c. Si les entreprises livraient un jour par drones, le ciel (être) rempli d'objets volants !
d. Si l'entreprise livrait en 48 heures, je (avoir) déjà mon ordinateur et je (pouvoir) m'en servir.
e. Si tu achetais tes lunettes par Internet aujourd'hui, tu les (porter) après-demain.

11 Donnez l'adverbe en *-ment* qui correspond.

Adjectif	Adverbe en *-ment*
Dangereux	...
Instinctif	...
Gentil	...
Évident	...
Suffisant	...
Patient	...
Bref	...
Intelligent	...

12 Complétez avec la préposition de temps qui convient.

a. Free a annoncé ... quelques semaines, qu'ils allaient casser les prix.
b. Vous pouvez recevoir votre colis chez vous ... moins de 2 jours.
c. ... 1970, les boulangers peuvent fixer librement le prix du pain.
d. ... quelques mois, les magasins lanceront les soldes d'été.
e. Chez Chronopost la livraison se fait ... 48 heures.
f. Je n'ai toujours pas reçu le réfrigérateur que j'ai commandé ... 4 jours.
g. Mon colis attend au point relais ... une semaine, ils m'ont appelé pour me prévenir ... 3 jours.

13 Associez chaque prix à sa définition.

a. Le prix psychologique •	• Prix soldé.
b. Le prix promo •	• Ensemble des coûts de production et de distribution.
c. Le prix de revient •	• Prix proposé par un vendeur à un acheteur.
d. Le prix de vente •	• Prix auquel le produit trouvera le plus d'acheteurs.

14 Complétez le texte avec les mots suivants.

marge – ultra court – la livraison – revanche – la commande – bio – une vente – la concurrence – intermédiaire

Une fois par semaine, notre entreprise organise ... de panier de légumes ... . C'est très pratique ! On passe ... le lundi et ... à lieu le vendredi. Les produits sont très frais. Ils arrivent directement de chez le producteur : c'est un canal de distribution ... . Il n'y a aucun ... : les prix sont donc vraiment intéressants. Et le producteur est également satisfait. Sa ... est plus importante que lorsqu'il vend ses produits à des supermarchés. C'est une belle ... pour les petits producteurs qui souffrent souvent de ... des grandes surfaces.

Commercialiser un nouveau produit

Objectif : préparer la mise en vente d'un nouveau produit.

Étape 1
En petits groupes, vous choisissez un produit (appareil électronique, voiture, article de sport, cosmétique, voyage...).

Étape 2
Vous rédigez la fiche-produit : nom du produit, caractéristiques techniques, usage, public visé...

Étape 3
Vous définissez le prix du produit. Vous calculez le prix de revient, vous expliquez ce qu'il comprend et vous fixez le prix de vente.

Étape 4
Vous déterminez le canal de distribution le plus approprié et vous justifiez votre choix. Vous choississez également un mode de livraison. Vous donnez les conditions, les tarifs...

Étape 5
Vous présentez votre produit aux autres apprenants. Vous les interrogez sur le prix maximum qu'ils seraient prêts à payer pour ce produit.

Étape 6
Vous révélez le prix de vente fixé et les conditions de vente (canal de distribution). Vous justifiez vos choix.

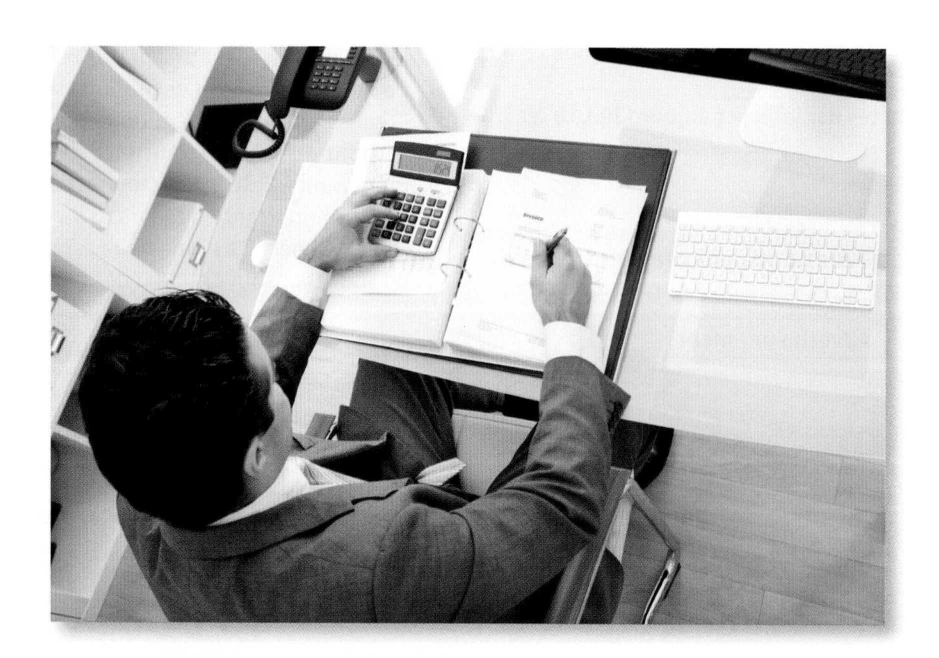

Objectif vente

UNITÉ 3

PRÉSENTATION DES CONTENUS

Je définis un plan de communication, je prépare une campagne publicitaire, je fais un e-mailing, je comprends les réseaux sociaux.

J'ai besoin des éléments grammaticaux suivants :

Le participe présent
Les superlatifs
La phrase nominale

J'ai aussi besoin des outils lexicaux suivants :

La publicité
L'informatique
Les réseaux sociaux

3 UNITÉ Objectif vente

1 Le plan de communication

(...) Voir transcription p. 144

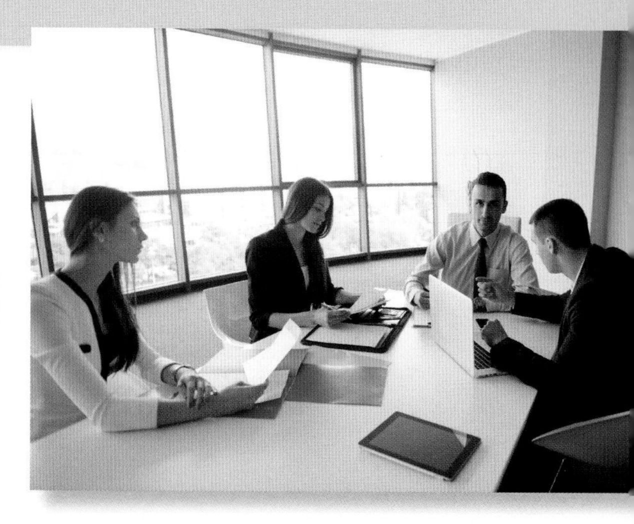

Les mots pour

- Un produit phare
- Une marque
- Un plan de communication
- Relancer les ventes
- Le packaging
- Une édition limitée, spéciale...
- Un effet à court terme
- Saisonnier / Saisonnière
- Un logo
- Viser
- Être soucieux de
- Mettre l'accent sur
- Un bienfait
- Une faible teneur
- Accrocher un public
- Un potentiel
- Mettre en place
- Un dispositif publi-promotionnel
- Un communiqué de presse
- Des goodies
- Un échantillonnage
- Dédier à
- L'évènementiel
- Le *street marketing*
- Un flash mob

1. Écoutez l'enregistrement et répondez.

a. Quel est l'objet de la réunion ?
b. Pourquoi les ventes de BioSoda ont-elles baissé ?
c. Citez deux propositions.
d. Citez une proposition qui n'est pas retenue. Expliquez pourquoi.
e. Relevez trois anglicismes dans le texte. Expliquez-les.

2 Le marketing viral

2. Lisez l'article et répondez.

a. Qu'est-ce que le marketing viral ?
b. Expliquez l'expression « le bouche à oreille » ?
c. Qui utilise cette technique de marketing ? Dans quel but ?
d. Quel est l'intérêt du marketing viral ?

Marketing viral, ou l'art de créer du bouche à oreille sur le web

Phénomène de mode ou stratégie gagnante ? Une chose est sûre : la recette du marketing viral séduit de plus en plus entreprises et publicistes. De quoi s'agit-il ? De la version électronique du bouche à oreille. Vous concevez un message, ou mieux, un clip vidéo surprenant ou humoristique, que vous adressez par e-mail à vos contacts, qui le transmettront aux leurs... Et ainsi de suite.

Si les grandes marques et les entreprises à forte notoriété l'utilisent à des fins purement publicitaires, pour accroître leur capital sympathie, les structures de toutes tailles l'exploitent pour recruter et fidéliser leurs clients, ou encore pour promouvoir leurs produits et services sur Internet.

Il faut dire que la promesse du viral ne manque pas d'attrait : déclencher, par l'envoi d'un e-mail, un phénomène de bouche à oreille auprès d'une cible choisie, laquelle, spontanément, se chargera de propager la bonne parole auprès d'un public exponentiel. Orchestrer une campagne de marketing viral consiste à ne rien laisser au hasard, et il est même conseillé d'en contrôler tous les ingrédients : le message, la durée de la campagne et, très important, sa cible. « La spécificité d'une campagne virale tient au fait qu'elle s'auto-alimente grâce à la participation active du public auquel elle s'adresse », explique Gabriel Szapiro, fondateur et dirigeant de l'agence Saphir, spécialiste en e-marketing. C'est là que réside la difficulté majeure de cette discipline. Car, quelle que soit la méthode employée (e-mail, forum de discussion, site évènementiel...), et quelle que soit la fiabilité des fichiers d'adresses utilisés, l'incitation à la propagation repose en grande partie sur le bon vouloir du destinataire.

Chef d'entreprise Magazine n° 29, www.chefdentreprise.com

Les mots pour

- Le marketing viral
- Le bouche à oreille
- Un phénomène
- Un publiciste /Publicitaire
- La notoriété
- Utiliser à des fins
- Accroître le capital sympathie
- Fidéliser
- Un attrait
- Propager / La propagation
- La bonne parole
- Exponentiel(le)
- S'auto-alimenter
- Une cible
- Le bon vouloir
- Une intuition / Inciter

GRAMMAIRE

Le participe présent

- Il se forme à partir du radical de la 1re personne du pluriel du présent de l'indicatif, suivi de ***-ant***.
  - *finir → nous finiss-ons → finissant*
- Il peut remplacer une proposition relative introduite par *qui*.
  - *C'est un collègue **qui** fait du bon travail.*
    *→ C'est un collègue **faisant** du bon travail.*
- Il peut exprimer la cause : on l'utilise alors à la place de *comme* ou *étant donné que*. Dans ce cas, il a une forme composée : ***ayant*** ou ***étant*** + participe passé.
  - ***Comme** il a travaillé sur le dossier, il le très connaît bien.*
    *→ **Ayant travaillé** sur le dossier, il le connaît très bien.*

Certaines formes sont irrégulières :
être → étant ; savoir → sachant ; avoir → ayant

1 Remplacez par un participe présent.

a. C'est un publiciste **qui connaît** bien notre clientèle.
b. Les personnes **qui ont travaillé** sur ce projet assisteront à la réunion.
c. Les personnes **qui achètent** notre produit sont surtout des adultes.
d. Les clients **qui souhaitent** être remboursés doivent faire une demande écrite.

2 Remplacez le participe présent par une proposition relative.

a. Stéphane, **sachant** que les bureaux ferment à 18 heures, est venu à 14 heures.
b. Les fabricants commercialisent des modèles **réduisant** les déchets.
c. Maryse, **parlant** plusieurs langues, travaille à l'international.

3 Le e-commerce

3. Observez le document et répondez.

a. Les ventes au détail : qu'est-ce que c'est ? Quel pourcentage de ces ventes s'effectue sur Internet en France ?
b. Comment se situe la France par rapport aux autres pays pour les ventes par Internet ?
c. Quel est le pays où l'on achète le plus par Internet ?
d. D'après le document, quelle sera la situation dans dix ans ? Qu'en pensez-vous ?

↘ Micro-tâche

Choisissez un produit et cherchez des mots pour le caractériser, en mettant en valeurs ses qualités, ses avantages... À l'aide d'un logiciel, ou à la main, créez un nuage de mots. Vous avez ainsi tous les mots importants autour du produit que vous voulez vendre.

Quelques logiciels téléchargeables gratuitement : www.wordle.net , www.tagul.com , www.tagxedo.com

Internet est-il toujours l'eldorado du commerce mondial ?

8 %
des ventes au détail sont effectuées sur Internet.

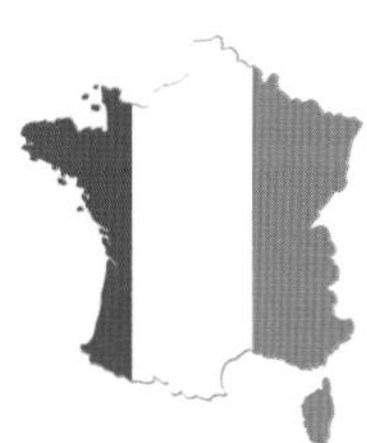

92 %
sont réalisés en magasins physiques.

7-10 %
des ventes au détail sont réalisées sur Internet aux États-Unis, au Japon et en Allemagne.

15 %
en Angleterre, champion mondial du e-commerce.

Et dans les 10 ans à venir
20 %
au plus des ventes au détail seront réalisées sur Internet.

D'après Précepto/Xerfi, 2012.

3 UNITÉ

Objectif vente

1 Une campagne insolite

1. Observez la photo et répondez.

a. D'après vous, où a été prise cette photo ?
b. Pourquoi ces deux personnes sont-elles habillées de cette manière ?
c. Déterminer les produits que ces deux personnes cherchent à promouvoir.
d. Quelle est, d'après vous, la réaction des personnes qui se trouvent à proximité ?

Qui sont Michel et Augustin ?
Michel et Augustin sont les créateurs de la marque qui porte leur nom. Ils proposent des gâteaux secs, des gâteaux d'apéritifs, des produits laitiers (yaourts à boire...). La marque connaît un grand succès en France et à l'étranger.

2 Le street marketing

Le *buzz*
Cet anglicisme signifie « bourdonnement d'insecte ». Il s'agit de faire du bruit autour d'un évènement, en particulier à travers les réseaux sociaux.

2. Lisez le texte et répondez.

a. En quoi consiste le *street marketing* ?
b. Pourquoi, à votre avis, s'agit-il d'une action publicitaire peu coûteuse ?
c. En quoi le *buzz* est-il important dans ce genre de campagne publicitaire ?

3. Cherchez sur Internet des exemples d'opération de *street marketing*. Choisissez une opération et présentez-la à la classe. Montrez son originalité et comment elle met en valeur le produit.

Le marketing de rue, qu'est-ce que c'est ?

De plus en plus d'entreprises ont recours à cette technique qui consiste à investir la rue pour promouvoir un produit ou une marque. Son but est avant tout d'attirer l'attention le plus possible.

Les pratiques sont des plus variées et innovantes : métro, espaces verts, aéroports, toilettes publiques, bus, lampadaires, immeubles, passages piétons... tous les lieux publics sont bons pour être utilisés ! Toutes les plus grandes marques ont déjà essayé ce nouveau type de marketing, et lorsque le succès est au rendez-vous, les campagnes deviennent l'investissement le plus rentable !

Le *street marketing*, lorsqu'il possède une dimension évènementielle, peut également viser l'obtention de retombées dans la presse ou la création d'un phénomène de *buzz* sur Internet.

Monter ce genre d'opération est assez simple et c'est souvent la moins coûteuse des actions publicitaires autour d'un produit : rien à voir avec le prix d'une campagne télé ou presse. Une bonne opération de *street marketing* fait appel aux publicistes les plus créatifs : des exemples d'inspiration graphique le démontrent. Mais pour se lancer dans le *street marketing* il est indispensable de respecter la législation relative aux actions commerciales sur la voie publique : le *street marketing* appartient à la catégorie des activités qui relèvent du colportage !

Les mots pour

- Investir un lieu
- Promouvoir
- Attirer l'attention
- Innovant (e)
- Une campagne, une opération, une action publicitaire
- Rentable
- L'obtention
- Une retombée
- Un *buzz*
- Créatif / Créative
- Une inspiration graphique
- La législation
- La voie publique
- Le colportage

3 L'e-mailing

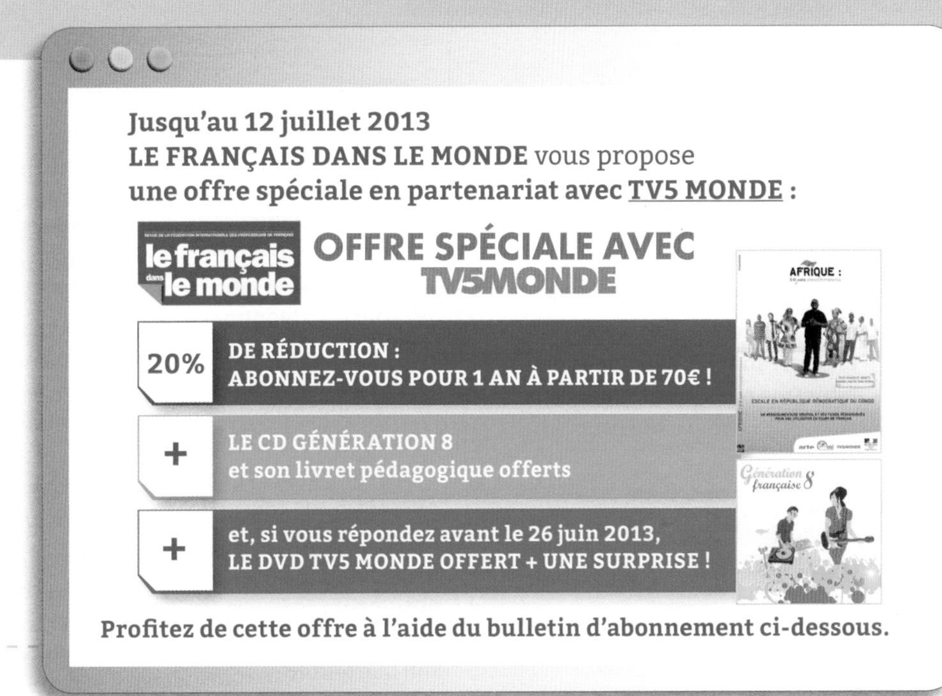

4. Lisez l'e-mailing et répondez.

a. Qui a envoyé l'e-mailing ?
b. Qu'est-ce que propose cet e-mailing ?
c. Comment peut-on profiter de l'offre ?
d. Quel est l'intérêt d'un e-mailing ?

4 Les réseaux sociaux

Journaliste : Monsieur Philippi, vous êtes *community manager* et conseiller auprès de grandes entreprises. Vous les guidez pour développer leur présence dans les médias. Pouvez-vous nous expliquer en deux mots votre activité ?
Monsieur Philippi : Et bien, disons que j'oriente les entreprises vers les médias qui leur correspondent le mieux.
Journaliste : Pour une entreprise, qu'est-ce qui est le plus important ?
(...) Voir transcription p. 145

Les mots pour

- Un *community manager*
- Un conseiller
- Un média
- Le pire
- Une identité numérique
- Une opinion
- Une e-réputation
- Booster ses ventes
- Proactif / Proactive

5. Écoutez le texte et répondez.

a. Quel est le métier de monsieur Philippi ?
b. Qu'est-ce que l'identité numérique ? Pourquoi est-elle importante ?
c. Pourquoi une entreprise doit-elle connaître l'avis de ses clients avant tout le monde ?

6. Par petits groupes, réfléchissez aux moyens de préserver l'identité numérique de votre entreprise ou de votre centre d'études. Notez ce qu'il faut faire et ce qu'il ne faut pas faire.

GRAMMAIRE

Les superlatifs

Le superlatif de l'adjectif : *le/la/les* + *plus/moins* + adjectif (+ de)
- *C'est le réseau social* ***le moins important.***

Le superlatif de l'adverbe : *le/la/les* + *plus/moins* + adverbe (+ de)
- *C'est Paul qui vient* ***le plus souvent.***

 Certains adjectifs ont des superlatifs irréguliers.
- *bon → le/la meilleur(e), les meilleur(e)s*
- *mauvais → le/la/les pire(e)*
- *bien → le/la/les mieux*

1 Complétez les phrases en utilisant un superlatif.

a. Selon Théo, Facebook est le réseau social ... (grand).
b. À mon avis, notre opération de street marketing est ... (bonne)
c. Philippe dit que les chiffres d'août sont ... (mauvais)
d. Vine est un nouveau réseau social : c'est ... (récent).

↘ Micro-tâche

Vous travaillez au service marketing et vous devez rédiger un e-mailing pour annoncer une promotion exceptionnelle. Vous choisissez le produit à promouvoir et vous rédigez l'e-mailing. Vous faites une présentation et vous l'envoyez par mail aux autres apprenants et à votre professeur.

Objectif vente

1 Un nouvel outil commercial

1. Lisez l'article et répondez.

a. Dans quels cas la tablette est-elle indispensable ?
b. Que peut-on montrer grâce à la tablette ?
c. Quels sont les avantages des tablettes pour les commerciaux ?

Les mots pour

- Un face à face
- Un prospect
- Une tablette numérique
- S'avérer
- Révéler
- Une force de vente
- Un VRP
- Un distributeur
- Délocaliser
- Percutant(e)
- Se démarquer

Dans beaucoup de circonstances de « face à face » prospect/client, la tablette numérique peut s'avérer indispensable : par exemple, rencontre prospect/client uniquement debout en quelques minutes (en grande surface, chez des garagistes, etc.) avec un catalogue papier « pesant » intégré dans celle-ci. Mais la tablette permet aussi d'intégrer des vidéos pertinentes montrant le détail important d'un système sans avoir à l'expliquer ou le dessiner... ou encore de montrer un équipement volumineux en train de fonctionner (impossible sans faire venir le client dans son usine ou chez un autre client où l'équipement est installé). Possibilité aussi d'en montrer plus que sur un site Internet sans en révéler le contenu à ses concurrents qui eux peuvent visiter le site.

Le gros intérêt est aussi d'équiper une force de vente indirecte (VRP, agents commerciaux, distributeurs) ou directe délocalisée avec l'assurance qu'elle travaille avec tous les documents à jour chez les prospects/clients (gestion des fiches techniques par exemple). Les avantages sont nombreux mais doivent bien intégrer votre stratégie commerciale afin que les visites prospects/clients soient encore plus percutantes

L'effet « tablette » valorise le commercial qui n'hésitera pas à la sortir pour se démarquer, faisant ainsi que la force de vente indirecte parlera plus volontiers de vos produits.

D'après Blog Force de Vente Prospection, 7 mars 2013.

2 Les bloggeuses

Les mots pour

- Une bloggeuse
- Un relais / Relayer
- Sollicité(e)
- Un coup de cœur
- Un bon plan
- Une influence
- Une shoppeuse
- Un leader d'opinion
- Un parti pris

Pour promouvoir votre produit, n'oubliez pas les incontournables : les bloggeuses

Reconnues comme étant d'excellents relais de communication (et facilement identifiables sur Internet), les bloggeuses de mode occupent une place de choix dans les stratégies de communication de la plupart des marques, des plus discrètes aux plus luxueuses.

Invitées sur les défilés, sollicitées pour relayer des opérations commerciales ou de communication (très efficaces pour les concours sur Internet), elles livrent leurs avis, parlent de leurs coups de cœur, révèlent leurs bonnes adresses et leurs bons plans.

Leurs blogs sont visités (jusqu'à 20 000 connexions par jour) et leur influence sur les « shoppeuses » de plus en plus importante. Elles n'ont pas leur pareilles pour créer le « buzz » autour des marques à tel point qu'elles sont considérées aujourd'hui comme de véritables leaders d'opinion...

Elles se prêtent volontiers au jeu des jeunes créateurs. N'hésitez pas à leur présenter votre marque, vos partis pris et vos produits. Si vous en avez la possibilité, offrez-leur une pièce de votre collection après leur avoir demandé leur taille et ce qu'elles aiment porter. Elles en parleront si elles sont séduites.

www.passcreamode.com

2. Lisez l'article et répondez.

a. Dans quel secteur d'activité les bloggeuses interviennent-elles principalement ?
b. Pourquoi les appelle-t-on « bloggeuses » ? D'où vient ce terme ?
c. Quelle influence ont-elles ? Sur quels publics ?

3. Le responsable commercial d'une marque de vêtement prend contact avec une bloggeuse. Jouez la scène à deux.

3 Les adolescents mobinautes

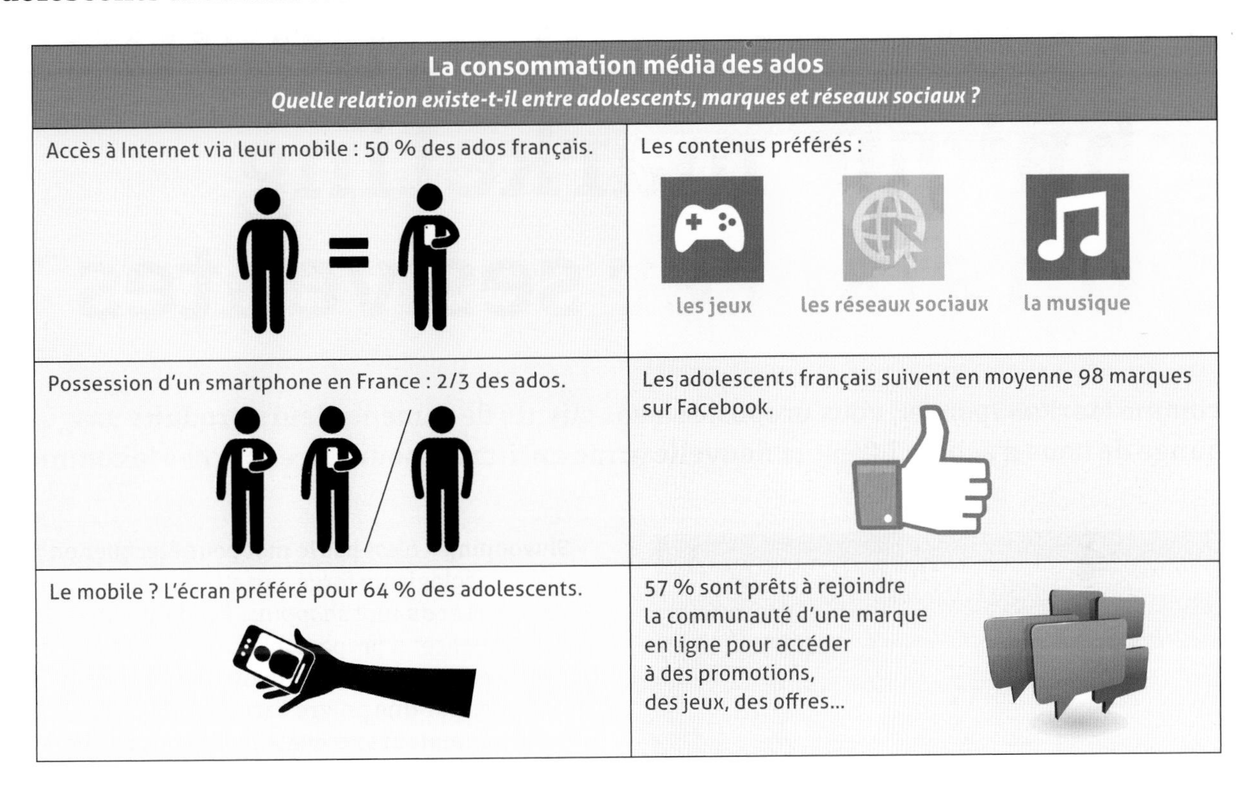

4. Lisez le document et répondez.

a. Quelle part de la population adolescente dispose d'un smartphone ?
b. À quels contenus les adolescents préfèrent-ils accéder ?
c. Pourquoi les adolescents suivent-ils les marques via les réseaux sociaux ?

GRAMMAIRE

La phrase nominale

Il s'agit d'une phrase sans verbe, construite autour d'un nom : phrases exclamatives, slogans publicitaires, titres de journaux... Cette tournure permet de faire porter l'attention du message sur le nom, qui devient le centre de la phrase.

- *Bon courage !*
- *Feu vert du gouvernement à la libéralisation.*

1 Transformez ces phrases en phrases nominales.

a. La consommation des jeux vidéo sur smartphones a fortement augmenté.
b. Vous pouvez accéder gratuitement à notre plateforme.
c. Tu dois faire attention à certains téléchargements.
d. Le magasin ouvre tous les jours de 8 heures à 20 heures.

Phonétique

L'enchaînement consonantique

Quand une consonne finale prononcée passe dans la première syllabe du mot suivant, on parle d'enchaînement consonantique.

- Quelle‿est la méthode‿employée ?
- Le bouche‿à oreille est la base‿en marketing viral.
- Le marketing‿est la technique‿utilisée pour vendre.
- Une‿entreprise‿a besoin de promouvoir‿un produit.

↘ Micro-tâche

Réalisez auprès de vos collègues ou des autres apprenants une étude sur l'utilisation des nouvelles technologies. Préparez des questions en centrant votre étude sur l'utilisation des tablettes, ordinateurs, smartphones... Posez des questions sur l'âge, les occupations favorites, le temps consacré à l'utilisation des nouvelles technologies, l'usage qu'ils en font... Présentez le résultat de votre étude sous forme de tableau commenté, de graphique, de présentation PowerPoint...

Le « shwopping », dernière technique marketing pour relancer ses ventes

Et si, comme Marks&Spencer, vous proposiez à vos clients de ramener leurs produits usagés en échange de bons d'achats ? C'est la nouvelle arme anti-crise pour faire tourner le commerce.

« Shwopping » n'est pas le mot pour éternuer en finlandais. C'est un néologisme forgé à partir du verbe anglais *swap* (échanger) et du mot *shopping*. Pendant l'hiver 2012, Marks&Spencer a proposé aux consommateurs de rapporter leurs vêtements usagés en boutique. Ceux-ci étaient récupérés et recyclés par une œuvre caritative, Oxfam. En échange, les consommateurs recevaient des bons d'achats à réinvestir dans l'acquisition de produits neufs. Marks&Spencer invitait même ses client(e)s à venir vêtu(e)s de leurs vieilles tenues, même non estampillées de la marque M&S, avant d'acheter du neuf !

« Rapportez vos vêtements usagés, la planète vous en remerciera. » En France la chaîne H&M a repris le principe du « shwopping » cet hiver : la chaîne suédoise de vêtements proposait pendant une semaine de rapporter ses vieilles fripes en échange de bons de réduction de 5 euros. Un principe « simple comme bonjour », affirme la marque. « Vous apportez les vieux vêtements qui s'entassent au fond de votre penderie dans un magasin H&M. En échange, vous obtenez un bon de réduction. Et l'environnement vous sera éternellement reconnaissant. Pourquoi ? Tout simplement car les vieux vêtements que vous apporterez ne finiront pas dans une décharge. »

[...] Des techniques comme le « Shwopping » peuvent permettre de draîner le chaland en magasin et stimuler les achats en période de forte déprime de la consommation !

Étienne Gless pour www.LEntreprise.com, 3 avril 2013.

1. D'où vient le mot « shwopping » ? En quoi cela consiste-t-il ?
2. Quelles marques ont proposé du « shwopping » ?
3. En quoi le « shwopping » constitue-t-il un geste caritatif et écologique ?

DES MAGASINS CONNECTÉS ?

De plus en plus connectés, les Français acceptent progressivement l'arrivée de nouvelles technologies au cœur de leurs magasins quotidiens, comme les écrans TV ou les tablettes tactiles. Concernant l'organisation du magasin de demain, 58 % l'imaginent comme un espace avec une surface équivalente à celle d'aujourd'hui mais beaucoup plus axé sur les services, alors que 18 % imaginent des vitrines connectées à partir desquelles ils pourraient commander leurs achats.

D'après une étude Atelier BNP Paribas/Ifop réalisée en janvier 2013.

1. Comment les consommateurs interrogés imaginent-ils le magasin du futur ? Et vous, comment l'imaginez-vous ?

Un buzz réussi !

C'est l'histoire d'une marque de caramels célèbre pour ses blagues qui s'est offert un super buzz. Annoncée jeudi 21 mars, la suppression des blagues dans les caramels Carambar a secoué fans et moins fans, tant elles étaient devenues une institution.
Quatre jours après, la marque a annoncé, sur son site Internet, que cette information était en fait « la plus grande blague de l'année ».
« Une publicité pour faire comme si c'était vrai, des blagues qui n'en sont pas, un kit presse pour que les journalistes en parlent », détaille la vidéo qui revient sur les coulisses de ce canular savamment orchestré. Carambar reconnaît avoir « croisé les doigts pour que ça marche », mais se félicite de l'ampleur prise par son coup de pub.
Une pétition, des stars qui se mobilisent... le buzz a parfaitement pris. Certains médias avaient d'ailleurs retrouvé des auteurs de blagues Carambar.

www.francetvinfo.fr, 25 mars 2013.

1. Quelle est la particularité des Carambars ?
2. Quel buzz Carambar a-t-il lancé ?
3. Comment ont réagit les consommateurs ?

Une opération marketing

▶ Résumé
Manon retrouve Virginie. Elles font un point sur la stratégie de lancement de leur application mobile.

▶ Objectifs
- Organiser une campagne promotionnelle.
- Découvrir les différents canaux de communication.

→ Cahier d'activités

Les Artisans du Monde se mettent au marketing viral !

Lors de la quinzaine du commerce équitable à Paris, l'association Artisans du Monde a organisé un flash mob.

Il n'est pas habituel de voir une association de commerce équitable qui organise des évènements de marketing de ce type. Mais finalement, cette action semble logique si l'on part du principe qu'une telle opération de promotion peut être réalisée à moindre frais. L'association Les Artisans du Monde, ce sont 5000 bénévoles et près de 170 magasins partout en France.
Au départ, les bénévoles étaient plutôt réticents, cependant ils ont décidé de se lancer et ont osé un flash mob haut en couleur et en bonne humeur. Ils ont eu raison : tout s'est parfaitement déroulé. Les bénévoles et de nombreux amis qui se sont réunis autour de cet évènement les ont largement soutenus.
Cette initiative sera-t-elle imitée par d'autres associations de commerce équitable ? D'après la visibilité obtenue dans les médias, elles auraient tout intérêt à s'y mettre aussi ; cela donnerait une image de modernité et de dynamisme dont toutes ne jouissent pas toujours, il faut le reconnaître.

1. Les Artisans du Monde, qu'est-ce que c'est ?
2. En quoi a consisté leur opération de marketing viral ?
3. Quelle est l'image communément répandue autour de ce genre d'associations ?

Entraînement aux examens

1 Compréhension de l'oral

Exercice 1
Lisez les questions, écoutez le document, puis répondez aux questions.

a. Quelle est la fonction de la personne interviewée ?
b. Quel canal utilisé par les internautes a le plus grand impact sur la réputation d'une entreprise ?
❒ Facebook ❒ Twitter ❒ Youtube ❒ les blogs
c. Hors Internet, que se passe-t-il quand un client est mécontent ?
d. Que se passe-t-il quand un client exprime son mécontentement sur Internet ?
e. Comment éviter la mauvaise réputation sur Internet ?
❒ Il faut mettre une vidéo amateur.
❒ Il faut publier un article dans la presse.
❒ Il faut surveiller ce qui se passe sur les réseaux sociaux.
f. Les entreprises arrivent à gérer quel pourcentage des commentaires que l'on trouve à leur sujet sur le web ?
❒ 50 % ❒ 20 % ❒ 80 %

Exercice 2
Lisez les questions, écoutez le document, puis répondez aux questions.

a. De quel produit s'agit-il ?
❒ un téléphone intelligent ❒ une tablette ❒ une caméra ❒ un ordinateur portable
b. Qui a travaillé sur la promotion du produit ?
c. Quel est l'effet attendu du clip de lancement ?
d. Quel est le public cible de ce produit ?
e. En quoi consiste la campagne de *street marketing* prévue autour de ce produit ?

2 Production orale

• Monologue suivi
Racontez une campagne publicitaire qui vous a particulièrement plu ou déplu. Expliquez pourquoi.
Détaillez le produit annoncé, le support publicitaire utilisé et pourquoi cette campagne a retenu votre attention.

• Exercice en interaction
L'entreprise pour laquelle vous travaillez va lancer un nouveau produit sur le marché. Sa cible : les familles. Vous discutez avec votre supérieur hiérarchique du lancement. Vous lui soumettez vos idées pour la campagne publicitaire. (Le professeur joue le rôle du supérieur hiérarchique.)

3 Production écrite

Vous travaillez dans le département marketing d'une petite entreprise, et vous consultez régulièrement les forums sur la publicité. Sur un forum, vous lisez le message ci-contre. Vous répondez pour donner votre opinion sur le sujet. (160 à 180 mots)

Sujet : Campagnes de pub
Posté le 25/02/14

Bonjour à tous !
Merci pour ce forum ! J'adore. Je trouve toujours des supers idées de campagnes publicitaires. J'ai beaucoup aimé une campagne sur l'égalité hommes-femmes. Elle est simple mais efficace. Je vous explique. On voit une main qui tend une carte de visite. Sur la carte de visite, on peut lire : « Philippe Pierrard » en gros, et dessous, en plus petit, entre parenthèses « (mais a demandé un congé paternité, ça la fout mal) ». Sur une autre carte de visite, on peut lire, avec la même présentation : « Myriam Chevallier, Responsable Qualité (sauf sur la fiche de paye) » Le slogan général de l'affiche est « Pour la mixité femmes/hommes dans l'entreprise, il y a encore du travail. »
Comment trouvez-vous cette campagne ? Vos avis m'intéressent.

4 Compréhension des écrits

Exercice 1
Lisez le document, puis répondez aux questions.

Les dernières tendances de l'e-mailing

Plutôt le mardi ? Avant ou après midi ? « Histoire d'adresses », société spécialisée dans les solutions marketing, publie les résultats de son observatoire de l'e-mailing BtoB. Voici quelques tendances à suivre pour optimiser son utilisation.

▶ Le chiffre clé
En 2013, les terminaux mobiles représentent 24 % des e-mails lus. La part des smartphones et autres tablettes est en progression par rapport à 2012 (16 %).

▶ Les jours d'envoi
Le mardi est le jour le plus prisé de la semaine avec 31 % des campagnes BtoB.

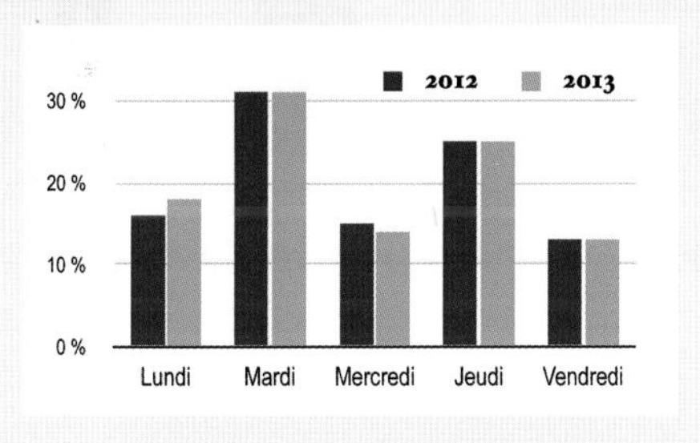

▶ Les horaires d'envoi
79 % des campagnes sont routées le matin et 45 % avant 10 heures.

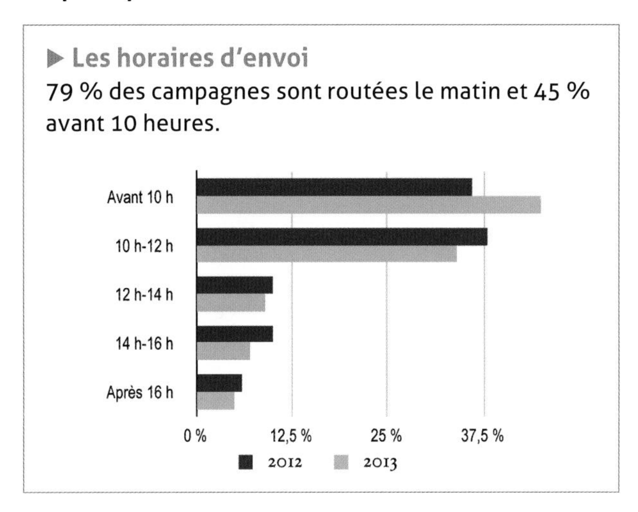

www.chefdentreprise.com, 13 février 2014.

a. En 2013, quelle est la tendance des smartphones et des tablettes pour la lecture des e-mails par rapport à 2012 ?
☐ stable ☐ en progression de 24 % ☐ en progression de 16 %

b. Quel est le jour de la semaine le moins choisi pour une campagne de BtoB ?

c. Par rapport à 2012, quel est le jour de la semaine qui est davantage choisi pour les campagnes de BtoB ?

d. Quel est l'horaire préféré, en 2013, pour lancer un e-mailing ?
☐ après 16 h ☐ entre 10 h et 12 h ☐ avant 10h

Pour la première fois en France, un service géolocalisé complet – sur mobile et sur le web – pour acheter mieux et moins cher !

La généralisation de l'Internet mobile avec l'explosion de l'usage des smartphones crée les conditions du développement d'une nouvelle façon d'acheter ou de faire du « shopping ». Elle ouvre la voie au succès de nouveaux services géolocalisés au service des consommateurs.

Deux pionniers de ces services en France, Plyce et CheckAndTake, fusionnent pour offrir un service global de shopping géolocalisé accessible sur mobile et sur le web. Un service associant l'information sur les produits disponibles en magasin, à proximité de soi, et une offre de coupons de réduction sur ces produits : avec Plyce – ce sera le nom de marque unique de ce service global – un consommateur pourra, là où il se trouve, sélectionner un point de vente proche de lui, en fonction du prix, de la disponibilité du produit et des réductions qui lui seront proposées, via son mobile, et qui seront immédiatement déduites de sa facture lorsqu'il passera en caisse. Il pourra aussi utiliser, sur l'application, un porte-cartes de fidélité qui lui permettra d'avoir en permanence sur son smartphone les cartes qu'il aura scannées une fois pour toutes pour ne plus les oublier.

www.orkoscapital.com, mai 2012.

Exercice 2
Lisez le document, puis répondez aux questions.

a. Qu'est-ce qui permet le développement de nouveaux services géolocalisés ?

b. Avec qui a fusionné Plyce ?

c. Où peut-on trouver le service proposé par Plyce ?

d. À quoi Plyce donne-t-il accès ?

e. Quel est l'avantage du porte-cartes de fidélité de l'application ?

Imaginer une opération de *street marketing*

Objectif : mettre en place une opération de *street marketing* pour votre entreprise ou votre centre d'études.

Étape 1
Cette première phase est fondamentale et incontournable, car pour mettre en place une opération de *street marketing*, donc un évènement qui se déroule dans la rue ou dans un espace public, il faut d'abord se renseigner sur la législation locale. Renseignez-vous sur ce qui dit la loi, posez les bonnes questions aux bonnes personnes, et faites un rapport de vos conclusions. Ensuite établissez une liste de bonnes pratiques en tenant compte de la législation, mais pas seulement.
Par exemple :
- il ne faut pas dégrader le mobilier urbain ;
- il ne faut pas obliger les passants à faire quelque chose contre leur volonté ;
- il faut laisser les lieux aussi propres qu'on les a trouvés...

Étape 2
Vous commencez par déterminer le produit que vous souhaitez promouvoir, ou le message que vous voulez faire passer. Par exemple, est-ce que vous souhaitez promouvoir un produit de votre entreprise ? Voulez-vous simplement faire connaître votre école, votre institution ?

Étape 3
Vous ciblez votre public : âge, profil général... Si vous arrivez à définir précisément votre public cible, vous pourrez facilement propager votre message et ainsi créer le buzz.

Étape 4
Vous décidez de l'action à mener. Si nécessaire, vous pouvez vous inspirer d'expériences réussies. Faites des recherches sur Internet. Pensez à être innovant : une opération de ce type doit son succès à l'effet de surprise qu'elle produit. Soyez donc originaux, essayez de créer une interaction avec le public. Mais veillez à rester réaliste !

Étape 5
Vous étudiez les coûts de l'opération. Vous faites une liste avec les différents postes et vous estimez leur coût. N'oubliez pas d'éventuelles taxes à la mairie ou à un autre organisme.

Étape 6
Enfin, vous choisissez le lieu idéal pour votre opération de *street marketing*. Cette étape demande un consensus de la part de toutes les personnes impliquées dans ce projet.

Conseil !
On peut choisir de faire développer chaque étape par un petit groupe, puis de mettre en commun le résultat du travail en grand groupe. Dans ce cas, il faut désigner un coordinateur du projet qui va se charger du respect des délais, de déterminer la forme du travail à fournir, d'organiser des réunions de concertation entre les différents groupes...

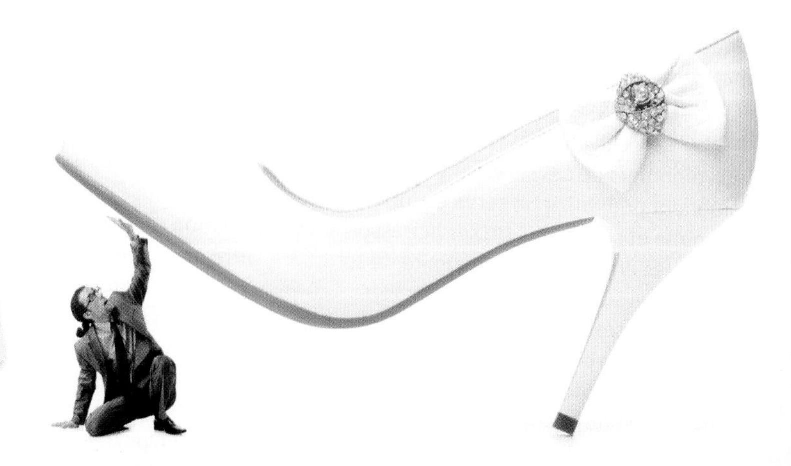

Bienvenue au salon !

UNITÉ 4

PRÉSENTATION DES CONTENUS

Je choisis un emplacement, je réserve un stand, j'installe un stand, je participe à un salon professionnel, j'organise un planning pour le salon, je rencontre des clients et je les renseigne.

J'ai besoin des éléments grammaticaux suivants :
L'impératif présent
Les adverbes de temps et de lieu
L'expression de l'hypothèse

J'ai aussi besoin des outils lexicaux suivants :
Le salon professionnel
Le planning
Les explications
La prise de contact

Bienvenue au salon !

1 Choisir l'emplacement de son stand

Pensez à réserver votre emplacement longtemps à l'avance. Voire d'une année sur l'autre si vous exposez dans un salon qui pratique le « rebooking ». Rapprochez-vous le plus possible des pôles d'attraction : espace VIP, plateau TV (où les conférences ont lieu), bureau de presse, bars, restaurants et même toilettes (pour profiter du passage). Préférez une allée secondaire conduisant à un endroit animé : dans les allées principales, les visiteurs circulent au milieu et il est difficile de les aborder. Dès lors qu'il ne s'agit pas d'un concurrent, se placer à côté d'un exposant majeur est une bonne idée, car vous bénéficierez de l'affluence qu'il génère. Évitez, en revanche, les endroits peu animés, comme les allées périphériques, loin des espaces de détente et de restauration. La place juste derrière l'entrée constitue également un pari risqué : dans leur élan, les visiteurs n'ont pas envie de s'arrêter.

www.capital.fr, avril 2012.

1. Lisez l'article et répondez.

a. Quand faut-il réserver l'emplacement du stand ? Pourquoi ?
b. Quels sont les meilleurs endroits pour installer un stand ?
c. Pourquoi faut-il éviter les stands dans les allées périphériques ?
d. À quel stand les visiteurs ne s'arrêtent pas en général ? Pourquoi ?

Les mots pour

- Un stand
- Un emplacement
- Exposer
- Le rebooking
- Un pôle d'attraction
- Un espace VIP
- Une allée principale, secondaire, périphérique
- L'affluence
- Générer
- Aborder quelqu'un
- Un espace détente, restauration
- Un pari risqué

GRAMMAIRE

L'impératif présent RAPPEL

L'impératif se conjugue seulement à 3 personnes : 2e personne du singulier, 1re et 2e personnes du pluriel. Il se forme à partir du présent de l'indicatif. Le sujet n'est pas exprimé. Pour les verbes en *er*, on supprime le *s* à la 2e personne du singulier.

- ***Participons** à ce salon !*
- ***Réserve** un stand !*

Certains verbes sont irréguliers à l'impératif.
Être : sois / soyons / soyez – Avoir : aie / ayons / ayez – Savoir : sache / sachons / sachez...

→ conjugaison p. 137

1 Mettez les verbes à l'impératif, à la personne indiquée entre parenthèses.

a. Préparer l'organisation du salon du livre. (vous)
b. Être bien placé dans le salon pour être vu de tout le monde. (nous)
c. Choisir l'emplacement avec Thomas. (tu)
d. Répondre au courriel de Madame Petit. (vous)
e. Aller préparer le stand mercredi. (tu)

2 Prendre des renseignements

Monsieur Gautier téléphone à l'organisation du Forum Convergences à Paris.
(...) **Voir transcription p. 146**

2. Écoutez l'enregistrement et répondez.

a. Comment fait-on pour réserver un stand ?
b. Pour qui les stands sont-ils moins chers ?
c. Qu'est-ce qui est compris dans le prix du stand ?
d. Et qu'est-ce qui ne l'est pas ?

Les mots pour

- Un forum
- Être compris ≠ Être en supplément
- La moquette
- Une cloison
- Une enseigne
- Un kit
- Le mobilier
- Un boîtier électrique
- Un catalogue
- Un exposant
- Un marquage
- Un forfait
- Une hôtesse d'accueil

3 Réserver un stand

(...) Voir transcription p. 146

3. Écoutez l'enregistrement, observez les images et répondez.

a. Quel stand (image 1 ou 2) correspond le mieux à ce que souhaite la femme ? Justifiez.
b. Quel stand (image 1 ou 2) correspond le mieux à ce que souhaite l'homme ? Justifiez.
c. D'après les tarifs ci-contre, combien va coûter à la femme sa participation au salon ? Et à l'homme ?

Tarifs

■ Surface :	340 € / m²
■ Aménagement de l'espace :	140 € / m²
■ Espace avec 2 côtés ouverts :	200 €
■ Espace avec 3 côtés ouverts :	400 €
■ Supplément plante verte :	15 €
■ Supplément petit mobilier (siège) :	25 €
■ Supplément gros mobilier (table) :	40 €
■ Supplément revêtement de sol :	60 € / m²
■ Supplément éclairage :	35 € / lampe
■ Hôtesse :	114 € / jour (10 heures)
■ Logo sur le plan du salon :	980 €
■ Logo sur le plan d'orientation :	988 €
■ Page de publicité dans le guide de visite :	2 500 €

1

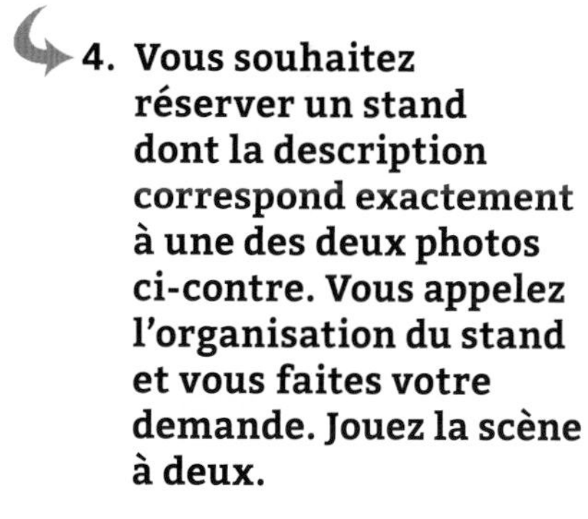

4. Vous souhaitez réserver un stand dont la description correspond exactement à une des deux photos ci-contre. Vous appelez l'organisation du stand et vous faites votre demande. Jouez la scène à deux.

2

Les mots pour

- Chaleureux / Chaleureuse
- Un comptoir
- Minimum / Maximum
- Une réserve
- Un logo
- Insérer
- Un présentoir
- Une permanence
- Un supplément
- Le revêtement de sol

↘ Micro-tâche

Vous souhaitez participer à un salon. Vous envoyez un mail pour avoir des renseignements. Vous avez des demandes très précises concernant le stand et son aménagement, les prestations proposées sur le salon et les prix.

4 UNITÉ Bienvenue au salon !

1 Pourquoi participer à un salon professionnel ?

Participer à un salon professionnel permet de bénéficier de plusieurs avantages. En effet, prendre part à cet évènement offre une large panoplie d'actions qui stimulent le commerce. Les jeunes entrepreneurs ambitieux, débutants ou en plein développement ont alors la possibilité de profiter d'opportunités jusque-là inespérées. Un salon professionnel est le cadre idéal pour établir des contacts commerciaux afin de lancer ou promouvoir des produits.
Parmi les nombreux avantages que présente une participation à un salon, on peut citer :
• Une exposition réussie permet d'attirer de nouveaux clients qui souhaiteront avoir de plus amples informations.
• Durant un salon, il est possible de générer un maximum de contacts à court terme.
• Il est possible de fixer plusieurs rendez-vous parmi les milliers de prospects présents qu'on n'aurait pas pu rencontrer en dehors du salon.
• Une participation correctement organisée offre une hausse conséquente du chiffre d'affaires.
• Pendant le salon, l'entrepreneur a la possibilité d'évaluer ses produits en rapport avec les besoins du marché et ses variations.
• Découvrir les nouvelles évolutions et les besoins du marché.
• Pendant le salon, il est possible d'observer ses concurrents pour éventuellement apprendre d'eux et améliorer son produit ou sa prestation de service.

www.petite-entreprise.net, 26 janvier 2012.

Les mots pour

- Prendre part à un événement
- Une panoplie d'actions
- Stimuler
- Ambitieux / Ambitieuse
- Inespéré(e)
- Ample
- Un prospect
- Une prestation de service

1. Lisez le texte et répondez.

a. À quoi sert un salon professionnel ?
b. Quel est la conséquence d'un salon réussi sur le chiffre d'affaires ?
c. Qui peut-on rencontrer sur un salon professionnel ?
d. Pourquoi un salon peut-il permettre d'améliorer un produit ?

2 Établir le planning du salon

Stéphanie et Thomas sont en train d'établir le planning pour le salon du bâtiment.

Stéphanie : Alors, nous devons en permanence avoir quatre personnes sur le stand.
Thomas : Au moins trois commerciaux et une quatrième personne.
(...) Voir transcription p. 146

2. Écoutez le dialogue et répondez.

a. Combien faut-il de personnes sur le stand ? Pourquoi ?
b. Pourquoi Stéphanie a-t-elle envoyé un mail de relance ?
c. Qui va s'occuper du matériel informatique ? Pourquoi ?

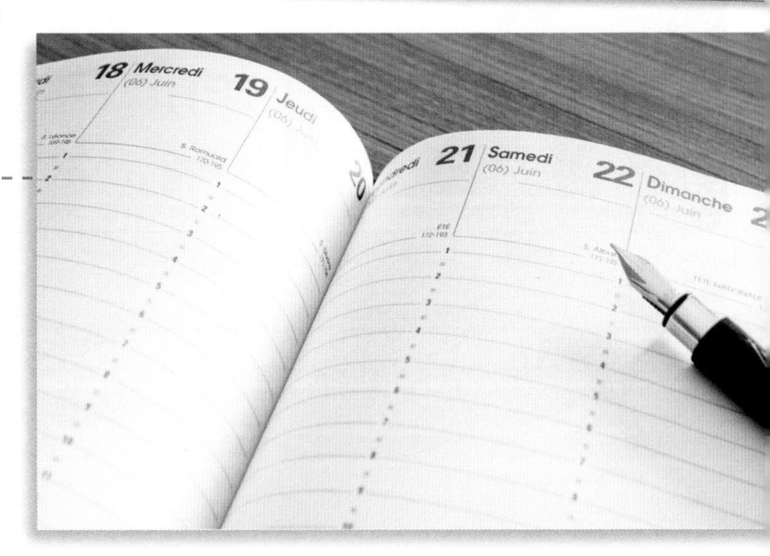

3. Faites un planning pour le salon. Inscrivez le nom des différentes personnes présentes sur le stand, les événements, les présentations, les rendez-vous... Soyez très précis.

GRAMMAIRE

Les adverbes de temps et de lieu

Pour donner des précisions sur le lieu ou sur le temps, on utilise des adverbes.
Adverbes de temps : *jamais, demain, bientôt, quelquefois, parfois, souvent, hier...*
• *Matteo ne va **jamais** au salon.*
Quand est un adverbe interrogatif de temps.

Adverbes de lieu : *devant, ici, loin, près, autour, partout, là, dehors...*
• *Au salon, il y a du monde **partout**.*
Où est un adverbe interrogatif de lieu.

1 Choisissez l'adverbe qui convient.

a. Vous partirez (demain/hier) à Paris pour arriver la veille du salon.
b. Le stand est situé (devant/dehors) l'espace restauration.
c. Vous arriverez (tôt/tard) sur le site afin d'être prêt pour l'ouverture des portes.
d. Votre hôtel n'est pas (près/loin) du salon : c'est plus pratique.

2 Classez les adverbes suivants en deux catégories : lieu et temps

toujours – souvent – partout – demain – rarement – proche – aujourd'hui – là-haut – ensuite – dehors – longtemps – ailleurs – loin

3 Générer du trafic sur le stand

Pour beaucoup d'entreprises, le salon professionnel est un temps fort de l'année. Laure, directrice marketing, nous donne quelques conseils.

Le salon du bâtiment réunit chaque année tous les professionnels du bâtiment. Pour nous, c'est un temps fort et un investissement important. Lors du dernier salon du bâtiment, nous avons envoyé un mailing à près de 3 000 clients et prospects. Nous leur annoncions notre présence au salon et nous les incitions à venir nous rencontrer sur notre stand pour découvrir nos nouveautés. Mais surtout, nos commerciaux ont suivi une formation au « contact salon ». Durant cette formation, ils ont analysé la manière dont un salon se déroule, le comportement des visiteurs.

(...) Voir transcription p. 146

Les mots pour

- Une intention
- Une spécificité
- Primordial(e)
- Un classeur
- La fréquentation

4. Écoutez l'enregistrement et répondez.

a. Pourquoi Laure a-t-elle envoyé un mailing avant le salon ?
b. Quelle formation les commerciaux ont-ils suivie ? Pourquoi ?
c. Pourquoi Laure dit « une stratégie gagnante » ?

4 Une PLV Interactive

La Sloty

CLIENT : **Banque**

Problématique : Générer du trafic et récolter les coordonnées sur un stand.

Détails de l'opération :
La Banque organise un jeu concours avec instant gagnant.
Le client est invité à inscrire ses coordonnées sur un coupon jeu avant d'introduire celui-ci dans la borne de jeu. Les leds lumineuses se mettent à clignoter plus rapidement jusqu'à arrêt sur un résultat gagnant ou perdant.
La borne de jeu « SLOTY » est une borne de comptoir design et moderne, régulièrement utilisée par les banques ou entreprises de services.
Idéale pour se démarquer et animer son stand en réalisant une opération marketing alliant interactivité et originalité.

www.arsenal.fr.

5. Lisez le document et répondez.

a. Qu'est-ce que la « Sloty » ?
b. Comment fonctionne-t-elle ?
c. Selon vous, que signifie « l'instant gagnant » ?
d. Quelle est l'utilité de la Sloty pour une entreprise ?

Les mots pour

- Une PLV (publicité sur le lieu de vente)
- Générer du trafic
- Récolter
- Une borne de jeu
- Gagnant(e) ≠ Perdant(e)
- Se démarquer

↘ Micro-tâche

Vous êtes responsable de l'accueil sur un salon. Vous choisissez un emplacement pour votre stand sur le plan, vous justifiez le choix de l'emplacement. Puis vous expliquez à l'aide d'adverbes de lieu où il se trouve. Vous donnez ensuite des explications sur la manière de se rendre à l'espace détente depuis votre stand.

4 UNITÉ Bienvenue au salon !

1 Renseigner sur le stand

Commerciaux

- Distribuer le catalogue et recevoir les clients potentiels.
- Personnaliser la présentation de l'entreprise suivant les visiteurs (professionnels, particuliers, familles...)
- Adapter le discours aux spécificités du marché.
- Vérifier que les plaquettes, brochures et documents à projeter sur écrans sont prêts.
- Présenter l'essentiel de l'activité de l'entreprise, ses produits, ses services, son savoir-faire.

HÔTESSES

- Orienter les clients potentiels vers les commerciaux.
- Faire patienter les clients potentiels.
- Distribuer des flyers dans les allées centrales, indiquer aux visiteurs comment se rendre sur le stand.
- Distribuer le catalogue.

1. Lisez les trois documents et répondez.

a. Quel est le rôle des hôtesses sur un stand ?
b. Et celui d'un commercial ?
c. Pourquoi faut-il personnaliser le discours ?
d. Quel matériel utilise-t-on pour communiquer sur un stand ?

Avant l'ouverture du salon, il faut s'assurer que :

- la signalétique est claire et lisible ;
- l'accès au stand est bien balisé ;
- le matériel est sur le stand : catalogues en nombre suffisant, kakémonos, affiches, écran pour les présentations ;
- la connexion wifi fonctionne.

Les mots pour

- Orienter
- Potentiel(le)
- Un flyer
- Personnaliser
- Une brochure
- La signalétique
- Baliser
- Un kakémono

2 À la rencontre des prospects

(...) Voir transcription p. 147

2. Écoutez le dialogue et répondez.

a. Comment l'homme aborde-t-il la femme ?
b. Pourquoi la femme se rend-elle sur le stand de cette entreprise ?
c. L'homme a-t-il intérêt à donner rapidement un rendez-vous à la visiteuse ? Justifiez.
d. Que décident l'homme et la femme ?

GRAMMAIRE

L'expression de l'hypothèse

Hypothèse sur le présent

Si + présent → présent
- *Si un prix **est** bas, le consommateur pense que le produit **est** de mauvaise qualité.*

Si + imparfait → présent du conditionnel
- *Si on **était** en janvier, je **ferais** les soldes.*

Hypothèse sur le futur

Si + présent → futur simple
- *Si le prix des 10 euros **est** atteint, l'impact ne **sera** pas le même.*

→ conjugaison p. 137

1 Conjuguez au temps qui convient.

a. Si tu es disponible jeudi, nous (aller) ensemble au salon.
b. Si vous voulez que je vous appelle, (pouvoir)-vous me donner votre carte de visite ?
c. Si votre PME était présente au Maghreb, nous (avoir) l'occasion de travailler ensemble.
d. Je (souhaiter) vous rencontrer si vous êtes disponible la semaine prochaine.
e. Si vous regardez le catalogue, vous (voir) que nous sommes compétitifs.

3 Optimiser sa présence sur un salon

Terrain idéal pour prospecter les entreprises en direct, les salons professionnels sont un bon moyen de se faire connaître et d'investir de nouveaux marchés. Vous avez l'intention de visiter un ou plusieurs salons au cours de l'année ? Avant d'arpenter les allées et les stands, il est indispensable de préparer votre venue pour en tirer les meilleurs bénéfices. Nelly H., responsable commerciale vous livre quelques ficelles. [...]

Vendeur Online : [Pour approcher un prospect] avez-vous une phrase d'accroche, une technique particulière à nous faire partager ?
Nelly H. : Comme je le disais, la notion de rapidité est importante : je commence par me présenter, « Nelly H., société XY », puis en deux mots, je résume notre activité. Le but est d'enchaîner sur les centres d'intérêts et l'activité du prospect : « Et vous ? » Si je sens un intérêt de sa part, que j'ai « ferré le prospect », je procède à un échange de cartes professionnelles, de façon à en rediscuter posément et plus en détail ultérieurement. À noter également, l'intérêt des conférences, tables-rondes et ateliers thématiques qui me permettent de savoir où et à quelle heure exactement je peux trouver un prospect sur le salon. Cela m'aide à m'organiser dans le temps notamment.
Vendeur Online : Vous est-il arrivé de signer un contrat sur un salon professionnel ?
Nelly H. : Oui, à plusieurs reprises ! Il n'y a pas de règles en la matière, mais généralement, sur les salons le but est avant tout de se faire connaître, de favoriser de nombreux contacts commerciaux pour une transformation ultérieure. Il faut, pour ce faire, marquer l'esprit de votre interlocuteur parmi la foule d'autres commerciaux. Être percutant, c'est savoir parler business au bon moment, dans une conversation qui prend bien souvent des allures informelles ! [...]
Vendeur Online : Les salons professionnels sont-ils l'occasion pour vous de récolter de l'information sur vos concurrents ?
Nelly H. : Les salons sont en effet un concentré d'acteurs et de professionnels d'un même secteur d'activité. Il est bien sûr toujours intéressant d'échanger sur l'évolution du secteur, du marché. Et voir ce qui se fait ailleurs permet d'aiguiser et de peaufiner son discours... à son avantage, cela va de soi !

(...) Voir transcription p. 147

3. Écoutez l'interview et répondez.

a. Comment Nelly aborde-t-elle un prospect ?
b. Comment peut-on se démarquer des autres commerciaux sur un salon ?
c. Comment peut-on se renseigner sur ses concurrents pendant un salon ?
d. Que faut-il faire après un salon ?

Les mots pour

- Arpenter
- Tirer un bénéfice
- Livrer les ficelles
- Ferrer
- Être percutant(e)
- Informel(le) / Formel(le)
- Récolter de l'information
- Un concentré de
- Aiguiser
- Peaufiner
- Faire partie du jeu
- Un débriefing / Un débrief

Liaisons obligatoires / Liaisons interdites

La liaison c'est lorsqu'on prononce la dernière consonne d'un mot qui n'est normalement pas prononcée dans la première syllabe du mot suivant. Certaines liaisons sont obligatoires, d'autres interdites ou facultatives.
- Les‿assistants‿au salon. *liaison obligatoire / liaison interdite*
- On peut‿y accéder ? *liaison facultative*
- Un bureau petit‿et‿étroit. *liaison interdite*

↘ Micro-tâche

Votre entreprise vous envoie sur un salon à Tanger, en Algérie. Vous renseignez un prospect qui ne connaît pas votre entreprise. Vous convenez d'un prochain rendez-vous avec lui. Mettez-vous d'accord sur l'activité de l'entreprise puis jouez la scène à deux. Dans la conversation, vous devez utiliser les mots suivants : carte de visite, présentation, concurrent, fournisseur.

4 UNITÉ

Bienvenue au salon !

À chaque domaine son salon

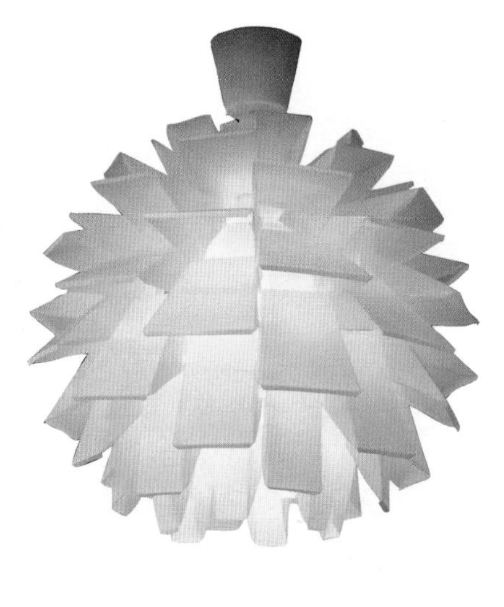

Salon International du Design de Montréal (SIDIM)

Chaque année, le grand hall de la Place Bonaventure vibre au rythme de plus de 300 exposants. Entreprises leaders et créateurs émergents sont rigoureusement sélectionnés pour vous faire découvrir le meilleur du design. Des milliers de produits et de concepts s'offrent à la découverte de plus de 20 000 visiteurs : accessoires, appareils sanitaires, armoires de cuisine, boiseries, éclairage, électroménagers, matériaux, mobiliers, portes et fenêtres, revêtements, robinetterie, et plus encore. En un seul lieu, créateurs d'ici et designers les mieux cotés de la planète vous dévoileront, en avant-première, les tendances du design qui se refléteront sur les maisons, les bureaux, les commerces et les institutions de demain. Du design d'intérieur au design industriel, en passant par l'architecture, le design graphique et de mode, toutes les sphères vous seront présentées.

www.placebonaventure.com

1. Que peut-on découvrir dans ce salon ?
2. Qui expose ?

Salon du Chocolat de Bruxelles – Mondial du Chocolat et du Cacao

Ce salon est à l'image du chocolat lui-même : diversifié, complet, plein de surprises et passionnant !
Avant tout, le Salon du Chocolat est le 1er label international de l'art gastronomique européen pour les chocolatiers et pâtissiers.
C'est surtout LE rendez-vous incontournable pour 60 entreprises du secteur chocolatier qui pourront présenter leurs savoir-faire, les nouvelles tendances, faire tester leurs produits et même communiquer sur leur image et l'évolution future de leurs gammes.

Le salon du chocolat est aussi une plateforme de communication et d'échange entre les acteurs belges et internationaux de la profession.
C'est enfin un pôle d'animations variées, déployées sur près de 5 000 m² [...]
Ce n'est un secret pour personne, les Belges sont grands amateurs et consommateurs de chocolat (9,77 kg par an et par habitant).
Ils disposent enfin d'un Salon à la hauteur de leur attachement à ce produit d'exception !
Le Salon du Chocolat n'en finira pas de vous étonner !

www.opt.be

1. Selon vous, pourquoi un tel salon se tient-il à Bruxelles, en Belgique ?
2. Quel est l'intérêt, pour les chocolatiers, de participer à ce salon ?

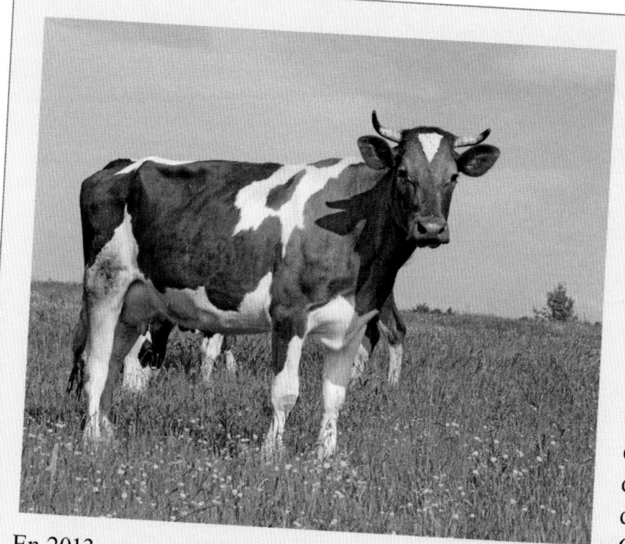

Salon de l'agriculture Paris

Au départ, le Salon International de l'Agriculture a été créé autour du Concours Général Agricole des Animaux. Puis, il a grandi et suivi année après année l'évolution de l'agriculture française. Depuis un demi-siècle, le Salon International de l'Agriculture rassemble chaque année tous les acteurs du monde agricole. Il est la référence de son secteur, non seulement en France mais aussi à l'étranger. Éleveurs, producteurs, régions, organisations et syndicats professionnels, ministères et organismes publics ou instituts de recherche : chacun contribue à présenter les différentes facettes du secteur, de ses métiers, de ses évolutions et de ses perspectives. C'est un événement particulièrement aimé du public qui vient en nombre.

En 2013, ce sont 693 752 visiteurs qui sont venus fêter les 50 ans du Salon. En 2014, le Salon International de l'Agriculture met en avant un monde qui bouge, une agriculture en mouvement : évolutions technologiques et génétiques, agriculture d'ailleurs dans les pays du bassin méditerranéen ou émergente avec l'agriculture urbaine !

www.salon-agriculture.com

1. Depuis combien de temps le salon de l'agriculture existe-t-il ?
2. Quel est l'intérêt de proposer un tel salon en ville ?

Salon International de la Haute Horlogerie (SIHH)

Les organisateurs du 24ᵉ salon de l'horlogerie de luxe à Genève sont très satisfaits. « Cette édition a été un bon cru. Nous sommes très contents », a affirmé vendredi à l'ATS Fabienne Lupo, présidente et directrice générale de la Fondation de la Haute Horlogerie, organisatrice du SIHH. Avec 14 000 visiteurs, la fréquentation a augmenté de près de 9 % et le nombre de journalistes, 1 300, a même augmenté de 12 %, a-t-elle indiqué.
La progression des visiteurs asiatiques est de l'ordre de 11 % et de 8 % pour le Moyen-Orient, avec une hausse plus légère pour les États-Unis et des chiffres en légère baisse pour l'Europe. Quelques 500 Russes et une centaine d'Indiens ont fait le déplacement. Avec plus de 60 % des visiteurs, les Européens restent le plus gros contingent, les Suisses en tête.

www.24heures.ch, 24 janvier 2014.

1. Que dit l'article à propos de la fréquentation du salon ?
2. D'où viennent les visiteurs ?

4 UNITÉ

Entraînement aux examens

1 Compréhension de l'oral

Exercice 1
Lisez les questions, écoutez le document, puis répondez aux questions.

a. De quel aéroport partent Patrice, Anne-Sophie et Myriam ?
b. Où vont-ils ?
c. À quelle heure doivent-ils arriver ?
❒ 9 heures ❒ 18 heures ❒ 19 heures
d. Où ont-ils rendez-vous mercredi à 10 heures ?
❒ sur le stand ❒ à l'entrée du salon ❒ à l'hôtel
e. Quels sont les horaires du salon ?
f. Combien de temps dure le salon ?
g. Quels sont les horaires des présentations de Patrice ?
❒ 11 h et 16 h ❒ 12 h et 15 h ❒ 11 h et 15 h

Exercice 2
Lisez les questions, écoutez le document, puis répondez aux questions.

a. Qui est Guillaume Samper ?
b. Pour quelle entreprise travaille-t-il ?
❒ Gréalis ❒ Dréavis ❒ Vréalis
c. Qui est Flora Vila ?
d. Dans quel domaine travaille-t-elle ?
❒ la bureautique ❒ la téléphonie ❒ l'informatique
e. Que fait-elle actuellement sur le salon ?
❒ Elle recherche de nouveaux fournisseurs.
❒ Elle a rendez-vous avec ses actuels fournisseurs.
❒ Elle vient signer un contrat avec un nouveau fournisseur.
f. Flora Vila
❒ connaît l'entreprise de Guillaume Samper.
❒ travaille avec l'entreprise de Guillaume Samper.
g. Citez deux qualités du nouveau produit que proposeGuillaume Samper.
h. Pourquoi Flora Vila n'a jamais travaillé avec l'entreprise de Guillaume Samper ?
i. Quand et où Flora Vila et Guillaume Samper ont-ils rendez-vous ?

2 Production orale

• Monologue suivi

Vous dégagez le thème soulevé par le document ci-contre et vous présentez votre opinion sous la forme d'un court exposé de 2 minutes environ.

La participation à un salon professionnel, l'organisation d'un événement de manière générale, se divise en trois grands moments : l'avant-salon, destiné à la préparation et à l'organisation en amont, la présence sur le salon avec la gestion des activités au jour le jour, et l'après-salon, le moment où l'entreprise analyse les résultats et effectue un bilan de l'événement. La décision de participer à un salon nécessite une vraie réflexion. Un salon coûte cher. Il faut donc bien préparer sa présence afin d'optimiser ses résultats.

• Exercices en interaction

a. Sur un salon, vous rencontrez un éventuel collaborateur pour votre PME. Vous l'interrogez sur son entreprise, sur les produits qu'il présente sur le salon. Vous fixez un rendez-vous. (Le professeur joue le rôle de l'éventuel collaborateur.)

b. À l'entrée d'un salon, une personne vous demande où est le stand de votre entreprise. Vous lui expliquez comment y aller. (Le professeur joue le rôle du visiteur.)

3 Production écrite

Exercice 1

Dans une semaine, vous devez participer à un salon international à Mexico. Vous envoyez un mail à votre représentant au Mexique pour lui demander des informations sur le déroulement du salon, l'emplacement du stand... (140 à 160 mots)

Exercice 2

Vous envoyez un mail à vos commerciaux qui seront présents sur le salon la semaine suivante. Vous faites un récapitulatif de la présence de chacun, des différentes tâches qu'ils devront accomplir et des temps forts du salon. (140 à 160 mots)

4 Compréhension des écrits

a. Lisez le document puis complétez le tableau en fonction de la demande ci-après. Mettez une croix lorsque les critères sont remplis.

Vous êtes chargé d'organiser votre participation à un salon professionnel. Vous devez prendre en compte un certain nombre de critères. Vous faites partie d'une société au chiffre d'affaires de 56 millions d'euros. Vous voulez un stand de 18 m² qui coûte moins de 6 500 euros, tout compris. Vous avez besoin de peu d'équipements : une connexion à Internet, un écran, un comptoir et deux tabourets. Un espace publicitaire sur le catalogue du salon serait un plus.

Stand A. – À partir de 361 € / m² (stand de 9 m², 12 m² ou 18 m²). Vous pouvez adapter l'espace aux couleurs de votre enseigne, à vos besoins. Notre équipe technique est à votre disposition pour étudier et réaliser vos projets. Ce stand comprend une connexion Internet, un écran plat, 3 spots, un boîtier électrique, un comptoir et 2 tabourets. Un référencement sur le site Internet et un espace publicitaire dans le catalogue du salon sont compris dans le prix.

Stand B. – 1 299 euros formule tout compris. Frais de dossier, 2 badges exposants, 1 table, 1 chaise, l'électricité, 1 spot, une présence dans le catalogue, un accès wifi. Cette offre est réservée aux sociétés dont le chiffre d'affaires est inférieur à 100 000 euros.

Stand C. – Le stand traditionnel : tout compris pour 1 648 euros. Rapide à monter, efficace. Il fait 9 m² et inclut un comptoir, 3 tabourets, un écran, une connexion wifi. Ce prix ne comprend pas d'espace publicitaire dans le catalogue, pas d'écran plasma, ni de boîtier électrique.

b. Quel stand choisissez-vous ? Pourquoi ?

	Stand A	Stand B	Stand C
Taille du stand			
Espace publicitaire dans le catalogue			
Prix			
Connexion Internet fournie			
Mobilier			
Écran plasma			

Bilan

1 Complétez par un superlatif.

a. Les téléphones portables sont les écrans ... par les adolescents.
b. Les ventes en magasins physiques sont les ventes ... en France.
c. Promouvoir un produit dans la rue est la pratique ... pour les entreprises.
d. Les marques ... utilisent les bloggueuses pour faire la promotion de leurs produits.
e. Avoir tous ses documents sur une tablette numérique est la façon ... pour avoir tout sous la main.

2 Complétez le tableau par un nom ou un verbe.

Nom	Verbe
Un relais	...
Un ...	Investir
Un ...	Conseiller
La propagation	...
Le ...	Colporter

3 Transformez ces phrases en phrases nominales.

a. Les ventes de vêtements augmentent grâce aux bloggueuses.
b. Les commerciaux utilisent de plus en plus la tablette numérique.
c. Les adolescents accèdent à Internet depuis leur mobile.
d. Carambar supprime les blagues dans ses caramels : info ou intox ?
e. La marque lance une édition limitée pour attirer les clients.

4 Donnez le participe présent des verbes.

Verbe	Participe présent
Faire	...
Démarcher	...
Répondre	...
Investir	...
Envoyer	...
Viser	...
Obtenir	...
Mettre	...

5 Récrivez les phrases avec un participe présent.

a. Les réseaux sociaux, comme ils sont un bon outil de communication, sont très utilisés par les entreprises.
b. Si nous réfléchissons bien, nous pouvons trouver un très bon plan de communication.
c. La société a créé un buzz parce qu'ils ont fait croire qu'ils supprimaient les blagues dans leurs caramels.
d. 64 % des adolescents qui ont un smartphone l'utilisent plus que l'ordinateur.

6 Associez les mots ci-dessous à leur définition.
le mobinaute – l'e-mailing – le buzz – le bouche à oreille – le potentiel

a. Recommandation orale spontanée d'un produit ou d'un service.
b. Ensemble des ressources dont une personne, une entreprise peut disposer.
c. Faire du bruit autour d'un événement, d'un nouveau produit ou d'une offre.
d. Personne qui utilise un téléphone portable pour naviguer sur Internet.
e. Campagne publicitaire visant un utilisateur via son e-mail.

7 Vous préparez un salon professionnel, vous demandez à votre assistant de faire 5 choses pour le bon déroulement de ce salon. Utilisez l'impératif.

8 Complétez le schéma en utilisant le lexique étudié.

9 Écoutez le dialogue. Les phrases suivantes sont-elles vraies ou fausses ? Justifiez.

a. Hier, Ana a reçu un mail pour la prévenir des modifications.
b. Ana appelle Arnaud pour lui indiquer des modifications dans l'organisation du salon.
c. Le salon du voyage d'affaires se tient la semaine suivante.
d. La conférence aura lieu mardi à 10 heures.
e. Ana doit déjeuner avec monsieur Richou.
f. Madame Zhao retrouvera Ana sur le stand.
g. Un jeu-concours est organisé sur le salon.
h. Ana doit faire deux présentations.
i. Arnaud va envoyer le planning par mail.

10 Expliquez les mots ou expressions ci-dessous.

la visibilité sur un stand – une brochure – un prospect – rentabiliser sa présence

11 Conjuguez les verbes aux temps qui conviennent.

a. Si nous (être) présents sur ce salon, nous (pouvoir) capter plus de clients.
b. Si tu ne (arriver) pas à l'heure sur le stand, tu (devoir) prévenir Jean-Marc de ton retard.
c. Si je (connaître) mon planning, je te (dire) à quelle heure je commence vendredi.
d. Vous (être) plus visible si vous (avoir) un éclairage différent.
e. Tu lui (donner) ta carte de visite si elle te la (demander).
f. Si les commerciaux (faire) une présentation à 10 heures, ils (attirer) beaucoup de visiteurs.
g. Si Léa ne (venir) pas sur le stand, je le (rencontrer) au siège de l'entreprise.

12 Lisez le texte et répondez aux questions.

a. Comment peut-on informer de sa présence sur un salon à venir ?
b. Pourquoi la décoration du stand est-elle importante ?
c. À quoi servent les cadeaux que l'on distribue pendant un salon ?

Être présent sur un salon professionnel est un coût pour une entreprise. Il faut donc être vu par le maximum de monde pendant ces quelques jours, attirer le regard, donner envie aux gens de s'arrêter à son stand. Son emplacement et son aménagement sont essentiels.
Avant l'évènement, prévenez vos clients de votre présence sur le salon, invitez-les et faites circuler l'information de différentes façons (site web, newsletters, réseaux sociaux...). Sur le stand, captez l'attention, optez pour une décoration et un aménagement soigné et bien pensé. La décoration doit influencer le passage des visiteurs. Tout doit être pensé pour attirer l'attention des visiteurs.
Et n'oubliez pas, les signes de convivialité sont toujours appréciés : goodies, cadeaux publicitaires. Toutes ces petites attentions sont des hameçons pour les visiteurs

13 Complétez par un adverbe de lieu ou de temps. N'utilisez pas deux fois le même adverbe.

a. Je participe ... à des salons professionnels.
b. Notre stand est ... de l'entrée du salon : tu arrives et tu le vois tout de suite.
c. Nous avons pris l'avion ... pour pouvoir être tôt sur le stand ce matin.
d. ... le stand, il y a un comptoir avec nos catalogues pour les visiteurs.
e. Les salons professionnels nous permettent ... de conclure des marchés.

14 Complétez le texte par les mots proposés. Faites les accords si nécessaire.

stand – entreprise – formulaire d'inscription – animation – salon – conférence – exposant

Le ... de l'auto de Montréal vient d'ouvrir ses portes. Les plus grandes ... du secteur sont présentes. Consultez le guide du salon pour connaître la liste des ... . Grâce au plan, retrouvez facilement les ... qui vous intéressent. Des ... et des ... sont organisées pendant toute la durée du salon. N'oubliez pas de remplir un ... pour participer au grand jeu concours.

Préparer un salon professionnel

Objectif : vous organisez la logistique du salon, la présentation de votre stand, et présentez des idées pour attirer les clients sur votre stand et faire connaître votre entreprise.

Étape 1
Vous choisissez le secteur d'activité de votre entreprise. Vous décrivez l'activité de votre entreprise, ses produits...

Étape 2
Vous imaginez un salon professionnel auquel votre entreprise va participer. Vous définissez ce salon : localisation, public visé, caractéristiques du salon.

Étape 3
Vous choisissez l'emplacement de votre stand. Vous justifiez le choix de cet emplacement. Vous pouvez proposer un plan du salon.

Étape 4
Vous faites une liste de tout le matériel dont vous avez besoin sur votre stand : mobilier, écran, ordinateurs...

Étape 5
Vous décrivez la communication sur le stand : publicité, brochure, cadeaux...

Étape 6
Vous faites un planning détaillé des personnes qui seront présentes sur le stand. Vous précisez leur fonction.
Vous incluez dans ce planning les présentations, les animations, les rendez-vous...

Étape 7
Vous expliquez ce que vous avez prévu pour attirer les visiteurs sur votre stand : un flyer, une newsletter, une opération de communication...

À l'écoute du client

UNITÉ 5

PRÉSENTATION DES CONTENUS

Je découvre le service après-vente et la relation client, je réponds à un client mécontent, je fais une enquête de satisfaction, je fidélise ma clientèle.

J'ai besoin des éléments grammaticaux suivants :

La négation *ne... que*
L'expression de la cause
La formation du subjonctif
Les verbes d'opinion

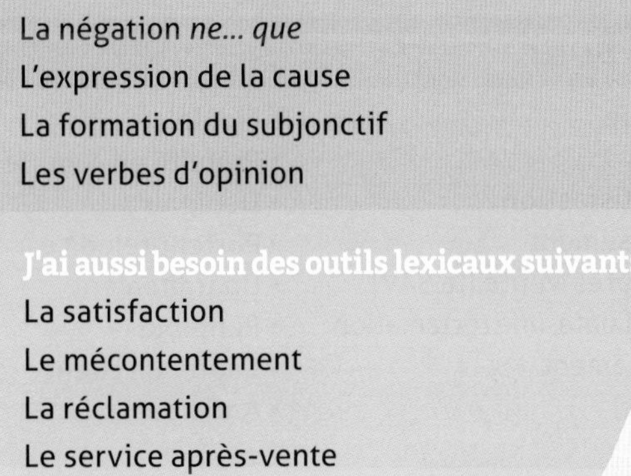

J'ai aussi besoin des outils lexicaux suivants :

La satisfaction
Le mécontentement
La réclamation
Le service après-vente
La fidélisation

5 UNITÉ À l'écoute du client

1 À quoi sert un SAV ?

SERVICE APRÈS VENTE

SAV

Des questions sur votre commande ?

Retard de livraison ? Anomalie sur un produit ? Un article ne vous convient pas ? Quelle que soit votre demande, notre service ***Client Satisfait*** s'engage à vous apporter satisfaction au plus vite.

Et n'oubliez pas ! Vous disposez de 15 jours après la livraison d'un article pour demander son échange ou son remboursement.

Journaliste : Monsieur Beaumont, vous êtes responsable du service après-vente d'une enseigne de la grande distribution. Donc, vous n'avez pas que des clients satisfaits au téléphone. Vous êtes souvent amené à traiter les plaintes de clients insatisfaits. Cela a nécessairement un coût, n'est-ce pas ?

Monsieur Beaumont : Bien sûr, cela a un coût mais, en fait, il faut plutôt considérer cette dépense comme un investissement. Un client mécontent n'est pas que un client perdu. Bien au contraire lorsque la réclamation est traitée correctement ! Et il y a même de fortes chances que ce client devienne un client fidèle.

Journaliste : Expliquez-nous !

Monsieur Beaumont : Imaginez : le client n'est pas satisfait, il fait appel au service après-vente et là il n'a pas le sentiment que son problème est pris en compte. Nous pouvons alors considérer que non seulement nous venons de perdre un client, mais en plus il aura tendance à nous dénigrer ce qui portera préjudice à notre enseigne. En revanche, le même client, s'il se sent écouté et que, en plus, nous arrivons à résoudre son problème, deviendra un client fidèle.

(...) Voir transcription p. 148

Les mots pour

- Une anomalie
- S'engager à
- Apporter satisfaction
- Un remboursement
- Le service après-vente (le SAV)
- Traiter une plainte, une réclamation
- Un investissement
- Mécontent(e)
- Fidèle
- Prendre en compte
- Dénigrer
- Porter préjudice à
- Un traitement
- Rentable
- Capter un client
- Anticiper

1. Lisez l'encadré, écoutez le dialogue et répondez.

a. Dans quels cas peut-on s'adresser au service après-vente ?
b. Quelles sont les conséquences du mauvais traitement des réclamations ?
c. Pourquoi est-il particulièrement important de bien traiter les réclamations ?
d. Expliquez la dernière phrase : « Pas de nouvelles n'est pas toujours synonyme de bonnes nouvelles... »

2 Un SAV efficace

Chez Leroy Merlin, le SAV est robotisé

« Vous m'avez pris pour un neuneu ! » Dans n'importe quel service après-vente, ce courriel envoyé par un client mécontent serait resté sans suite. Pas chez Leroy Merlin. À peine arrivé dans les serveurs informatiques du distributeur, le message est analysé en quelques dixièmes de seconde, classé dans la catégorie « manque de considération » et placé illico dans les retours à régler en priorité par les conseillers après-vente. « Le problème de cet habitué du rayon outillage avait été traité par-dessus la jambe, se souvient Maria Flament, la responsable du service relation client. Nous l'avons rappelé immédiatement pour lui présenter nos excuses. Il n'en revenait pas. » Encore un fidèle de sauvé pour Leroy Merlin. Depuis que le numéro 1 français du bricolage et de la décoration a équipé son SAV d'un logiciel d'analyse sémantique, en 2007, il parvient à traiter informatiquement tous les courriers, e-mails et appels téléphoniques, mais aussi l'ensemble des commentaires laissés sur les bornes...

www.capital.fr, 23 janvier 2014.

3 La relation client

Les mots pour

- Le textile
- Attirer le client
- Une marchandise
- Liquider
- La clientèle
- Une constatation
- Une politique commerciale
- Un dépannage
- Un concept
- Formaliser
- Un axe de communication
- Être garanti(e)

Darty : la clé du succès

En 1957, la famille Darty – le père et ses trois fils – tient un petit magasin de textile à Montreuil et, pour l'agrandir, acquiert le magasin voisin. Il s'agit d'un commerce de postes de radio et téléviseurs.

Les frères Darty commencent à vendre le stock et pour attirer les clients, sortent la marchandise sur le trottoir. En quelques jours, le stock est liquidé.

C'est pendant les années soixante que les trois frères Darty développent l'entreprise. Pendant cette période d'apprentissage, ils découvrent au contact de la clientèle les règles d'or du commerce : « Un client n'est satisfait que si le produit qu'il achète fonctionne et rend les services que l'on attend de lui ».

Les frères Darty vont faire de cette constatation leur politique commerciale en proposant des prix bas, la livraison et le dépannage rapides.

C'est en 1973 que le concept se formalise : Darty crée le Contrat de Confiance. L'enseigne le convertit en axe majeur de communication et de service avec ses clients. Pour la première fois, un distributeur s'engage par écrit auprès du consommateur. Les prix, le choix et le service sont garantis au client. Le Contrat de Confiance, clé de voûte de la philosophie Darty, est appliqué à l'intérieur comme à l'extérieur de l'entreprise.

www.darty.com

2. Lisez le texte et répondez.

a. Quand et comment a commencé l'histoire des magasins Darty ?
b. Quelle est la règle d'or selon les frères Darty ? Expliquez.
c. Quel concept ont-ils développé depuis 1973 ? En quoi consiste-t-il ?

3. Lisez l'article et répondez.

a. Comment les plaintes des clients sont-elles gérées chez Leroy Merlin ?
b. D'après vous, qu'est-ce qu'un « logiciel d'analyse sémantique » ? Que permet-il ici ?
c. Comment comprenez-vous la première phrase de cet article ?
d. Que se passe-t-il d'habitude lorsqu'un service après-vente reçoit ce type de message ?

Les mots pour

- Robotisé(e)
- Une catégorie
- Un manque de considération
- En priorité
- Un conseiller après-vente
- Le rayon outillage
- Le service relation client
- L'analyse sémantique
- Une borne

GRAMMAIRE

La négation ne ... que

La construction ***ne*** **+ verbe +** ***que*** indique une restriction (= « seulement »). .
- *La garantie **ne** coûte **que** 80 euros par an.*
  *= La garantie coûte **seulement** 80 euros par an.*

1 Remplacez *ne ... que* par *seulement* ou vice versa.

a. À la dernière réunion, il n'y avait que la moitié du personnel.
b. Cette entreprise répond seulement aux clients qui téléphonent.
c. Jusqu'à maintenant, j'ai seulement travaillé dans le marketing.

2 Terminez les phrases avec la restriction *ne ... que*.

a. Je croyais que j'avais encore trois jours pour donner les résultats de l'enquête mais ... .
b. Je pensais qu'ils répondaient à tous les clients insatisfaits mais ... .
c. Il voulait consacrer l'après-midi à ce dossier mais finalement ... .

↘ Micro-tâche

À plusieurs, choisissez un produit et dressez la liste des services après-vente que vous proposez. Présentez vos propositions au reste du groupe. Vous pouvez partir de produits divers (biens matériels et services), ou d'un produit que votre entreprise vend.

• Hi-Fi, informatique, téléphonie, électroménager, voyage, assurance, équipement sportif, cours de langue...

UNITÉ 5

À l'écoute du client

1 Un client mécontent

(...) Voir transcription p. 148

1. Écoutez le dialogue et répondez.

a. Qu'est-ce que la société Dreyfuss a acheté ?
b. Quels sont les problèmes rencontrés ?
c. Quel est le problème avec le technicien ?
d. Pourquoi le client est-il mécontent de ne pas avoir pu changer son message d'accueil ?
e. Quelle est la solution proposée par le SAV ?

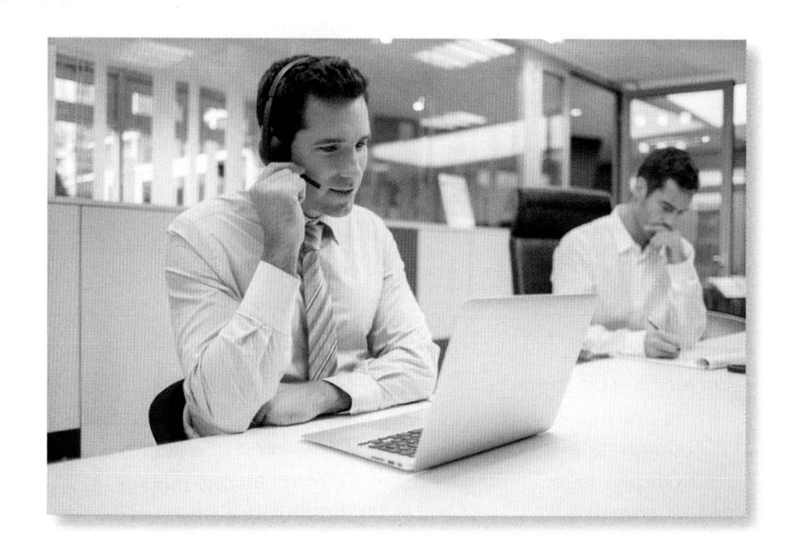

Les mots pour

- La téléphonie
- Une plateforme de télémaintenance
- Persister
- Estival(e)
- Le trafic entrant / sortant
- Opérationnel(le)
- Un dysfonctionnement

2 Une réponse à une réclamation

2. Lisez la lettre et remplissez la fiche de réclamation.

Produit :
Date achat :
Date réclamation :
Nom client :
Dossier suivi par :
Répondu le :
Motif de la réclamation:

Établissement MEDIDOC
rue de la Loi, 3
1000 Bruxelles
Belgique

Objet : Votre réclamation du 28 mai 2014

Bruxelles, le 6 juin 2014

Madame Rocher,

C'est avec regret que nous avons pris connaissance de votre courrier de réclamation du 28 mai 2014 concernant la livraison d'ampoules en verre à usage médical. Nous sommes désolés pour les marchandises endommagées et par conséquent inutilisables.
Nous avons recherché l'origine de ce problème. Vraisemblablement, l'emballage n'a pas été réalisé correctement. Vous avez été victime d'un problème qui ne s'était jamais produit avant. Cela ne se reproduira plus, nous avons pris toutes les mesures nécessaires.
Une nouvelle livraison est prévue pour le 10 juin prochain, en service express sans supplément pour vous, en réparation du préjudice subi.

N'hésitez pas à nous faire part de tout autre souci : nous souhaitons avant tout que la confiance que vous accordez à notre entreprise reste intacte, malgré cet incident.

En espérant que cette nouvelle livraison vous donnera une entière satisfaction, je reste à votre disposition pour tout renseignement, et vous prie d'agréer, Madame Rocher, nos sincères salutations.

Nathalie Bensoussan
Directrice Service Clients

3. Parmi les verbes de la liste, indiquez lesquels on utilise pour : une réclamation, une interrogation, une réponse, un ordre, une explication.
questionner – répliquer – invoquer – ordonner – supplier – demander – interroger – prier – consulter – répondre – informer – exposer – commander – communiquer – expliquer – exiger – renseigner

4. Madame Rocher et Nathalie Bensoussan s'entretiennent par téléphone. Jouez la scène à deux en utilisant les éléments contenus dans la réponse de Nathalie Bensoussan.

Les mots pour

- Prendre connaissance de
- Être désolé(e)
- Une marchandise
- Endommagé(e)
- Vraisemblablement
- L'emballage
- Être victime de
- Se produire / Se reproduire
- Prendre les mesures nécessaires
- Un supplément
- En réparation de
- Subir un préjudice
- Accorder sa confiance
- Intacte
- Donner satisfaction

3 Le service clients

5. Écoutez l'interview et répondez.

a. Expliquez en une phrase le rôle du directeur du service clients.
b. Pourquoi la mission du directeur du service clients est délicate ?
c. La fonction du directeur du service clients varie selon la taille de l'entreprise ?
d. Quelles sont les compétences nécessaires pour être un bon directeur du service clients ?
e. Comment devient-on directeur du service clients ?

« Le service clients est le premier contact du consommateur mécontent »

Entre le directeur commercial et le directeur marketing, un nouveau venu tente de se faire une place au sein de l'entreprise : le directeur du service clients. Sa mission : gérer au mieux les relations avec le consommateur. Florent Lebaupain, directeur de la division administration des ventes, achats et logistique de Michael Page, répond aux questions de Capital.fr.

Capital.fr : Qu'est ce que c'est qu'un directeur de service clients ?
Florent Lebaupain : Derrière ce titre se cachent des métiers assez différents mais qui ont un point commun : être en première ligne face au client, une fois qu'il a acheté un produit ou un service. Dans les très grosses sociétés, le directeur du service clients peut piloter l'administration des ventes (suivi des commandes, facturation), le service après-vente, mais aussi diriger le centre d'appels qui reçoit les coups de fils de consommateurs. Dans les sociétés plus petites, c'est le responsable administration des ventes qui fait office de directeur de service clients, il gère alors un service de 2 à 15 personnes. Enfin il arrive que dans certaines sociétés de services, il ne soit responsable que des centres d'appels.
Capital.fr : Sa mission est-elle délicate ?
Florent Lebaupain : Oui, car c'est le premier contact du client mécontent. Il a un rôle transversal : faciliter les relations avec le service logistique, production… Et tout mettre en œuvre pour que le client soit satisfait.
Capital.fr : Quelles compétences sont indispensables pour réussir dans ce job ?
Florent Lebaupain : Il doit avant tout avoir un très bon relationnel, savoir se démener pour les autres, être inventif pour trouver les meilleures solutions, tout en respectant les process mis en place par l'entreprise. Il doit être rigoureux. Pour réussir dans ce métier multi-facettes, il faut donc être très polyvalent. Enfin il faut bien connaître les produits ou services de l'entreprise.

(...) Voir transcription p. 148

Les mots pour

- Se faire une place
- Être en première ligne
- Piloter
- L'administration des ventes
- Une société de services
- Transversal(e)
- Faciliter
- Se démener
- Inventif / Inventive
- Un process
- Multi-facettes
- Polyvalent(e)
- La promotion interne

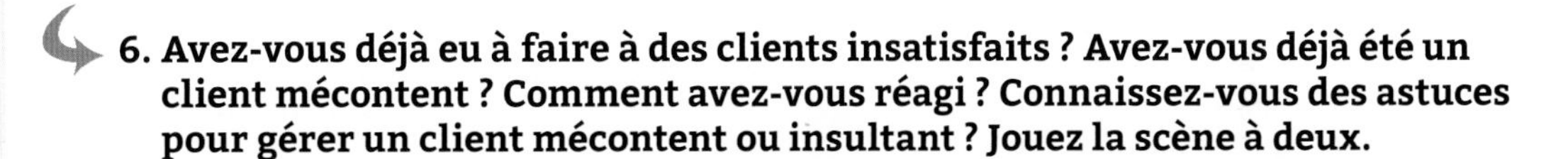

6. Avez-vous déjà eu à faire à des clients insatisfaits ? Avez-vous déjà été un client mécontent ? Comment avez-vous réagi ? Connaissez-vous des astuces pour gérer un client mécontent ou insultant ? Jouez la scène à deux.

↘ Micro-tâche
Choisissez un domaine d'activité. Faites la liste des différentes raisons que peut avoir un client pour faire une réclamation. Pour chacune de ces raisons, proposez des actions pour satisfaire le client. Présentez vos propositions au reste du groupe.

GRAMMAIRE

L'expression de la cause

Il y a différentes manières d'exprimer **la cause**. On peut utiliser :
– la ponctuation :
• *Il est rentré **:** il était trop fatigué.*
– une subordonnée introduite par *parce que, comme, vu que, puisque ...* :
• *Elle est partie **parce qu'**elle avait fini son travail.*
– la coordination :
• *Les ventes ont augmenté ; **en effet**, nous avons beaucoup investi.*
– une locution prépositionnelle :
• *Les livraisons ont pris du retard **à cause de/en raison de** la grève des routiers.*
– le temps du verbe :
• *N'ayant pas terminé le travail, je ne **pourrai** pas le présenter à mon supérieur.*

1 Complétez avec les expressions proposées.

comme – parce que – étant donné que – en raison de

a. ... je ne suis pas intéressé, je n'ai pas répondu.
b. ... notre entreprise n'est pas très grande, nous n'avons pas besoin d'un service aussi complet.
c. Il a décidé de continuer à travailler avec cette entreprise ... la qualité de son SAV.
d. J'ai appelé le SAV ... mon ordinateur ne fonctionnait pas.

À l'écoute du client

1 Cibler les clients

Les mots pour

- Se concentrer
- Valoir le coup
- Un potentiel
- Conquérir
- Mettre à jour
- Un trimestre
- Être formel(le)
- Un portefeuille de clients
- Négligent(e)
- Identifier
- Stratégique

Concentrez-vous sur les clients qui en valent le coup

Tous vos clients ne méritent pas les mêmes efforts. Organisez votre emploi du temps et votre stratégie commerciale en fonction de leur profil et de leur potentiel.

Fidéliser un client coûte de cinq à dix fois moins cher que d'en conquérir un nouveau… à condition de bien gérer son portefeuille. « Il faut mettre à jour son fichier au moins une fois par trimestre, sous peine de voir s'évader chaque année de 20 à 30 % de la clientèle », prévient Nicolas Dugay, directeur associé de CAA. Jean-Michel Santacreu, directeur commercial des Grands Moulins de Paris (fabrication de farine et de produits pour la boulangerie), est formel : « Un chef des ventes qui s'occupe méthodiquement de son portefeuille réalisera 10 % de chiffre d'affaires de plus qu'un collègue négligent. » Le secret : savoir identifier ses clients stratégiques et concentrer ses efforts sur eux.

Bruno Askenazi, www.capital.fr, 20 juillet 2012.

1. Lisez l'article et répondez.

a. Qu'est-ce qui revient moins cher : fidéliser un client ou trouver un nouveau client ? Expliquez.
b. Que conseille Nicolas Dugay pour éviter de perdre des clients ?
c. Que constate Jean-Michel Santacreu ?

2 Une enquête de satisfaction

(…) Voir transcription p. 149

2. Écoutez l'enregistrement, lisez le document et répondez.

a. Pourquoi le client n'est pas complètement satisfait ?
b. Quels points donnent satisfaction à monsieur Stehl ?
c. Pourquoi l'entreprise Bâti Pro appelle-t-elle monsieur Stehl ?
d. Comment les clients peuvent-ils aider Bâti Pro à améliorer la qualité de ses services ?

3. Par groupes, dressez une liste de règles pour élaborer une enquête de satisfaction.

Exemple : rédiger des questions simples et courtes ; faire tenir l'enquête sur une page maximum…

Les mots pour

- Une enquête
- Une démarche qualité
- L'efficacité
- Une prestation
- Faire exprès de
- Assigner à

ENQUÊTE DE SATISFACTION CLIENTS
Bâti Pro S.A.
Aidez-nous à améliorer la qualité de nos services !

Dans le cadre de notre Démarche Qualité ISO 9001, nous visons une amélioration continue de nos services. Pour cela, nous effectuons, au niveau national une enquête de satisfaction sur les services de notre entreprise. Votre avis nous permettra de déterminer notre efficacité et d'améliorer la qualité de nos prestations.

		Très Bien	Bien	Assez bien	Passable
Accueil téléphonique	• Amabilité	□	■	□	□
	• Rapidité	□	□	□	■
	• Professionnalisme	□	■	□	□
Service commercial	• Informations	□	□	■	□
	• Compétences professionnelles	□	■	□	□
Personnel assigné à votre dossier	• Compétences techniques	■	□	□	□
	• Capacité à répondre à vos besoins	□	■	□	□
	• Disponibilité	□	□	■	□
Produits	• Notre gamme répond-elle à vos besoins ?	□	■	□	□
	• Qualité des produits ?	□	■	□	□
Réalisation des travaux	• Respect des délais	□	□	■	□
	• Respect des services commandés	□	□	■	□
	• Précision des services achetés	□	■	□	□
	• Finition des travaux	□	□	□	■
Facturation	• Précision des factures	□	□	□	■
	• Relation avec le service comptable	□	□	■	□
Connaissez-vous notre nouveau site Internet ?		oui	□	non	■

VOS REMARQUES ET SUGGESTIONS :
Nous avons eu du mal à contacter la personne chargée de notre dossier. Il faudrait être plus disponible. D'autre part, il y avait une erreur sur la facture.

3 Fidéliser la clientèle

(...) Voir transcription p. 149

4. Écoutez l'enregistrement et répondez.

a. Quel est l'objet de la réunion ?
b. Pourquoi faut-il faire des cadeaux à ses clients ?
c. Quels sont les critères pour faire un bon cadeau ?

5. Par groupes, réfléchissez à différentes occasions pour faire des cadeaux à des clients. Expliquez vos choix au reste de la classe.

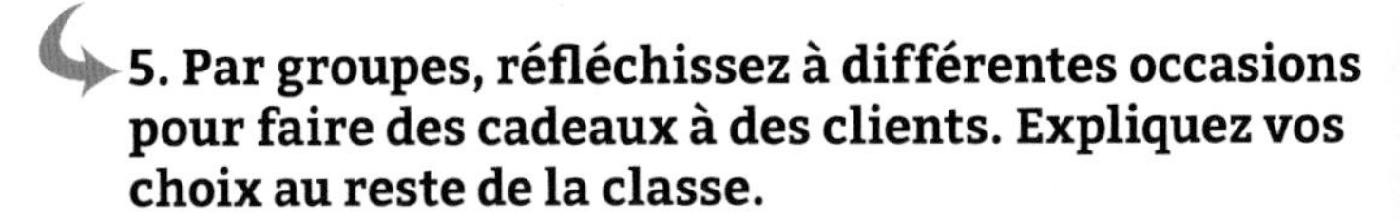

GRAMMAIRE

La formation du subjonctif

Le subjonctif présent se forme à partir de la 3e personne du pluriel de l'indicatif à laquelle on enlève la terminaison *-ent*.
On ajoute les terminaisons ***-e, -es, e, -ions, -iez, -ent.***
- *ils téléphon**ent** → que je téléphon**e***
- *ils écriv**ent** → que vous écriv**iez***
- *ils se plaign**ent** → que nous nous plaign**ions***

Certains verbes sont irréguliers au subjonctif : *être (que je sois), avoir (que tu aies), faire (que je fasse), vouloir (que je veuille), aller (que j'aille)...*

→ conjugaison p. 137

Les verbes d'opinion

On utilise l'**indicatif** après des verbes comme : *affirmer, dire, déclarer, penser, croire, voir, constater, savoir, estimer, trouver, imaginer, supposer, se douter, juger.*
- *Je **constate** que le client **est** satisfait.*

On utilise le subjonctif après des verbes
– de volonté : *vouloir, exiger, désirer, souhaiter...*
- *J'**exige** que le client **soit** satisfait.*

– d'appréciation, de sentiment de probabilité : *douter, craindre, apprécier, détester, regretter...*
- *Je **doute** que le SAV **comprenne** mon problème.*

– d'opinion à la forme négative ou interrogative
- *Je **ne crois pas** qu'il **puisse** réussir dans ce projet.*

Espérer est un verbe de volonté mais il est suivi de l'indicatif.
Des verbes comme *estimer, croire, se douter, être sûr, compter, penser, trouver, s'imaginer, supposer...* sont suivis de l'indicatif dans les phrases affirmatives mais du subjonctif dans les phrases négatives et interrogatives.

1 Conjuguez les verbes au présent de l'indicatif ou du subjonctif.

a. Je ne crois pas que le résultat de l'enquête (être) positif.
b. Nous espérons que les ventes (augmenter) cette année.
c. Je suppose que les clients (répondre) aux enquêtes.
d. Nous regrettons vivement que vous (décider) de quitter notre entreprise.
e. Je ne crois pas qu'ils (aller) voir la concurrence.

Phonétique

Les liaisons avec /z/, /n/ et /t/

Après des mots comme *mon, ton, son*, on fait la liaison en prononçant le « n ».
Après des mots au pluriel ou terminés par « s », « x » ou « z », on fait la liaison en prononçant « z ». Si après « grand », il y a un mot qui commence par une voyelle orale, on fait la liaison en prononçant « t ».
- Vous‿êtes son‿assistant ?
- Ils‿ont mis dix‿heures à répondre.
- C'est‿un grand‿ami à lui.
- Son‿amie travaille chez‿un concurrent.

↘ Micro-tâche

Choisissez un produit de votre entreprise, ou une marque. Par groupes, proposez une action de fidélisation autour de ce produit ou de cette marque. Présentez votre proposition d'action au reste du groupe.

Réseaux sociaux : quand les clients s'entraident

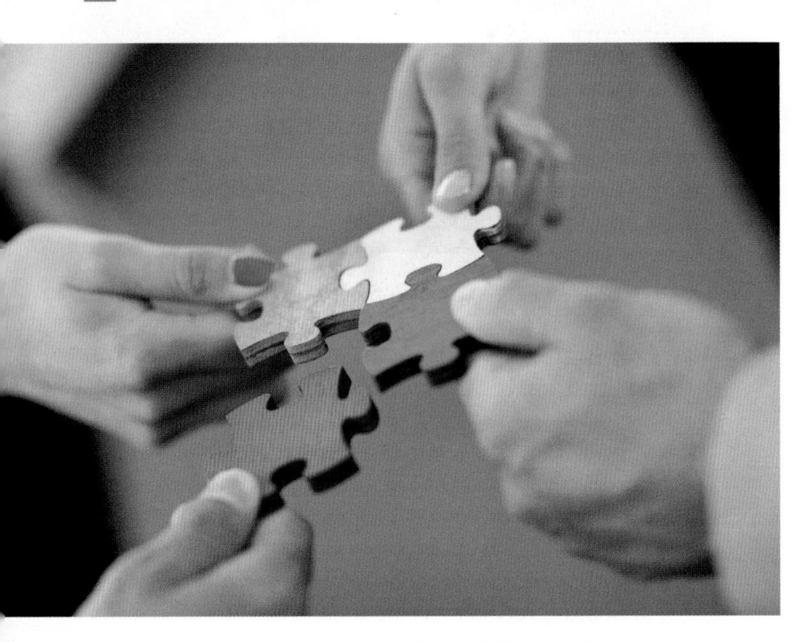

Comment utiliser intelligemment les réseaux sociaux au sein de l'entreprise ? Pour Steve Muylle, il y a plusieurs avantages à utiliser ce type de médias, notamment pour optimiser son service client.

Pour illustrer son propos, Steve Muylle décrit le mécanisme du service client d'une entreprise spécialisée dans le BtoB : « *Les entreprises qui rencontrent un problème appellent un premier niveau du service client. Si ce dernier ne parvient pas à les aider, l'appel est pris en charge à un second niveau par quelqu'un de plus expérimenté. Si cela ne donne rien, un ingénieur s'attellera à le résoudre et si le problème persiste, le développeur qui a conçu le système s'en occupera.* »
En marge de ces quatre longues étapes, l'entreprise a eu l'idée d'utiliser les réseaux sociaux afin de rendre son service client plus performant, tant pour l'entreprise que pour les clients. « *Ils ont créé un forum sur lequel les clients postent leurs problèmes* », explique l'expert en marketing BtoB et en e-business.
Un système judicieux puisque tous les clients peuvent lire les messages et parfois résoudre les problèmes des autres. « *Les clients payent des contrats d'entretien mais s'entraident également. L'entreprise gagne donc de l'argent et fait baisser ses coûts d'exploitation. Et les ingénieurs en charge de gérer le forum gagnent en compétences en acquérant rapidement des connaissances qu'ils réinvestissent ensuite dans de nouveaux produits* », analyse l'enseignant.
Mais comment maintenir une dynamique alors que 98 % des clients ne participent pas à l'initiative ? « *Un système de grades et de récompenses a été mis en place pour motiver les 2 % de clients qui participent au forum* », précise Steve Muylle avant de conclure : « *En créant une communauté de clients qui se connaissent et s'entraident, l'entreprise renforce aussi sa marque.* »

Les Echos Business, *www.business.lesechos.fr, 24 septembre 2013.*

1. En quoi consiste l'initiative de l'entreprise décrite dans cet article ?
2. Quels sont les avantages de cette initiative ?
3. Comment faire pour maintenir cette initiative et l'encourager ?

Twitter pour désengorger son service clients

En France, Free a souhaité faire de Twitter un service après-vente complémentaire. Il a créé trois comptes : @Lalignedefree, @Hotlinefree et @Helpfreebox.
Pour Gildas Launey « Free a su utiliser intelligemment Twitter parce qu'il essaie dans la mesure du possible de répondre au problème d'un client particulier dans un message adressé à tout son public. Cela lui permet de désengorger son service client par téléphone ».

Pierre d'Harcourt, www.journaldunet.com

1. À quoi Free utilise-t-il Twitter ?
2. Quel est l'intérêt pour Free d'utiliser Twitter ?

La célèbre collection « Pour les Nuls » a consacré un de ses ouvrages au service client. C'est dire l'importance que revêt aujourd'hui ce service dans toutes les entreprises !

1.Selon vous, à qui s'adresse cet ouvrage ?
2. Achèteriez-vous un tel ouvrage ? Justifiez.

1.Comment la RSE peut-elle permettre de fidéliser la clientèle ?
2. Aujourd'hui à qui les entreprises doivent-elles s'adresser ?

RSE : marques et éthique incitées à faire bon ménage

S'engager dans la RSE est aussi un bon moyen de fidéliser sa clientèle. Surtout quand les causes défendues sont locales.

Danone s'engageant à financer les cantines scolaires de Marseille, Kickers prêt à offrir des tablettes aux élèves de Seine-Saint-Denis... On est encore dans le registre de l'économie fiction. Mais demain, ce type d'initiatives sociétales pourrait bien être une nouvelle façon de communiquer pour les marques. Elles trouveraient là un moyen efficace de fidéliser leurs clients. « Nous voyons une aspiration croissante des marques à s'associer à des causes justes. C'est pour elles une façon de créer de la préférence qui va au-delà du simple marketing produit », *relève Vincent Dubois, directeur général de CBA, agence spécialiste de design de marque et d'image corporate. Directeur du planning stratégique de DDB Paris, Sébastien Genty estime, lui, que la question est devenue* « centrale ». « Internet et la transparence qu'il permet a supprimé la distance qui existait entre marque et entreprise et la manière dont cette dernière se comporte avec ses salariés, ses clients... », *dit-il. Conséquence logique :* « Les marques doivent faire la preuve de leur utilité et de ce qu'elles apportent à la société en général, et plus seulement à leurs clients. »

Valérie Leboucq, www.m.business.lesechos.fr, octobre 2012.

Castorama : le couteau suisse du bricoleur

Pour fidéliser sa clientèle en magasin, Castorama diffuse depuis plusieurs années des dépliants pédagogiques montrant la marche à suivre pour réaliser certains travaux d'intérieur ou d'extérieur. L'enseigne bleue et jaune n'a pas hésité à décliner ce concept sur iPhone, en l'adaptant quelque peu aux spécificités du terminal. Ces tutoriaux sont désormais disponibles en vidéo, certains étant assortis d'une sélection d'outils nécessaires et de conseils pratiques.

Castorama a par ailleurs ajouté à cette application plusieurs fonctionnalités censées aider l'utilisateur dans la préparation de ses travaux, transformant l'application en un véritable « couteau suisse » du bricoleur amateur. Un simulateur de pièces permet, à partir des dimensions de chaque mur d'une pièce, de calculer le nombre de pots de peinture ou de rouleaux de papier peint nécessaires pour recouvrir les murs. Un niveau à bulle et un moteur de recherche des produits disponibles dans les magasins de l'enseigne viennent compléter cette application. En fournissant cette application, Castorama s'assure que les utilisateurs du service iront prioritairement dans ses points de vente physique pour s'équiper.

Benoît Méli, www.journaldunet.com

1. Comment ont évolué les dépliants papier de Castorama ?
2. Pourquoi l'application proposée par Castorama est-elle comparée à un couteau suisse ?

UNITÉ 5

Entraînement aux examens

1 Compréhension de l'oral

Exercice 1
Lisez les questions, écoutez le document, puis répondez aux questions.

a. Pourquoi Isabelle s'est chargée des dossiers de Pierre ?
- ☐ Il était en déplacement.
- ☐ Il était en congé.
- ☐ Il avait trop de travail.

b. Qui est le client mécontent ?

c. Où Isabelle a laissé l'information à Pierre ?

d. Normalement, les produits sont livrés :
- ☐ en une semaine.
- ☐ en quinze jours.
- ☐ en 3 jours.

e. Que va faire Pierre avant d'appeler le client ?

Exercice 2
Lisez les questions, écoutez le document, puis répondez aux questions.

a. Qui a laissé un message sur le répondeur de monsieur Ortéga ?

b. Quel est le problème avec la marchandise ?
- ☐ Elle est en mauvais état.
- ☐ Elle n'est pas encore arrivée.
- ☐ Elle est arrivée en retard.

c. De quel produit s'agit-il ?

d. Pourquoi le client est-il pressé ?

e. Quelle est la solution apportée ?
- ☐ Le client sera remboursé.
- ☐ La marchandise sera remplacée.
- ☐ Une nouvelle livraison sera effectuée.

2 Production orale

Exercice en interaction

L'entreprise pour laquelle vous travaillez vend des produits bio par Internet et livre les colis au domicile des clients. Vous devez contacter ces clients et leur faire un bref questionnaire de satisfaction sur leur livraison. Réfléchissez à quelques questions, puis posez-les à votre interlocuteur. (Le professeur joue le rôle du client.)

3 Production écrite

Exercice 1
Lisez le billet sur le blog. Vous répondez pour donner votre opinion sur cet article. (160 à 180 mots)

Quelles sont les 4 actions pour fidéliser sa clientèle ?

Connaître votre client
Une base de données doit être utilisée. Il peut s'agir d'un simple carnet, d'un fichier Excel, c'est mieux, ou d'un logiciel associé au système de paiement. Vous pouvez aussi vous constituer un fichier lors d'une offre promotionnelle.

Parler à votre client
Communiquer avec le client prend beaucoup de temps mais il s'agit d'une action nécessaire. Chaque année, environ 50 % de vos clients partent à la concurrence. Ils vous quittent car votre concurrent a pris le temps de communiquer avec eux.

Écouter votre client
Faites des enquêtes qui prendront la forme d'un QCM, pour des raisons de facilité d'analyse. Et n'oubliez pas la section « vos commentaires ». Sa lecture est très enrichissante !

Récompenser votre client
Vous souhaitez que le client consomme davantage chez vous ? Vous devez le remercier avec des cadeaux, des remises...

→ **N'hésitez pas, contribuez à cet article. Faites-nous part de votre expérience, de vos commentaires.**

D'après www.blitz.over-blog.fr

4 Compréhension des écrits

Exercice 1

Lisez le document, puis répondez aux questions.

a. Quel pourcentage des entreprises qui ont fait faillite n'étaient pas présentes sur le net ?
- ☐ 51 % ☐ 21 % ☐ 81 %

b. Quel est le constat de la société Email-Brokers ?

c. Par rapport à 2012, il y avait en 2013,
- ☐ plus de sites d'entreprises françaises.
- ☐ moins de sites d'entreprises françaises.
- ☐ autant de sites d'entreprises françaises.

d. Pour une entreprise, quel est l'avantage d'avoir un site Internet ?

e. Avec quelle fréquence les entreprises mettent-elles à jour leur site Internet ?

f. Quelles sont les conséquences pour les entreprises d'une faible mise à jour des sites internet ?

Sans site web, 81 % des entreprises ont fait faillite en France.

Un choix très risqué qu'on fait la plupart des sociétés en faillite quand on sait qu'à l'heure d'aujourd'hui le numérique tient une place primordiale dans le monde des entreprises. La société Email-Brokers a analysé 2,59 millions de sites français actifs pour arriver au constat que les entrepreneurs français ont du mal à s'installer sur le net. Ils n'ont pas seulement du mal à s'imposer sur Internet mais ils le désertent également car, en 2012, le nombre de sites Internet était légèrement supérieur aux chiffres de 2013. Pourtant avoir un site Internet pour les entreprises représente un avantage certain. Un site Internet est un secrétariat ouvert 24 heures sur 24 et tous les jours, il est donc plus facile pour une personne de trouver toutes les informations dont elle a besoin et ainsi trouver le commerce qui répondra au mieux à ses attentes. Malgré cela, la société Email-Brokers note une baisse dans l'actualisation des sites Internet, c'est-à-dire que les sites ne sont pas mis à jour ou que très rarement. Une baisse alarmante qui touche un très grand nombre de sites Internet français (.fr, .org, .com). Cette mise à jour est primordiale car elle permet d'apporter du contenu frais et ainsi être mieux référencé par Google. Sans changements sur le site, [...] plus personne ne le visitera puisqu'il ne sera pas trouvable.

www.cera-interactive.fr, 24 février 2014.

Exercice 2

Lisez le document, puis répondez aux questions.

À l'occasion de ses 40 ans de partenariat avec Roland-Garros, BNP Paribas a organisé une campagne *on* et *offline* audacieusement innovante grâce à la précieuse aide de son agence We Are Social.
Le 23 mai 2013, trois jours avant l'ouverture du tournoi international de tennis, BNP Paribas a donné rendez-vous à tous les amateurs de tennis pour participer à l'entraînement de Jo Wilfried Tsonga, n° 1 français et n° 8 mondial, en *live* via Twitter.
Imaginé et développé par We Are Social, l'opération baptisée « tweet and shoot » a mis en scène un robot connecté lanceur de balles, paramétré pour être activé depuis le réseau social, et permettant aux internautes de jouer directement contre Jo Wilfried Tsonga depuis Twitter. Le défi ? Donner accès à l'entraînement de Tsonga au plus grand nombre, tout en créant une vraie expérience personnalisée pour chaque participant.
Cette campagne poursuivait la volonté de BNP Paribas de fédérer une communauté digitale dont les valeurs sont le partage de la passion du tennis, la générosité et l'innovation [...]. Son positionnement est d'amener les fans de tennis au plus près de l'action.

Les résultats chiffrés

- L'entraînement de Tsonga par les twittos a duré une heure.
- 1995 balles ont été lancées par le robot au total sur la seule journée du 23 mai (le matin, les internautes pouvaient s'entraîner sur des cibles).
- 183 600 personnes ont regardé l'entraînement de Jo Wilfried Tsonga par les utilisateurs de Twitter (soit en *live* ou soit en *replay*), soit l'équivalent de 12 fois le « remplissage » du court Philippe Chatrier (court Central de Roland Garros)
- 5 865 tweets ont été envoyés lors de cette opération (la majorité pendant l'heure de jeu de Tsonga pour avoir une chance de lui envoyer des balles).

www.e-marketing.fr, 14 octobre 2013.

a. À quelle occasion BNP Paribas a-t-elle lancé la campagne « tweet and shoot » ?
b. Comment font les amateurs de tennis pour participer à l'entraînement de Jo Wilfried Tsonga ?
c. Que pouvaient faire les internautes depuis Twitter ?
d. Quelle a été l'activité sur Twitter pendant l'opération ?

Choisir le service client de l'année

Objectif : étudier différents services client pour choisir le meilleur service client de l'année.

Depuis 2007, l'entreprise Viséo Conseil organise un concours pour choisir le Service Client de l'année. À partir de cet exemple, vous allez choisir l'entreprise qui, selon vous, a offert cette année le meilleur service client.

Étape 1

Vous travaillez par groupe. Chaque groupe choisit un domaine, par exemple les compagnies d'assurance, les entreprises du secteur automobile, les agences de voyages… L'élection se fera à partir d'entreprises du même secteur d'activité. Chaque groupe sélectionne, dans le domaine qu'il a choisi, un nombre déterminé d'entreprises.

Exemple : - le groupe 1 évalue le service client de 3 entreprises du secteur assurances ;
- le groupe 2 évalue le service client de 3 entreprises de vente de voyages ;
- le groupe 3 évalue le service client de 3 entreprises du secteur des télécommunications…

Étape 2

Une fois les entreprises identifiées, vous réalisez une étude comparative de leur service client. Pour cela, vous vous ferez passer pour un client, le « client mystère ».

⇨ Vous passez des appels téléphoniques au service client.
⇨ Vous envoyez un e-mail ou vous remplissez le formulaire sur Internet.
⇨ Vous naviguez sur les sites Internet des entreprises.
⇨ Vous publiez des commentaires sur les réseaux sociaux des entreprises.

Pour chaque point, vous devrez d'abord identifier des critères d'évaluation. Vous préparerez une grille d'évaluation.

Exemple : pour les contacts téléphoniques.

Nom de l'entreprise		Temps d'attente	Courtoisie	Qualité de la réponse	…
Entreprise X	*Appel 1*	7/10	3/10		
	Appel 2	6/10	4/10		
	Appel 3	8/10	…		
	Appel 4	…	…		
Entreprise Y	*Appel 1*				
	Appel 2				
	Appel 3				
	Appel 4				
…	…				

Plus vous avez de critères, plus votre évaluation sera précise. Pour cette deuxième étape, vous allez donc réfléchir à ce qui peut être évalué et vous allez choisir un système d'évaluation (note sur 10, de 1 à 5, médiocre/passable/satisfaisant…)

Dans cette deuxième étape, vous allez donc déterminer les différents critères d'évaluation pour les différentes actions :

– pour les appels téléphoniques à leur service client ;
– pour les contacts à travers leur site ;
– pour la navigation sur leur site web ;
– pour les retours à vos messages laissés sur leurs réseaux sociaux.

Étape 3

Vous attribuez une note globale à chaque entreprise qui a fait l'objet de votre étude, en faisant la moyenne de tous les points que lui avez accordés.

Étape 4

Vous présentez les résultats obtenus, sous forme de tableau avec des commentaires, ou sous forme de PowerPoint, d'article, de billet pour une newsletter… et vous comparez les différentes entreprises que vous avez sélectionnées. N'oubliez pas de donner vos conclusions et vos recommandations.

Vous pouvez aussi concevoir un logo qui illustrera le prix que vous aurez décerné au meilleur service client de l'année.

Je reste zen

UNITÉ 6

PRÉSENTATION DES CONTENUS

J'apprends à gérer le stress, je découvre le télétravail, je travaille avec des cartes heuristiques, je comprends les fusions-acquisitions.

J'ai besoin des éléments grammaticaux suivants :

La concordance des temps
Les pronoms possessifs
L'expression de l'opposition

J'ai aussi besoin des outils lexicaux suivants :

Le stress
Le télétravail
Les cartes heuristiques
La fusion-acquisition

6 UNITÉ Je reste zen

1 Rester zen !

1. Observez la publicité et répondez.

a. Comment comprenez-vous cette image ?
b. D'où vient l'effet comique ?
c. Selon vous, Ogo, qu'est-ce que c'est ?

2 Vaincre le stress

Stress au travail : privilégier la prévention collective

Les situations stressantes qui s'installent dans la durée ont toujours un coût pour la santé des individus qui les subissent. Elles ont également des répercussions négatives sur le fonctionnement des entreprises (*turnover*, journées de travail perdues, perte de qualité de la production, démotivation parmi les équipes...).

Faire le lien entre stress et travail

Les cas de stress dans l'entreprise sont parfois niés ou attribués uniquement à la fragilité ou à l'inadaptation au poste de certains salariés. Face à des symptômes de stress, il est pourtant primordial de rechercher les liens possibles avec le contexte professionnel.
La surcharge de travail, des objectifs insuffisamment définis, des relations difficiles avec la hiérarchie, un manque d'autonomie peuvent être en cause. Si des facteurs de stress liés au travail sont mis en évidence, des mesures de prévention adaptées permettront en priorité de les supprimer ou, au moins, de les réduire.

Prévenir efficacement le stress

Le chef d'entreprise doit veiller à protéger la santé et la sécurité physique et mentale de ses salariés au travail. Pour remplir cette obligation, il doit privilégier les actions de prévention collective. Celles-ci permettent en effet d'agir sur les causes du stress plutôt que sur ses symptômes. [...]

www.inrs.fr, 14 octobre 2013.

Les mots pour

- Le stress / Stressant(e)
- Privilégier
- La prévention
- Une répercussion
- Un *turnover*
- La démotivation
- Nier
- L'inadaptation
- Un symptôme
- Une surcharge
- Mettre en évidence
- Une obligation

2. Lisez le document et répondez.

a. Quelles sont les causes de stress en entreprise ?
b. Quelles sont les conséquences du stress sur les entreprises ?
c. Quel doit être le rôle d'un chef d'entreprise face au stress ?

3 Une méthode originale

Des jeux de rôle pour une meilleure qualité de vie au travail

La DRH d'une entreprise a choisi d'adopter un format original de formation. Grâce à une consultante et deux comédiens spécialisés dans l'improvisation, des jeux de rôle ont permis de recréer des situations professionnelles permettant d'identifier les dysfonctionnements de certains comportements, d'y apporter des solutions, puis de rejouer les saynètes avec un autre regard. Les profils et métiers très divers des participants ont également permis d'appréhender les contraintes des uns et des autres.

Faciliter les échanges autour d'un sujet difficile mais aussi apprendre à distinguer le stress, l'angoisse et l'anxiété et identifier des solutions, c'est l'enjeu de cette formation qui est proposée à l'ensemble des collaborateurs et déployée entre 2013 et 2014.

Le Mag, n° 73, décembre 2013.

Les mots pour
- La qualité de vie
- L'improvisation
- Recréer
- Une saynète
- Appréhender
- Faciliter
- L'angoisse
- L'anxiété
- Identifier
- Déployer

3. Lisez le document et répondez.

a. Quelle est l'initiative de l'entreprise en 2013-2014 ?
b. Qui intervient dans le programme de formation ?
c. Qu'est-ce qu'un jeu de rôle ? Qu'est-ce qu'il permet ?

4. Par deux, imaginez une situation professionnelle génératrice de stress. Jouez la scène.

4 La semaine anti-stress en Belgique

Le stress au travail touche tous les travailleurs européens. Face à ce fléau, la Belgique réagit et organise des « semaines anti-stress ». Ainsi pendant toute la semaine, des « boîtes à outils » seront distribuées dans des lieux stratégiques comme les gares. Ces boîtes à outils sont destinées à sensibiliser la population et à faire connaître les structures vers lesquelles peuvent se tourner les travailleurs en situation de détresse psychologique. Les boîtes contiennent des brochures, des tests, des conseils et quelques gadgets. Deux conférences sur le stress au travail réunissant de grands spécialistes auront également lieu pendant la semaine. Plusieurs dizaines de personnes ont déjà répondu oui à l'appel lancé pour participer à un flash mob. À Namur, c'est une séance de rire qui est prévue ! Le ministère de la Santé lance une vaste offensive pour « renforcer le mieux-être de la population wallonne » pour reprendre ses propres termes.

D'après www.rtbf.be

Les mots pour
- Réagir
- Une boîte à outils
- Sensibiliser
- La détresse psychologique
- Un gadget
- Une offensive
- Le mieux-être ≠ Le mal-être

5. Écoutez la chronique radio et répondez.

a. Quel fléau touche la Belgique ?
b. Qu'est-ce qu'il y a dans les « boîtes à outils » ?
c. Qu'est-ce qui est organisé en Belgique pendant la « semaine anti-stress » ?

GRAMMAIRE

La concordance des temps

- *Je suppose / je pense / je crois qu'il **sera** à l'heure.* (→ indicatif)
- *Je ne crois pas / je ne pense pas / qu'il **soit** à l'heure.* (→ subjonctif)
- *Il demande / il ordonne / il attend que tu **ailles** à cette réunion.* (→ subjonctif)
- *J'aimerais / je souhaite / je préfère que tu **viennes**.* (→ subjonctif)
- *Je croyais / je pensais / je supposais qu'il **était** / **serait** fatigué.* (→ indicatif)
- *Je ne croyais pas / je ne pensais pas qu'il **était** / **serait** fatigué.* (→ indicatif)

1 Mettez les verbes aux temps qui conviennent

a. Nous pensons tous que le stress ne (être) pas une bonne chose.
b. Léo souhaitait que l'entreprise (organiser) une campagne de prévention.
c. Je souhaite qu'elle (venir) à la conférence.

↘ Micro-tâche

Par petits groupes, proposez 10 mesures destinées à aider les salariés à vaincre le stress (se relaxer, boire moins de café, accepter les contrariétés...). Expliquez chaque mesure.

6 UNITÉ Je reste zen

1 Une nouvelle manière de travailler

Le télétravail, la solution anti-stress ?

La navette quotidienne entre le travail et la maison est source de stress : correspondances ratées, retards, entassement, bouchons... Au lieu de tout cela, le télétravail propose des bénéfices en termes de stress qui ne se limitent pas seulement à la réduction du temps de transport : « Il permettra également d'extraire un salarié un ou deux jours par semaine de l'environnement bruyant et inconfortable d'un open-space. Si le télétravail protège des très nombreux dérangements propres aux bureaux modernes et permet une meilleure concentration, l'autonomie induite par le télétravail et l'absence de contrôle hiérarchique permanent contribuent également à réduire très sensiblement le stress. »

Mais d'un autre côté, le télétravail peut générer « son propre stress » : peur d'être mis à l'écart de la vie de l'entreprise, jalousie des collègues ne bénéficiant pas du même statut, volonté « d'en faire plus », absence de moments de pauses et de convivialités avec ses collègues...

Le télétravail, la solution anti-stress ?

Non, car il peut aussi créer ses propres formes de stress.
11,89 %

Oui, si c'est à plein temps.
10,49 %

Oui, si c'est en alternance avec de la présence en entreprise.
44,06 %

Parler d'anti-stress n'a pas de sens, il faut plutôt parler « bien-être » au travail.
33,57 %

D'après Guide RH Expectra, www.expectra.fr

1. Lisez le document et répondez.

a. Comment le télétravail permet-il de réduire le stress ?
b. Au bureau, quels éléments provoquent du stress ?
c. Pourquoi le télétravail génère-t-il parfois du stress ?
d. D'après le sondage, quelle réponse est la plus citée ? Expliquez.
e. Et vous, quel est votre avis sur le télétravail ?

Aux États-Unis, 71 % des moins de 30 ans sont favorables au télétravail. Ils sont 56 % en France et 52 % en Allemagne.

Les mots pour

- Le télétravail
- La navette
- Une source de
- Un entassement
- Un bouchon
- Extraire
- Un dérangement
- Propre à
- La concentration
- Induit(e)
- La jalousie
- Bénéficier d'un statut
- En faire plus
- La convivialité

2 Renault met en place le télétravail

(...) Voir transcription p. 149

2. Écoutez le document et répondez.

a. Combien de salariés font du télétravail chez Renault ?
b. Pourquoi Renault a choisi de mettre en place le télétravail ?
c. Le choix du télétravail est-il définitif ? Expliquez.
d. Avec le télétravail, qu'est-ce qui est modifié dans l'organisation ?
e. Quels sont les outils mis à disposition du salarié en télétravail ?
f. Les résultats sont-ils positifs ? Expliquez.

Les mots pour

- Passer le cap
- Un dispositif
- Une palette
- Engendrer
- Un équilibre
- Fiable
- Les partenaires sociaux
- Se porter volontaire
- Valider
- Un avenant
- Renforcer
- Un tutorat
- Un fauteuil ergonomique
- Un gain de productivité
- Tirer vers
- Prendre de la hauteur
- Conjointement
- Se déliter
- La clé de la réussite

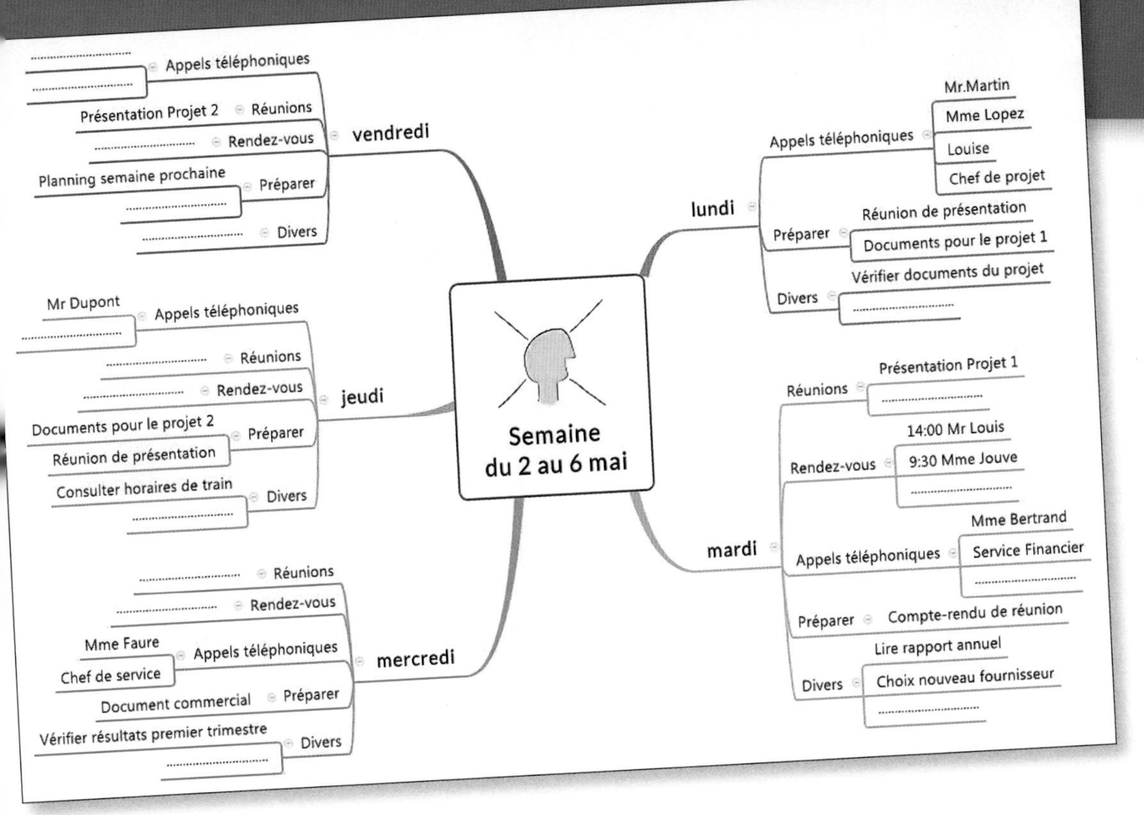

Les mots pour

- Une carte heuristique
- Le consulting
- Une expertise
- La pensée visuelle
- Visualiser
- Une capacité
- Une carte mentale
- Prioriser les informations
- Global(e)

3 Mieux gérer son temps grâce aux cartes heuristiques

(...) Voir transcription p. 150

Imaginons un cadre qui veut organiser son planning pour la semaine. Quelles sont les étapes de création d'une carte heuristique ?

Pour obtenir une image claire, organisée et synthétique du travail à accomplir pendant la semaine, un cadre va suivre les étapes suivantes pour construire une carte heuristique.

→ Il donne un titre à sa carte. C'est l'idée centrale. Par exemple : « semaine du 2 au 6 mai », qui correspond aux jours de travail.
→ Le cadre va ensuite identifier les catégories principales. Par exemple, les jours de travail de la semaine : lundi, mardi...

Chaque jour devient le titre des branches principales autour du centre.
→ À l'intérieur de chaque branche principale, on place des tâches organisées par catégories. Par exemple, appels téléphoniques ou rendez-vous. Afin de faciliter la lecture rapide de la carte, on ajoute des images simples et rapidement identifiables.
→ Comme les tâches s'ajoutent et se déplacent régulièrement dans l'emploi du temps, il va falloir ajouter des branches vides, prêtes à être complétées si nécessaire.

3. Écoutez l'interview, lisez le texte et répondez.

a. Pouvez-vous dire simplement ce qu'est une carte heuristique ?
b. À qui peut servir cet outil ?
c. Quel personnage célèbre s'en sert ?
d. Décrivez les différentes étapes de création d'une carte heuristique.

GRAMMAIRE

Les pronoms possessifs

Pour éviter la répétition d'un adjectif possessif, on utilise un pronom possessif.
- *C'est **mon** ordinateur portable : c'est **le mien**, pas **le sien**.*

	Singulier	Pluriel
Masculin	*le mien, le tien, le sien, le nôtre, le vôtre, le leur*	*les miens, les tiens, les siens, les nôtres, les vôtres, les leurs*
Féminin	*la mienne, la tienne, la sienne, la nôtre, la vôtre, la leur*	*les miennes, les tiennes, les siennes, les nôtres, les vôtres, les leurs*

1 Complétez avec un pronom possessif.

a. Ton ordinateur ne démarre pas ? Utilise ... , je n'en ai pas besoin.
b. Montrez-leur votre carte mentale, ... n'est pas complète.
c. J'ai lu l'avenant à ton contrat. Sur ... , il n'y a pas les mêmes clauses.
d. Je vous ai envoyé un nouveau mot de passe, le ... ne fonctionne plus.

↘ Micro-tâche

En petits groupes, présentez les avantages et les inconvénients du télétravail, pour l'employeur et pour le salarié. Utilisez une carte heuristique.

6 UNITÉ Je reste zen

1 Faut-il avoir peur de la fusion-acquisition ?

La fusion-acquisition génératrice de tensions

Sur le papier, le dispositif [la fusion-acquisition] a pourtant tout pour plaire : une entreprise, vacillante ou en recherche de nouveaux développements, s'agrège à une autre entreprise pour aboutir à la création d'une nouvelle entité. [...] Outre l'aspect stratégique et technique que ces fusions-acquisitions impliquent, il y a aussi la réalité humaine. Ces mouvements génèrent en effet de véritables remaniements psychiques chez les employés, qu'il apparaît aujourd'hui important de prendre en compte et d'accompagner. [...] Tout le monde est touché, à tous les étages. « Le directeur général comme l'opérateur de terrain sont bouleversés dans leur quotidien », affirme Arnaud Cuilleret, psychologue et cofondateur avec Alain Richemond du cabinet de consulting RHésilience.

Première intrusion désagréable : la peur, générée selon Alain Richemond par la médiatisation de plans sociaux et de fusions ratées. « Le changement est alors d'emblée pressenti comme négatif, estime-t-il ». Mais d'autres difficultés sont plus insidieuses et rampantes. « Vivre dans le flou », affirme sans hésiter Anne, cadre du secteur bancaire qui a vécu le rachat de sa banque par une autre enseigne. « Dès l'annonce du processus, les rumeurs commencent à envahir tous les couloirs, et chacun se met à gamberger, se souvient-elle. Or, il faut aussi savoir qu'une fusion, ça dure longtemps, très longtemps. Alors le manque de visibilité vous envahit sur de longues périodes pendant lesquelles vous ignorez ce que votre activité, votre poste vont devenir. C'est une source de stress qui, alliée à la pression des résultats que vos chefs vous demandent soudain pour imposer leur équipe par rapport à "l'autre", a le pouvoir de vous miner. » Ce flou si toxique provient notamment du manque de clarté hiérarchique.

Pascale Senk, septembre 2012, www. sante.lefigaro.fr

1. Lisez le document et répondez.

a. Qu'est-ce qu'une fusion-acquisition ?
b. Le facteur humain est-il pris en compte lors des fusions-acquisitions ? Expliquez.
c. Quels sont les effets négatifs qui ont souvent lieu ?

Les mots pour

- La fusion-acquisition
- S'agréger
- Une entité
- Un remaniement
- Psychique
- Une intrusion
- D'emblée
- La médiatisation
- Un plan social
- Insidieux / Insidieuse
- Rampant(e)
- Le flou
- Une rumeur
- Gamberger
- La visibilité
- Toxique

2 Bien réussir un rachat d'entreprise

(...) Voir transcription p. 150

2. Écoutez l'interview et répondez.

a. Qui est monsieur Martin ? Pourquoi fait-on appel à lui ?
b. Que se passe-t-il avec les contrats des salariés des entreprises rachetées ?
c. Lors d'un rachat peut-il y avoir des licenciements ? Expliquez.
d. Quel est le rôle de la DRH dans un processus de fusion ou de rachat ?

3. Deux collègues viennent d'apprendre que leur entreprise va être rachetée par un concurrent. Ils sont inquiets. Imaginez leur dialogue et jouez la scène à deux.

GRAMMAIRE

L'expression de l'opposition

■ Certaines locutions utilisées pour opposer deux faits, deux idées sont toujours suivies de l'indicatif. Par exemple, *alors que, tandis que, même si...*
- ***Même si** les rachats **se passent** en général bien, les salariés sont inquiets.*

■ D'autres locutions comme *quoi que, quoique, bien que...* sont suivies du subjonctif.
- ***Bien que/Quoique** le rachat **se soit** bien passé, les salariés restent inquiets.*

1 Mettez les verbes au mode qui convient.

a. Quoi qu'en (dire) la DRH, les salariés sont mécontents.
b. Le rachat de l'entreprise aura lieu, même si tout le monde ne (être) pas d'accord,
c. Tandis que l'expert (étudier) les dossiers, la DRH rencontre les salariés.
d. Bien que le nom de l'entreprise (être) nouveau, les contrats ne changent pas.

3 Un forum sur le net

LES QUESTIONS SUR LE NET
Vous avez une question ? Besoin d'une information ? Échangez avec les membres Viadeo et trouvez la meilleure solution.

Page 1 sur 3

Isa Lausanne
Pourquoi beaucoup de salariés démissionnent suite à la fusion de leur entreprise ?

Franck Rabat
Bonjour Isa, c'est le cas chez nous en ce moment ! Je crois que beaucoup de personnes ont peur. Et comme c'est leur entreprise qui est rachetée, elles ont un sentiment d'infériorité.

Audrey Québec
Tu as raison. Et puis surtout, certains ne sont pas prêts à accepter des changements au sein d'une structure dans laquelle ils travaillent parfois depuis des années.

Anne-Sophie Paris
Ce que vous dites est vrai, mais c'est complètement idiot. Ça fait du bien de changer et même de se remettre en cause !

Édouard Bruxelles
Moi, le rachat de mon entreprise m'a permis d'évoluer. Aujourd'hui, j'ai un poste super intéressant. S'il n'y avait pas eu ce rachat, je crois que je m'ennuierais.

Naima Lyon
Je crois que le principal problème, c'est la manière dont on annonce aux salariés que leur entreprise va être rachetée. On ne prend pas le temps de leur expliquer.

4. Lisez le forum et répondez.

a. Quel est le thème de ce forum ?
b. Qui est satisfait du rachat de son entreprise ? Pourquoi ?
c. Les salariés aiment-ils le changement ? Expliquez.
d. Quel est le principal problème lors d'un rachat d'entreprise ?

5. Continuez la discussion du forum. Donnez votre avis.

Les mots pour

- Racheter / Un rachat
- Un expert
- Le droit du travail
- Licencier / Un licenciement
- L'ancienneté
- Une qualification
- Un avantage acquis
- Une convention
- Un accord unilatéral
- Indemniser / Une indemnité
- Crucial(e)
- Une posture d'écoute
- La conduite du changement

Phonétique

La prononciation des consonnes

En général, les consonnes finales ne se prononcent pas (D, P, S, T, X, Z + les verbes en –er), mais il y a des exceptions.
- sauf – le respect – concret – un prospect – express – exprès – donc – le départ – le bus – l'actif – un plus

↘ Micro-tâche

Vous allez réfléchir à un vade-mecum de bonnes pratiques pour intégrer au mieux dans votre entreprise le personnel provenant d'une entreprise rachetée. Vous soumettrez le texte définitif à vos collègues et vous leur demanderez de le signer.
Pensez à la forme !
Les signataires de ce vade-mecum s'engagent au respect des règles ci-après :
a) La communication des valeurs de l'entreprise
b) La formation personnalisée...

Un chef d'entreprise s'exile sur une île déserte...

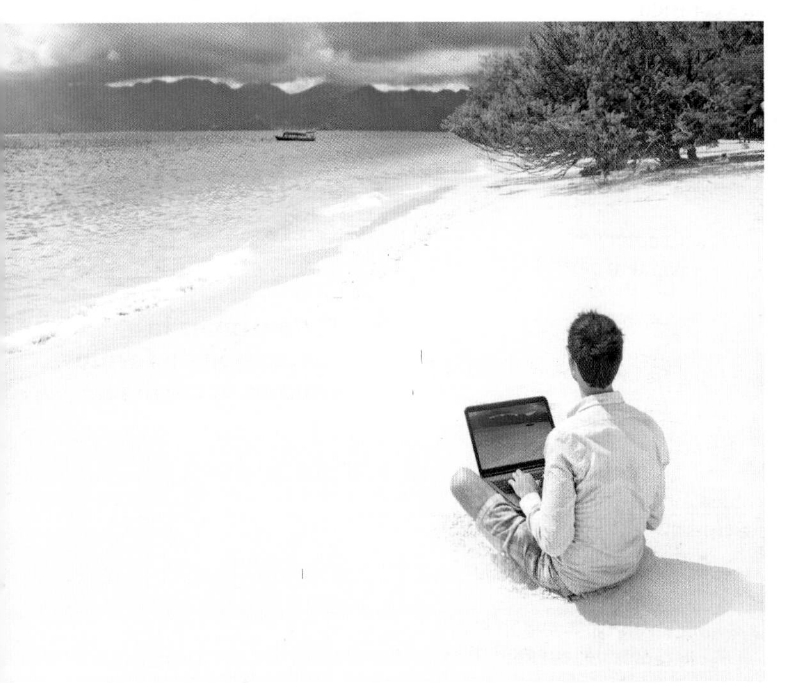

« Mon but était de démontrer que je pouvais continuer à gérer mon entreprise à distance, grâce aux nouvelles technologies », explique Gauthier Toulemonde, propriétaire de la société Timbropresse qui publie le mensuel *Timbres magazine*, et par ailleurs rédacteur en chef de *L'Activité immobilière*.

Un pari réussi. « Nous avons bouclé, avec mon équipe à distance, chaque magazine dans les délais et avec les mêmes contenus et paginations que d'habitude », se réjouit-il, en assurant avoir assumé sans encombre l'ensemble de ses responsabilités. Choix des sujets, attribution aux journalistes et pigistes, réalisation d'interviews et lancement des pages en production ... « Les communications étaient réduites *a minima* et je privilégiais les échanges par mail plutôt que par téléphone satellitaire, ces appels étant beaucoup plus coûteux. » Le patron Robinson est parti avec un budget de « moins de 10 000 euros », sans sponsor, et s'est fixé comme limite stricte 20 euros de frais Internet par jour. Autre complication : le décalage horaire de six heures (en plus) qui a considérablement rallongé les journées de Gauthier Toulemonde afin qu'il puisse « croiser » un minimum sa dizaine de salariés en France. [...] Ce chef d'entreprise – parti quand même avec des rations de survie de pâtes et de riz – devait en plus assurer sa subsistance en pêchant, chassant ou cueillant des végétaux dès 5 heures du matin. [...]
« Le tout virtuel ne marche pas. Si les solutions pour travailler à distance existent, rien ne remplace le contact humain nécessaire au bon fonctionnement d'une entreprise », conclut Gauthier Toulemonde, en confiant au passage qu'« à la longue, communiquer uniquement par mail ou par téléphone devient pénible ».

Isabelle de Foucaud, 18 novembre 2013, www.lefigaro.fr

1. Qui est Gauthier Toulemenonde ?
2. Pourquoi est-il parti sur une île ?
3. Au final, que pense-t-il du télétravail ?
4. Que pensez-vous de son initiative ?

Rire au bureau, est-ce bien sérieux ?

39 % des salariés européens estiment qu'il faut voir les choses avec humour pour résister au stress au bureau. Car c'est bien connu, le rire libère des hormones anti-stress puissantes. Mais pas que... « Le rire facilite les rapports entre les personnes, et marque la confiance qu'on leur porte » explique Olivier Ouzé, consultant en management par la convivialité, spécialiste du climat social et des pratiques managériales. Les personnes ayant le sens de l'humour sont d'ailleurs jugées meilleures communicantes et coéquipières. Le rire [...] a le pouvoir de désamorcer des situations conflictuelles, mais également celui de faire passer des messages difficiles à entendre. En clair, plus on rit, plus on est positif, plus on communique, plus on prend du recul, plus on est créatif, plus etc. etc.

Anne Boineau, janvier 2012, www.blog-pour-emploi.com

1. Qu'est-ce que permet le rire dans un environnement professionnel ?

Peu de télétravailleurs au Québec ?

Les PME québécoises tardent à proposer le télétravail à leurs employés. Comparativement à leurs vis-à-vis canadiennes, elles seraient même près de deux fois moins nombreuses à l'avoir adopté.

Au Québec, 16 % des entreprises de 50 employés et moins autorisent le télétravail à leurs employés. Ce chiffre gonfle à 31 % dans le reste du pays selon les résultats d'un sondage que BMO Groupe financier a publié l'automne dernier.

Différence culturelle ou d'organisation du travail ? Selon Simon Bédard, directeur régional, services aux entreprises chez BMO, cette distinction provient avant tout du type de PME qu'on retrouve au Québec. « Le marché du Québec, de par son moteur économique, est différent du reste du Canada, dit-il. On a plus d'entreprises manufacturières qui demandent à ce que les employés soient sur les lieux de travail plutôt qu'à distance. »

Selon lui, la nature des gestionnaires d'ici, souvent attachés viscéralement à leur entreprise, a aussi son impact. « Les entrepreneurs ont parfois de la difficulté à déléguer du travail aux autres, explique-t-il. Si en plus on leur demande de laisser l'employé travailler de la maison, ça devient un double déchirement pour eux parce qu'ils veulent garder le contrôle sur leurs affaires. »

Il existerait tout de même une composante culturelle à l'équation observée dans le sondage de BMO. C'est ce que croit Diane-Gabrielle Tremblay, professeure spécialisée en gestion des ressources humaines à la Téluq-Université du Québec à Montréal. « Le monde latin et francophone est à la traîne au niveau du télétravail, affirme-t-elle. En France, les gestionnaires aiment faire de la gestion à vue et fonctionnent beaucoup moins par résultats ou par objectifs comparativement à ceux des pays nordiques et anglo-saxons. On peut donc paraître un peu en retard au Québec, mais dans le fond, c'est peut-être parce qu'on est à cheval entre l'Amérique et la France. » [...]

Martin Primeau, 1er avril 2013, www.affaires.lapresse.ca

1. Pourquoi le télétravail est moins répandu au Québec qu'au Canada ?
2. Dans quels pays le télétravail est-il également assez peu développé ?

Travailler autrement

▶ Résumé : Clément reçoit Virginie pour faire un point sur sa nouvelle équipe. Elle lui fait part de la demande d'un de ses collaborateurs qui souhaite travailler à distance.

▶ Objectifs
- Condition de travail : une alternative au bureau classique.
- Éviter un conflit.
- Mieux gérer son temps de travail.

→ Cahier d'activités

78 % des dirigeants d'entreprise doutent de l'efficacité de leurs collaborateurs en télétravail ; mais ils ne sont plus que 41 % après l'avoir pratiqué.
www.lefigaro.fr, avril 2013.

6 UNITÉ Entraînement aux examens

1 Compréhension de l'oral

Exercice 1
Lisez les questions, écoutez le document, puis répondez aux questions.

a. Quelle est la fonction de la personne interviewée ?
b. À quel niveau se situent les problèmes qui découlent d'une fusion ?
c. Comment Julie Vivès intervient-elle auprès de la direction ?
d. À quel moment une réaction rapide est-elle nécessaire ?
e. Qu'est-ce qu'une écoute active ?

Exercice 2
Lisez les questions, écoutez le document, puis répondez aux questions.

a. La personne responsable d'une équipe de 20 personnes travaille-t-elle tout le temps en télétravail ? Pourquoi a-t-elle choisi cette option ?
b. Que s'est-il passé pour la personne qui s'est inscrite sur un site de télétravail ? Est-elle satisfaite de sa situation ?
c. Pourquoi le télétravail peut-il être un gain de temps ?
d. En quoi le télétravail réduit-il le stress ?

2 Production orale

• Monologue suivi

Vous avez été affecté à un autre service suite à une fusion de votre entreprise. Vous décidez d'aller voir votre supérieur hiérarchique pour lui demander une formation spécifique, afin de mieux assurer vos nouvelles fonctions. Vous mettez en avant votre disponibilité et votre capacité à vous adapter.

3 Production écrite

Exercice 1
Lisez ce commentaire laissé sur un blog. Réagissez à ce texte en envoyant un commentaire.

Posté le 24-10-2013 à 10:42:57

Bonjour à tous !

Mon entreprise vient de mettre en place le télétravail. Mon supérieur m'a proposé de travailler une partie de la semaine en télétravail. J'hésite, je ne sais pas quoi faire. Avez-vous des conseils ?

Merci à tous.

Exercice 2
Une grande multinationale vient de racheter votre entreprise. Vous avez de nouvelles fonctions, mais vous n'êtes pas satisfait. Vous quittez votre poste. Vous écrivez un mail à un ancien collègue et vous lui expliquez les raisons de votre départ. Vous lui parlez de votre nouvelle situation : vos nouveaux projets (création d'entreprise, télétravail...)

4 Compréhension des écrits

Lisez cet article, puis répondez aux questions en cochant la bonne réponse ou en écrivant l'information demandée.

Mon travail m'empêche de dormir

Près d'un salarié sur trois en 2013 disaient avoir ressenti des troubles de sommeil au cours des 12 derniers mois. Un taux élevé.

▶ J'ai un dossier à avancer chez moi, le soir.

En retard et anxieux, vous emportez les documents à domicile pour terminer une présentation Powerpoint. Après le dîner, vous allumez l'ordinateur. Attention ! Le travail sur écran est très mauvais pour l'endormissement. La navigation sur Internet et la frappe sur le clavier excitent le cerveau et le tiennent éveillé longtemps.

⇨ Le conseil. Il faut se détendre. Obligez-vous à imprimer vos textes, une relecture sur papier calme toujours. Évitez de travailler après le repas. Vous ne pouvez pas faire autrement ? Alors avant de coucher, relaxez-vous. Prenez une douche tiède, buvez une boisson tiède.

▶ Je me suis disputé avec un collègue en réunion.

Vous avez eu un désaccord avec un collègue le matin. Vous avez oublié, mais au moment de vous coucher, cette dispute vous revient en mémoire. Vous êtes énervé.

⇨ Le conseil. Faites des mouvements de relaxation dans votre lit. Vous serez soulagé et vous serez prêt à rediscuter tranquillement le lendemain avec votre collègue.

▶ J'ai vécu une journée non-stop

Vous avez enchaîné réunions, visioconférences, déjeuners d'affaires, lectures de mails, coups de fil, déplacements… Vous êtes un hyperactif, vous voulez toujours bien faire. Vous ne savez plus vous arrêter. Vous ne dormez plus assez.

⇨ Le conseil. Vous devez vous changer les idées. Faites du sport, du jardinage, cuisinez… Vous vous endormirez plus facilement.

D'après www.lentreprise.lexpress.fr, 15 juillet 2013.

a. Combien de salariés reconnaissent des troubles du sommeil ?
b. Pourquoi faut-il éviter de travailler chez soi après le dîner ?
c. Comment se détendre dans son lit ?
d. Après une journée chargée, que faut-il faire pour bien dormir ?
e. Quel mot est synonyme de « soulager » :
❒ activer ❒ allonger ❒ apaiser

Bilan

1 Écoutez le dialogue et répondez aux questions.

a. Quels sont les produits commandés ?
- ❒ des produits de papeterie
- ❒ des produits d'entretien
- ❒ du matériel de bureau

b. Quel est le problème ?
- ❒ Les produits ne sont pas tous arrivés.
- ❒ Les produits sont endommagés.
- ❒ D'autres produits ont été livrés.

c. Quel est le nom de la personne qui appelle ?
d. Et celui de sa société ?
e. Quel est son numéro de téléphone ?
f. Que va faire la personne du service clients ?

2 Complétez le texte avec les mots suivants.
emballages – plaintes – anomalie – mécontent – incident

a. Avec la grève des transports, nous avons eu ce mois-ci une augmentation des ... .
b. Ces deux derniers jours, nous avons eu plusieurs réclamations à propos d' ... abîmés.
c. Je vais vérifier qu'il n'y a eu aucun ... dans le transport de votre colis, ce qui expliquerait que vous ne l'ayez toujours pas reçu.
d. Le produit que nous avons reçu présente une ... .
e. Je dois absolument traiter la plainte de ce client qui est ... .

3 Choisissez le terme qui convient.

a. Notre société a été *rachetée / remaniée* par une multinationale asiatique.
b. Après la fusion, aucun *licenciement / droit* n'a été réalisé.
c. Le *changement / droit* du travail a été respecté.
d. Tous les salariés ont conservé leur *ancienneté / satisfaction* après la fusion.
e. Depuis l'annonce de la fusion, les *fraudes / les rumeurs* circulent.

4 Associez les mots et les définitions.

a. Le stress •	• Engagement écrit entre deux personnes ou plus.
b. Le télétravail •	• Atmosphère favorable et agréable entre plusieurs personnes.
c. La convivialité •	• Personne qui assure l'accompagnement et le suivi d'une autre personne.
d. Le contrat •	• Conséquence sur la santé d'agressions extérieures.
e. Le tuteur •	• Travail réalisé à domicile ou à un autre endroit qui n'est pas le bureau.

5 Complétez les phrases avec les mots suivants.
service après-vente – réclamations – préjudices – traitement – satisfaction

a. Le service client a automatisé le ... des ... .
b. Notre ... assure l'installation, la mise en route, les dépannages et la livraison des pièces de rechange de nos machines.
c. Notre priorité est la ... de nos clients.
d. Notre entreprise s'engage à traiter les ... dans les meilleurs délais.

6 La marchandise que vous avez commandée arrive en retard, et certains articles sont endommagés. Écrivez un mail à l'entreprise pour signaler votre mécontentement.

De :
À : ServiceClient@initech.fr
Objet :

7 Complétez les phrases avec la restriction *ne ... que*.

a. Je croyais que nous allions recevoir beaucoup de réclamations, mais en réalité ... .
b. Tom avait commandé 16 pots de peinture, mais ... .
c. Je pensais qu'il me restait encore deux jours pour remettre le rapport, mais ... .
d. Nadia devait travailler trois jours par semaine au bureau, et finalement ... .

8 Choisissez le temps qui convient.

a. Je ne trouve pas que cette enquête de qualité *est / soit* vraiment utile.
b. Je regrette que vous *n'êtes / ne soyez* pas pleinement satisfait.
c. Je doute que ce client *revient / revienne.*
d. Je crois qu'il *fera / fasse* une réclamation.
e. Nous estimons que nos droits *n'ont / n'aient* pas été respectés.

9 Complétez les phrases avec un pronom possessif.

a. Si ton portable est en panne tu peux utiliser ... .
b. Sur mon contrat, il est précisé que je serai en télétravail à 60 %. Et sur ... ?
c. J'ai comparé ma lettre de réponse avec celle de Pierre et Sophie, et je trouve que ... est mieux que ... .
d. Votre service client est bon, mais ... offre plus d'avantages.

10 Choisissez le terme qui convient.

a. J'irai travailler demain, *même si / bien que* je suis malade.
b. J'ai utilisé la technique des cartes mentales pour organiser notre réunion *alors que / bien que* je ne sois pas convaincue par cet outil.
c. *Bien qu'il / même s'il* ne soit pas surchargé cette semaine, il ne fera pas d'heures supplémentaires.

11 Complétez le texte avec les mots suivants.
ce dispositif – le télétravail – le stress – ma productivité – ergonomique – un gain – porté volontaire – les bouchons

Depuis un an, mon entreprise expérimente ... . Je me suis ... . Et je suis très satisfait ! Je suis bien installé. J'ai un ordinateur avec une connexion Internet, un fauteuil ... .
Et surtout, j'ai oublié ... et ... ! Mon entreprise aussi est satisfaite : ... est plus importante qu'avant. C'est ... pour tout le monde. D'ailleurs, je conseille à tous mes collègues de profiter de ... .

12 Imaginez le dialogue à deux à partir des images ci-dessous. Jouez la scène.

13 Lisez ce document et répondez aux questions.

a. Quel pourcentage des salariés français ressent la crise ?
❒ 34 % ❒ 25 % ❒ 75 %
b. Plus de 60 % des salariés pensent que leur niveau de rémunération :
❒ a baissé. ❒ se maintient. ❒ a augmenté.
c. Combien de Français pensent avoir plus de travail qu'avant ?
❒ plus d'un tiers ❒ plus de la moitié ❒ presque les trois quarts
d. Dans l'ensemble, les salariés sont-ils contents d'aller au travail ? Justifiez.

1 salarié français sur 3 va travailler avec plaisir

Selon une étude pour l'Institut Great Place to Work, publiée le 13 février 2014, seul un salarié français sur trois se rend au travail avec plaisir.

• Les 3/4 des salariés français ressentent personnellement les effets de la crise économique. Parmi eux :
– 62 % déclarent que leur niveau de rémunération a stagné ;
– 41 % qu'ils sont plus stressés qu'auparavant ;
– 37 % que la charge de travail a augmenté ;
– 40 % reconnaissent une baisse de motivation dans le cadre de leur travail.
• 42 % des salariés français interrogés jugent (« souvent ou toujours ») qu'il fait bon travailler dans leur entreprise.
• Seuls 35 % des salariés des administrations françaises estiment qu'ils sont dans une organisation dans laquelle il fait bon travailler.

D'après www.wellcom.fr, février 2014.

6 UNITÉ Tâche

Créer un sondage en ligne

Objectif : créer un sondage en ligne sur le télétravail, puis publier les résultats sur votre blog, page web ou réseau social.

Étape 1

Commencez par choisir un site pour créer votre sondage. Il existe de nombreux sites web pour créer un sondage. Constituez des groupes. Chaque groupe étudie un site de création de sondage. Il doit déterminer les avantages et les inconvénients du site. Au préalable, déterminez les paramètres que vous allez prendre en compte afin que chaque équipe travaille sur les mêmes critères : gratuité, complexité de navigation, possibilité de personnaliser, formulaires de sondages prédéfinis, look... Chaque groupe présente son étude et, ensemble, vous choisissez un site.

Quelques sites pour créer un sondage :
- Google Drive
- www.123votez.com
- www.fr.askalll.com
- www.easy-sondage.fr

Étape 2

Chaque groupe réfléchit aux questions du sondage. Faites attention à ne pas être trop long pour ne pas décourager les personnes sondées ! Pensez à mettre différents types de questions : à choix multiple, à réponse libre, oui/non...

Étape 3

Mettez en commun vos réflexions sur le contenu du sondage. Déterminez les questions que vous allez poser.

Étape 4

Passez à la phase d'exécution. Vous personnalisez votre page Internet et vous insérez les questions.
Déterminez toujours les rôles de chacun : Qui personnalise le site ? Qui rédige les questions ? Qui s'occupe de la relecture des questions avant de les publier ?...

Étape 5

Ciblez les destinataires. Décidez quels sont les contacts à qui vous allez demander de participer au sondage que vous avez créé. N'oubliez pas que vous avez la possibilité d'ouvrir votre sondage au grand public, afin d'obtenir plus de réponses.

Étape 6

Déterminer le temps pendant lequel le sondage va rester en ligne.

Étape 7

Lorsque ce délai est écoulé, récupérez les réponses afin de tirer des statistiques, des pourcentages.

Étape 8

En grand groupe, décidez de ce que vous allez diffuser : texte, billet, article, tableaux et pourcentages avec des commentaires...

Étape 9

Publiez les résultats de votre sondage.

En voyage d'affaires

UNITÉ 7

PRÉSENTATION DES CONTENUS

Je fais une réservation de transport, j'enregistre mes bagages, je gère un problème, je rencontre un client et je négocie avec le client, je fais un compte-rendu de mission.

J'ai besoin des éléments grammaticaux suivants :

- Les pronoms démonstratifs
- Les pronoms indéfinis
- Le plus-que-parfait
- L'expression du regret avec le conditionnel passé
- L'expression de la conséquence

J'ai aussi besoin des outils lexicaux suivants :

- Le voyage, la mission
- Les transports
- La négociation

7 UNITÉ En voyage d'affaires

1 J'organise mon voyage

Monsieur Sampaio part en voyage d'affaires. Il rédige un mémo pour ne rien oublier avant de partir.

1. Lisez le document et répondez.

a. Où et quand part monsieur Sampaio ?
b. Quelles formalités monsieur Sampaio doit-il encore effectuer ? Sont-elles importantes ? Justifiez.
c. Qu'est-ce que monsieur Sampaio a déjà fait ?
d. Comment se rendra-t-il à l'aéroport ?
e. Que sait-on des rendez-vous de monsieur Sampaio ?

Les mots pour

- Une formalité
- Un passeport
- Un visa
- Un taxi

Voyage à Pékin : du lundi 3 mars au vendredi 7 mars (départ dimanche 2 mars)

À faire :
- Formalités : passeport / visa
- Contacter Matthieu Nguyen (responsable marketing)
- Confirmer RV Lin Yao Wu (responsable des ventes)
- Réserver taxi pour l'aéroport

Fait :
- Billet avion OK
- Réservation hôtel
- Planning des rendez-vous

2 Je réserve un billet d'avion

Les mots pour

- Un vol aller/retour
- Effectuer
- Une classe
- Business
- Un repas
- Un bagage
- Un terminal
- Une escale
- À bord
- Une condition tarifaire
- Une annulation
- Sans frais

Votre vol aller : Paris – Pékin
Dimanche 2 mars 2014 — AF3764 – Business
12:25 **Paris**, Charles-de-Gaule (CDG) - France - Terminal 2E
07:00 **Shanghai**, Pudong International (PVG) - Chine - Terminal 1 + 1 jour

Effectué par : China Eastern — Classe de réservation : C
Appareil : Airbus A330-200 — Durée : 11h35 sans escale
Repas à bord : Repas — Bagages : 2 bagages de 3 kg max chacun (32 kg max en Business)

lundi 3 mars 2014 — MU5129 – Economy
09:20 **Shanghai**, Pudong International (PVG) - Chine - Terminal 1
11:45 **Pékin**, Capital International (PEK) - Chine - Terminal 2

Effectué par : China Eastern — Classe de réservation : Y
Appareil : Airbus A321 — Durée : 02h25 sans escale
Repas à bord : info non disponible — Bagages : 2 bagages de 3 kg max chacun (32 kg max en Business)

2. Lisez le document et répondez.

a. Quelle est la ville de départ ? Et d'arrivée ?
b. Le vol est-il direct ? Justifiez.
c. En quelle classe est effectué le vol ?
d. Quelles sont les conditions d'annulation ou de modification du vol ?

Conditions tarifaires en business

Aller
Modification ou annulation
- Avant le début du voyage : sans frais
- Une fois le voyage commencé :
  - modification : 120 €
  - annulation : 200 €

3. Un apprenant regarde la réservation, un autre apprenant lui pose des questions sur la destination, les horaires... Jouez la scène à deux.

3 Une demande particulière

Mélissa : Agence voyage Pro, bonjour, Mélissa à votre service.
Louis Dubreuil : Bonjour, Louis Dubreuil de la société Jobureau, je vous appelle pour une réservation d'hôtel le mois prochain à Lausanne.
Mélissa : Oui, à quelle date ?
Louis Dubreuil : C'est pour 2 nuits les 15 et 16 février. Je voudrais deux chambres dont une pour personne à mobilité réduite. Je voyage avec un collègue qui se déplace en fauteuil roulant.
Mélissa : Un instant. Je regarde. ...
(...) Voir transcription p. 151

Les mots pour

- Un accès
- Un fauteuil roulant
- Une rampe d'accès
- Aménager
- Accéder
- Un voucher

GRAMMAIRE

Les pronoms démonstratifs

Pour éviter la répétition d'un adjectif démonstratif, on utilise un pronom démonstratif. Il est souvent suivi de « *-ci* » ou de « *-là* »

	Singulier	pluriel
Masculin	*celui(-ci/-là)*	*ceux(-ci/-là)*
Féminin	*celle(-ci/-là)*	*celles(-ci/-là)*

Les pronoms indéfinis

Pour éviter la répétition d'un nom accompagné d'un adjectif indéfini, on utilise un pronom indéfini. Certains pronoms indéfinis sont invariables : *personne, plusieurs, quelqu'un, quelque chose, quelque part...*

- *Paul attend **quelqu'un** à l'aéroport.*

D'autres varient : *aucun(e), chacun(e), certain(e)s, quelques-un(e)s...*

- ***Certains** sont francophones*

 **tous** et ***toutes*** se placent en général après le verbe.

- *Nos clients sont **tous** là !*

Phonétique

 **Les sons /i/, /y/ et /u/**

- /i/ : un visa, un taxi, le terminal, le tarif
- /y/ : annuler, un formulaire, un surplus
- /u/ : un voucher, vous pouvez embarquer

4. Écoutez le dialogue et répondez.

a. Quel est l'objet de la conversation téléphonique ?
b. Quelle est la particularité de la demande de réservation ?
c. Qu'est-ce que Mélissa va envoyer à Louis Dubreuil ? À quoi ça sert ?

1 Complétez avec un pronom démonstratif.

a. On prend cet hôtel ? Non, je préfère ... .
b. Tu prends ces valises ? Non, je préfère ... .
c. Ils ont fait toutes les formalités. Non, ils ont seulement fait ...
d. Vous prenez ce vol ? Non, nous prenons ... .
e. Vos collègues sont venus avec cette compagnie aérienne ? Non, ils sont venus avec ... .

2 Complétez avec un pronom indéfini.

quelque chose – aucun – toutes – quelqu'un – quelque part
a. Je n'ai rencontré ... client.
b. Lisa a rendez-vous ... . Elle ne sait pas où !
c. J'ai appris ... d'intéressant.
d. Nos chambres sont ... réservées la semaine prochaine.
e. Il y a ... à côté de vous ?

↘ Micro-tâche

Vous organisez un déplacement pour deux personnes. Choisissez les dates du voyage, les villes de départ et d'arrivée, le moyen de transport, puis faites une réservation par téléphone à l'agence de voyage. Jouez la scène à deux et utilisez les mots suivants : escale, correspondance, classe, remboursement.

7 UNITÉ En voyage d'affaires

1 Un excédent de bagages

Au comptoir d'enregistrement de la compagnie aérienne.

Homme : Bonjour madame.
L'agent d'escale : Bonjour monsieur, votre carte d'embarquement s'il vous plaît.
Homme : Tenez.
(...) Voir transcription p. 151

Les mots pour

- Un excédent de bagage
- Le comptoir d'enregistrement
- La compagnie aérienne
- La carte d'embarquement
- Enregistrer un bagage
- Un forfait
- Un surplus

1. Écoutez le dialogue et répondez.

a. Quel problème rencontre le passager au comptoir d'enregistrement ?
b. Que lui propose l'agent d'escale ?
c. Que décide le passager ?
d. Pourquoi l'homme voyage-t-il ?

---

2 Des annonces aux passagers

(...) Voir transcription p. 152

2. Écoutez les annonces et répondez.

a. Où peut-on entendre ces annonces ?
b. Où doivent se rendre les passagers Sèvre et Tribot ? Pourquoi ?
c. Dans l'annonce 2, qu'est-ce qui est annoncé ? Quelle est la recommandation donnée ?
d. Que se passe-t-il entre Marseille et Paris ? Pourquoi ?
e. De quel vol parle-t-on dans l'annonce 4 ? Que se passe-t-il ? Que doivent faire les passagers ?

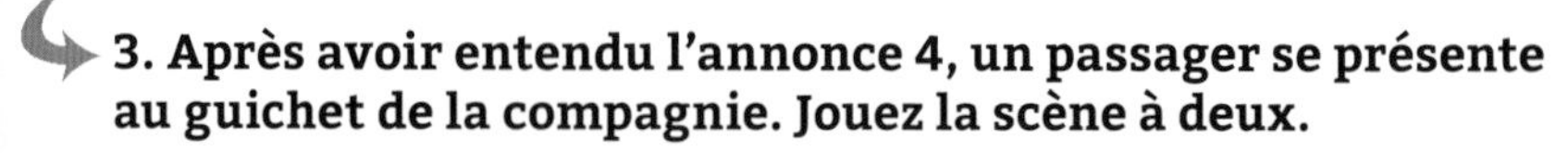

3. Après avoir entendu l'annonce 4, un passager se présente au guichet de la compagnie. Jouez la scène à deux.

Les mots pour

- Les passagers
- À destination de
- Être invité(e) à se rendre
- La porte d'embarquement
- Immédiat(e)
- En provenance de
- La bordure
- Le quai
- Desservir
- Un incident
- Occasionner un retard
- Rétablir

3 Un imprévu

(...) Voir transcriptions, p. 152

GRAMMAIRE

Le plus-que-parfait

Le plus-que-parfait exprime l'antériorité d'un événement par rapport à un autre événement déjà au passé. Il se forme avec l'auxiliaire *être* ou *avoir* à l'imparfait suivi du participe passé du verbe.
- *Il **avait pris** trop de bagages, il a donc dû payer un supplément.*

L'expression du regret avec le conditionnel passé

si + plus-que-parfait → conditionnel passé.
Le conditionnel passé est formé de l'auxiliaire *être* ou *avoir* au conditionnel présent suivi du participe passé.
- *Si Marco avait pu, il **aurait pris** un train plus tôt.*

→ conjugaison p. 137

4. Écoutez le message et répondez.

a. Qu'arrive-t-il à Hélène ? Pourquoi ?
b. Que regrette-t-elle ?
c. Que va-t-elle faire ?

1 Mettez les verbes au plus-que-parfait.

a. On m'(prévenir) que je risquais d'avoir trop de bagages.
b. Elle (ne pas vouloir) prendre l'assurance annulation.
c. Il est arrivé en retard, mais il (avertir) ses rendez-vous.

2 Mettez les verbes au conditionnel passé.

a. Si j'avais su que mon vol allait être annulé, j'(prendre) l'avion hier.
b. Si Lisa avait eu mon message, elle (venir) à l'aéroport.
c. Si nous avions eu une réunion aujourd'hui, nous (ne pas pouvoir) être présents.

4 Bagages perdus

Services bagages et objets perdus

Déclarer un bagage manquant en ligne
Selon votre aéroport d´arrivée, nous vous proposons 2 possibilités pour déclarer votre bagage manquant : en ligne, dans les 48 h suivant votre arrivée, ou au service bagages avant de quitter l´aéroport.

Vous pouvez déclarer en ligne un bagage manquant dans les 48 h suivant votre arrivée. Ainsi, vous gagnez du temps à l´aéroport et effectuez votre déclaration au calme.
Pour cela, veuillez vous munir du reçu bagage qui vous a été remis lors de l'enregistrement de votre bagage. Vous devrez indiquer le numéro composé de 2 lettres et 6 chiffres, inscrit sur l´étiquette.

Dédommagement en cas de perte de bagage
Si, malgré tous les efforts mis en œuvre, votre bagage n´a pu être retrouvé, Air France vous propose un dédommagement. Selon la convention de Montréal, le montant de ce dédommagement sur justificatifs peut s´élever jusqu´à 1 295 € environ.
Afin d´obtenir ce dédommagement, nous vous invitons à compléter un formulaire de réclamation en ligne.
Si vous avez déjà fait une déclaration en ligne pour la perte de votre bagage, veuillez indiquer le numéro qui vous a été communiqué. Dans le cas contraire, nous vous fournirons un numéro de suivi à conserver.

www.airfrance.fr

5. Lisez le document et répondez.

a. Combien de temps avez-vous pour déclarer votre bagage manquant ?
b. Quel(s) avantage(s) y a-t-il à déclarer votre bagage manquant en ligne ?
c. De quoi avez-vous besoin pour faire votre déclaration de bagage manquant ?
d. Si votre bagage n'est pas retrouvé, que pouvez-vous faire ?

6. Votre bagage n'arrive pas, vous vous rendez au service bagages de l'aéroport. Expliquez votre problème à l'agent d'accueil. Jouez la scène à deux.

Les mots pour

- Déclarer / Déclarer en ligne
- Effectuer une déclaration
- Se munir de
- Un reçu
- Une étiquette
- Un dédommagement
- La perte
- Une convention
- Un justificatif
- Un formulaire
- Un numéro de suivi
- Le pays de résidence

Micro-tâche

Vous n'avez pas trouvé votre bagage à l'arrivée. Lisez le texte ci-dessous puis rédigez un message au service client de la compagnie aérienne. Vous expliquez votre problème et vous demandez le remboursement de vos frais (maximum 1500 caractères).

⇨ Frais de première nécessité

Vous avez engagé des frais de première nécessité (achat de produits d'hygiène ou vêtements) en raison du retard de votre bagage ? Vous avez 21 jours pour faire une demande de remboursement en complétant le formulaire en ligne.

D'après www.airfrance.fr

En voyage d'affaires

1 Un rendez-vous d'affaires

Monsieur Denis, de la société Prasmis à Québec au Canada rend visite à un client à Paris, lors d'un voyage d'affaires.

Madame Derderian : Bonjour monsieur Denis, je suis madame Derderian.

Monsieur Denis : Enchanté. Je suis ravi de vous rencontrer madame Derderian.

Madame Derderian : Oui, moi aussi. Depuis le temps que nous sommes en contact par mail ou par téléphone !

Monsieur Denis : Tout à fait, je pense que nous allons pouvoir travailler efficacement ensemble.

Madame Derderian : J'en suis persuadée. J'ai d'ailleurs de nouveaux produits qui pourraient vous intéresser...

(...) Voir transcription p. 152

1. Écoutez l'enregistrement et répondez.

a. Qui est Monsieur Denis ? Où travaille-t-il ?
b. Pourquoi est-il en France ?
c. Qu'est-ce que madame Derderian présente à monsieur Denis ?
d. Comment se passe la négociation ? Expliquez.

Les mots pour

- Efficacement
- Être persuadé(e)
- Biologique / Bio
- Un packaging
- Sobre
- Sophistiqué(e)
- Un label
- Un(e) responsable qualité
- La fiche technique
- Un ingrédient
- Une norme
- Une certification

GRAMMAIRE

L'expression de la conséquence

Pour exprimer la conséquence, on utilise des mots ou des expressions comme : *alors, donc, aussi, ainsi, par conséquent, en conséquence, c'est la raison pour laquelle, c'est pour cela que, d'où (+ nom), si bien que...*

- *Il a eu un problème à l'aéroport **alors/donc** il a dû annuler ses rendez-vous.*
- *Ces produits sont nouveaux **aussi** faut-il les analyser.*
- *Nous avons comparé les différents tarifs **c'est pourquoi/par conséquent** nous savons qui propose les meilleurs.*

1 Complétez avec un connecteur de cause ou de conséquence : *par conséquent – à cause de – comme – grâce à*

a. ... le vol était retardé, il a dû annuler ses rendez-vous.
b. Il a proposé de changer le packaging, ... elle a passé une commande.
c. ... ses arguments, Chloé a convaincu son client.
d. La négociation est difficile ... de la situation économique.

2 Terminez ces phrases par une conséquence.

a. J'ai annulé tous mes rendez-vous vendredi ...
b. Nous avons signé un nouveau contrat ...
c. Les tarifs de nos concurrents sont plus bas ...

2 Savoir négocier

2. Lisez l'article et répondez.

a. À qui s'adresse ce texte ?

b. Pour convaincre un client de signer, quelle attitude le vendeur doit-il avoir ?

c. Combien de techniques pour obtenir l'accord du client sont proposées dans le texte ?

Les mots pour

- Désespérer
- Salvateur
- Conclure un marché
- Forcer la main
- Sans en avoir l'air
- Se dérober
- Commettre une erreur
- Un moment clé
- Un deal
- Arracher un accord
- Appâter
- Récapituler

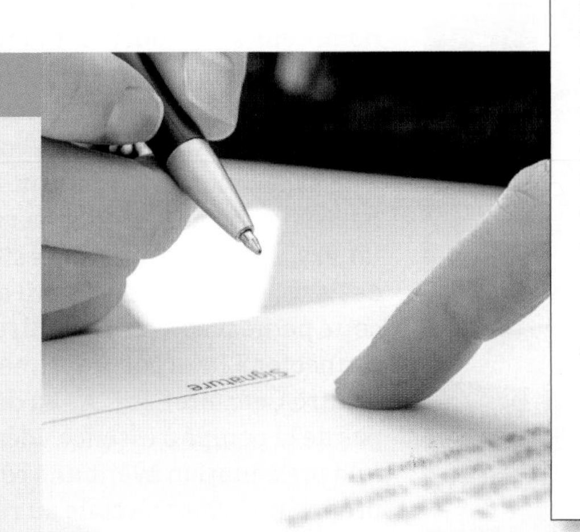

Les techniques pour convaincre un client de signer

Votre négociation n'en finit plus et vous désespérez d'arracher le oui salvateur qui signifiera que le marché est conclu ? Plusieurs méthodes permettent de forcer la main d'un interlocuteur… sans en avoir l'air.

« Donnez-moi un peu de temps : j'ai besoin de réfléchir. » « Je dois en parler à ma direction. » Au moment de conclure le marché, le client a parfois tendance à se dérober. Un comportement compréhensible, surtout si l'investissement financier est important. Certains commerciaux commettent l'erreur d'entrer dans le jeu de ces acheteurs hésitants. Mauvais calcul ! Car laisser filer un client à ce moment clé de la négociation signifie souvent faire une croix définitive sur le deal. Il existe pourtant des techniques simples pour arracher l'accord désiré. À une condition : les utiliser face à la personne, jamais à distance.

⇨ Comportez-vous comme s'il avait déjà accepté.
⇨ Donnez-lui le choix entre deux options.
⇨ Appâtez-le avec une affaire à saisir très vite.
⇨ Récapitulez tous les avantages proposés.

D'après Bruno Askenazi, 27 septembre 2010 ; www.capital.fr

3 Un compte-rendu de mission

3. Lisez le compte rendu de mission et répondez.

a. Quand et où s'est déroulée la mission ?

b. Comment s'est passé le salon de Casablanca ?

c. La rencontre avec les représentants de la Chambre de commerce a-t-elle été positive ? Expliquez.

d. À quoi sert un compte rendu de mission ?

Les mots pour

- Une défaillance
- Un(e) représentant(e)
- La chambre de commerce
- Consolider
- Une implantation
- Une aide financière
- Une aide logistique

↘ Micro-tâche

Vous êtes parti en mission pendant trois jours. Au retour, vous appelez un de vos collaborateurs pour lui raconter votre mission. Vous lui faites un compte-rendu détaillé de ces trois jours.

Compte-rendu de mission

Mission Maroc (Casablanca – Marrakech – Rabat)
Du 21 au 25 mars

Objectifs

⇨ *Participer au salon de Casablanca*
⇨ *Faire le point avec les distributeurs*
⇨ *Rencontrer la chambre de commerce*

1. Salon de Casablanca

21-23 mars
Présence au salon professionnel de Casablanca les 3 jours.
Grand succès de notre stand : très nombreux visiteurs.
Nous avons pu faire connaître nos nouveaux produits.
Nous avons pris des rendez-vous pour de futures collaborations.
De nouveaux contacts à démarcher.

2. Point avec les distributeurs

24 mars : Essaouira
Nous avons rencontré nos distributeurs au Maroc. Nous avons fait connaissance avec un de nos nouveaux distributeurs. Plusieurs distributeurs ont signalé des défaillances dans les livraisons.
→ à étudier

3. Rencontre avec de la Chambre de commerce

25 mars : Marrakech
Réunion avec 3 représentants de la Chambre de commerce de Marrakech. La Chambre de commerce va nous aider à consolider notre implantation au Maroc (aide logistique et financière).

Des espaces de travail dans les stations-service

Consultants, représentants, commerciaux... Ils sont nombreux à parcourir des heures durant les routes de France pour leur travail. Problème : même avec un smartphone, il n'est pas toujours évident de concilier temps de travail et trajet en voiture.
Une expérimentation va peut-être modifier leurs habitudes. Dans la station-service Shell de Limours-Janvry, une aire d'autoroute située sur l'A10 au sud-ouest de Paris, un espace de travail a ouvert ses portes. Dans cette petite pièce, les travailleurs en transit peuvent se connecter à Internet, imprimer des documents, en faxer d'autres, etc. Bref, le B.A.-Ba du travail de bureau à deux pas de la pompe à essence. Idéal pour tirer sur papier une présentation avant une réunion ou envoyer une proposition commerciale au retour d'un rendez-vous.
Pour entrer dans cet espace, le voyageur d'affaires doit s'acheter une carte à la caisse de la station-service. L'accès pour 24 heures coûte 5 euros, le pass pour 5 entrées de 24 heures est à 15 euros. Ce lieu, géré par le fournisseur d'espaces de travail Régus, est par ailleurs librement accessible au possesseur de la carte Businessworld (37 euros par mois).

www.journaldunet.com ; janvier 2012.

1. Qu'est-ce qui est installé dans les stations-service ?
2. Que pensez-vous de cette idée ?

Le low cost : de plus en plus courant dans les voyages d'affaires

Le recours à des compagnies aériennes à bas coûts pour les voyageurs d'affaires est désormais entré dans les pratiques courantes des entreprises françaises, selon une étude publiée vendredi 27 septembre à Paris au salon du tourisme Top Resa.
52 % des voyageurs d'affaires interrogés, issus d'entreprises de toutes tailles, indiquent avoir voyagé au moins une fois sur ces compagnies au premier semestre et 31 % entre deux et quatre fois, selon le baromètre Mondial Assistance/Déplacements Pros. Seuls 17 % des voyageurs disent ne pas y avoir eu recours entre janvier et fin juin.
« Le succès des low-cost se confirme d'année en année et principalement sur les liaisons européennes. Le souhait de Ryanair de s'ouvrir au voyage d'affaires et l'offre dédiée d'Easyjet sont autant de pas vers la conquête des voyages court et moyen-courrier », souligne l'étude.
Le voyage d'une seule journée reste la grande vedette du déplacement professionnel cette année, relève aussi ce baromètre. Par ailleurs, 46 % des voyageurs d'affaires sondés indiquent avoir surtout voyagé en classe économique, 19 % en classe premium, 35 % en business. Les réponses sont non significatives sur la première classe.

www.challenges.fr ; 27 septembre 2013.

1. Qu'est ce que le « low cost » ?
2. Pour quels voyages d'affaires le low cost est-il surtout utilisé ?

Ponctualité, repas, attitudes..., des conseils pour vos voyages d'affaires

[...] La manière de parler business au cours d'un repas diffère énormément d'un pays à l'autre. Alors, ne soyez pas étonné si vous déjeunez autour d'un plateau-repas en France. En effet, « les déjeuners d'affaires sont de moins en moins une règle, notamment à Paris où l'on pourra vous proposer un plateau-repas lors d'une réunion. Celui-ci pourra être d'excellente qualité mais pris sur place, dans la salle de réunion, au sein de l'entreprise. Cela permet de continuer à travailler efficacement avec l'ensemble des documents et des moyens techniques et cela évite de perdre du temps en déplacement. Le fait de ne pas être invité au restaurant ne doit pas être pris comme un manque d'estime mais plutôt comme une preuve du souci d'efficacité », explique Dominique Brunin, DG de la Chambre française du commerce et d'industrie au Maroc.

Sonia Blal, avril 2010, www.lavieco.com

1. Quels sont les avantages des plateaux-repas ?

Ryanair souhaite s'ouvrir au low cost à destination des entreprises.

Pourquoi les salariés se déplacent ?

Le premier motif de déplacement professionnel est, pour près de 69 % des PME-PMI de l'ensemble des secteurs d'activité, la réunion de travail avec des filiales ou d'autres services de l'entreprise. Les visites aux clients n'arrivent qu'en seconde position, évoquées par 56 % des entreprises privées mais seulement à hauteur de 10 % par l'administration.

Raisons de déplacement

Motifs de déplacement	Industrie (en %)	Services (en %)	Administration (en %)
Réunions de travail	67,7	70,5	60
Visites clients	59,5	54,3	10
Formations	18,9	41,9	50
Congrès/Colloques	24,3	35,2	63,3
Évènements	27	21,9	30
Fournisseurs	21,6	18,1	13,3
Prospection	17,6	12,4	3,3

Source : American Express - Coach Omnium
Gwendal Perrin, www.journaldunet.com, mars 2012.

1. Quelles sont les principales raisons des déplacements professionnels ?
2. Dans quel secteur voyage-t-on le plus ? Et le moins ? Pourquoi ?

Un salon pour les voyages d'affaires

Avec 15 % de visiteurs en plus qu'en 2010, le Market Place semble avoir trouvé sa place. Ce salon qui s'adresse aux chargés de voyages des entreprises a pour objectif de leur proposer des solutions logistiques et financières pour l'organisation de leurs voyages d'affaires.
Venir au Market Place, « c'est un simple déplacement pour en optimiser d'autres » résume Éric Montaufray, l'organisateur du salon. « La rencontre est essentielle » a-t-il encore dit. Cette année, le salon a élargi son champ d'action au domaine routier, à l'Internet (avec des exposants développeurs d'applications pour smartphones qui répertorient les transporteurs) et a augmenté le nombre de ses partenaires.
Les 2 570 visiteurs acheteurs ont pu échanger en direct. Le Market Place du Voyage d'Affaires veut devenir maintenant la « boîte à outils à taille humaine de l'organisation des déplacements professionnels ».

www.quotidiendutourisme.com ; avril 2011.

1. À qui s'adresse ce type de salon ?
2. À quoi sert ce salon ?

Entraînement aux examens

1 Compréhension de l'oral

Exercice 1
Lisez les questions, écoutez le document, puis répondez aux questions.

a. Monsieur Martinot appelle l'hôtel pour :
- ❒ faire une réservation.
- ❒ modifier une réservation.
- ❒ annuler une réservation.

b. Quelle est la référence du dossier ?

c. Quelle est l'adresse mail de Monsieur Martinot ?
- ❒ smartinot@hotmail.fr
- ❒ smartineau@hotmail.fr
- ❒ smartino@hotmail.fr

d. Combien de nuits comprend la réservation de la chambre ?
❒ 4 nuits ❒ 5 nuits ❒ 6 nuits

e. Quelles sont les dates de la réservation ?

f.

La réservation est pour une chambre double.	❒ **Vrai**	❒ **Faux**
La réservation inclut le petit-déjeuner tous les jours.	❒ **Vrai**	❒ **Faux**
La réservation comprend une place de parking.	❒ **Vrai**	❒ **Faux**
La réservation inclut le dîner.	❒ **Vrai**	❒ **Faux**

Exercice 2
Lisez les questions, écoutez les deux enregistrements, puis répondez aux questions.

a. Où se passe la scène ?

b. D'où arrive la passagère ?
❒ de Mulhouse ❒ de Toulouse ❒ de Toulon

c. Quel est son problème ?

d. Quel document lui demande l'agent d'escale ?
- ❒ son passeport
- ❒ sa carte d'embarquement
- ❒ son étiquette

e. Quand la compagnie va-t-elle régler son problème ?
❒ aujourd'hui ❒ demain ❒ après-demain

f. À quelle heure arrive le premier vol le lendemain matin ?

2 Production orale

• Monologue suivi

Vous dégagez le thème soulevé par le document et vous présentez votre opinion sous la forme d'un exposé personnel de 3 minutes environ.

> Eurostar affiche de bons résultats pour l'année 2013, avec un trafic record de 10 millions de voyageurs porté notamment par une clientèle affaires en hausse (+6,2 %).
> La clientèle « corporate » a contribué à porter la croissance d'Eurostar, notamment grâce aux voyageurs d'affaires anglais : « Après une conjoncture économique incertaine, nous observons sur la période des signes de retour à la confiance, principalement sur le marché britannique » résume d'ailleurs Nicolas Petrovic, directeur général. Globalement, les ventes liées aux déplacements professionnels ont augmenté de 6,2 % en 2013, contre 7,5 % pour le segment loisirs.
>
> *www.voyages-d-affaires.com, 5 mars 2014.*

• Exercices en interaction

a. Vous arrivez à l'aéroport et l'embarquement vient de se terminer. Vous expliquez à l'agent d'escale, encore présent à la porte d'embarquement, que vous devez absolument prendre cet avion. Vous insistez pour qu'il vous laisse embarquer. (Le professeur joue le rôle de l'agent d'escale.)

b. Votre vol est annulé, vous êtes en salle d'embarquement et vous allez au guichet d'informations de la compagnie aérienne. Vous demandez des explications et essayez de trouver une solution pour vous rendre à votre destination. (Le professeur joue le rôle de l'agent de la compagnie aérienne.)

3 Production écrite

Vous envoyez un mail à votre responsable pour le tenir au courant de votre mission en Suisse. Vous rédigez ce mail à partir de vos notes prises pendant le voyage. (180 mots minimum)

Voyage en Suisse (voyage du 13 au 18 février).
Villes de Genève, Lausanne et Neuchâtel.
Rencontre avec l'équipe commerciale.
Prise de contact avec la remplaçante de Laure, responsable des ventes, pendant son congé maternité.
Différentes visites de nos clients (Daventas et Klaxima)
Premier rendez-vous avec le directeur de la société Tredao rencontré en France sur un salon.
Réunion avec le responsable qualité.

4 Compréhension des écrits

Lisez la présentation des trois hôtels, répondez aux questions en fonction de la demande ci-après. Choisissez l'hôtel qui correspond le mieux à la demande.

Vous êtes chargé de réserver un hôtel pour 5 nuits du 1er au 6 mars. Il vous faut 2 chambres doubles avec petit-déjeuner, salle de bain dans chaque chambre, et accès wifi gratuit. Vous souhaitez louer une voiture pendant 2 jours, vous la prendrez à l'aéroport et la rendrez 2 jours plus tard, en centre ville. Vous ne voulez pas payer un parking en plus. Vous repartirez de l'hôtel et, pour ne pas avoir à prendre un taxi, vous voulez une navette qui vous amène de l'hôtel à l'aéroport ou une station de métro proche de l'hôtel. Vous devez aussi aller au parc des expositions en fin de semaine. Vous souhaiteriez mettre moins de 20 minutes pour vous y rendre, depuis votre hôtel, en transports en commun.

1

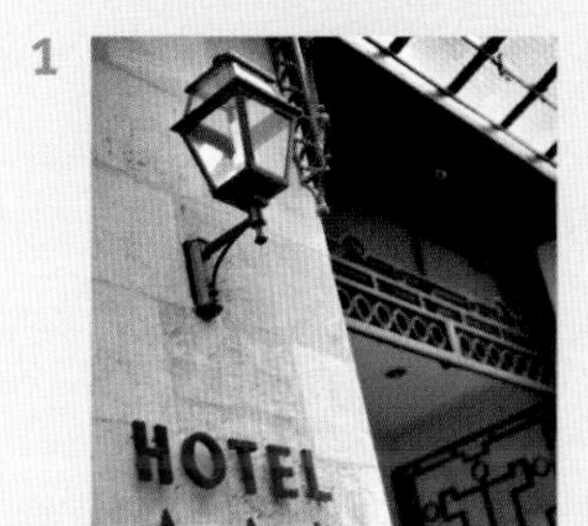

Petit hôtel charmant en plein cœur de la ville, avec parking gratuit pour les clients. Toutes nos chambres disposent d'une salle de bain et sont équipées de wifi. Vous pouvez choisir une formule petit-déjeuner ou demi-pension. Une navette vous amènera de l'hôtel à l'aéroport en moins de 15 minutes. Parc des expositions facile d'accès en transports en commun, une station de métro se trouve juste à l'angle de la rue.

2

Hôtel 4 étoiles, formule petit-déjeuner uniquement, excentré mais facile d'accès. Accès wifi avec un supplément de 10 euros par semaine, parking privé avec gardien 24h/24. Station de métro à moins de 10 minutes à pied. Salle de bain dans toutes les chambres doubles, piscine couverte. À proximité du parc des expositions, idéal pour personnes assistant aux salons et séminaires organisés toute l'année.

3

Hôtel à 2 pas du centre, station de métro à 150 mètres. Formules petit-déjeuner, demi-pension, pension complète. Salle de bain individuelle, accès wifi illimité, parking gratuit sous conditions. Une navette vous amènera de l'hôtel à l'aéroport. Accès au parc des expositions en 30 minutes par les transports en commun.

Les critères suivants sont-ils respectés ?	**Hôtel 1**		**Hôtel 2**		**Hôtel 3**	
	oui	**non**	**oui**	**non**	**oui**	**non**
a. Le confort	☐	☐	☐	☐	☐	☐
b. L'accès wifi	☐	☐	☐	☐	☐	☐
c. Le temps de trajet entre l'hôtel et le parc des expositions	☐	☐	☐	☐	☐	☐
d. La navette	☐	☐	☐	☐	☐	☐
e. Le parking	☐	☐	☐	☐	☐	☐
f. Les transports publics à proximité	☐	☐	☐	☐	☐	☐
g. La situation de l'hôtel	☐	☐	☐	☐	☐	☐

h. Quel hôtel choisissez-vous ? Pourquoi ?

Négocier avec un client lors d'un voyage d'affaires

Objectif : préparer sa négociation avant de rencontrer un client pendant un voyage d'affaires.

Étape 1
Choisissez un domaine d'activité pour votre entreprise. Définissez précisément le produit ou le service que vous allez vendre. Vous faites la liste des caractéristiques de ce produit. Vous notez également tout ce qui peut être perçu comme négatif par un client.

Étape 2
Vous prenez contact avec votre client par mail. Vous l'informez de votre déplacement, en lui donnant les dates de votre voyage. Vous lui proposez un rendez-vous. Précisez bien l'objet du rendez-vous.

Étape 3
Vous préparez tout le matériel et les documents dont vous pourrez avoir besoin lors de votre rendez-vous. Vous faites une liste pour ne rien oublier au moment du départ.

Étape 4
Vous vous documentez sur l'entreprise de votre client. Vous devez avoir des informations très précises.

Étape 5
Vous préparez votre argumentation en fonction de votre client : descriptif du produit, mais aussi conditions de vente.
Vous devez connaître tous les détails : modalités de transport en fonction de la localisation du client, frais de douane si nécessaire, taxes éventuelles, délais d'approvisionnement en fonction de la quantité et de la zone géographique… Vous devez déterminer les remises que vous pouvez accorder…
Anticipez les questions pièges que peut vous poser votre éventuel client.

Étape 6
Avant votre départ, vous envoyez un mail de confirmation à votre client pour confirmer le rendez-vous (lieu, date, horaire).

Conseils
- Lorsque vous négociez avec un client à l'étranger, pensez à vous renseigner sur les habitudes culturelles. On ne négocie pas de la même manière en France, en Italie, en Allemagne, au Japon…
- Et n'oubliez pas de prendre en compte les réglementations du pays de votre client. Vous devez les connaître. Elles ne doivent pas devenir un frein à la signature d'un accord.

Incollable sur les réglementations

UNITÉ 8

PRÉSENTATION DES CONTENUS

Je lance et je réponds à un appel d'offres, je respecte une procédure, je m'intéresse à la législation sur le travail du dimanche, je découvre la RSE, je m'intéresse à la protection des données personnelles, je comprends le rôle des associations de consommateurs, je découvre l'open data.

J'ai besoin des éléments grammaticaux suivants :

Les pronoms relatifs simples
Les pronoms relatifs composés
Pour que + subjonctif présent
Les doubles pronoms

J'ai aussi besoin des outils lexicaux suivants :

L'appel d'offres
La RSE
Les associations de consommateurs

8 UNITÉ Incollable sur les réglementations

1 Les marchés publics

(...) Voir transcription p. 153

1. Écoutez l'enregistrement et répondez.

a. Quels sont les acteurs du contrat de marché public ?
b. Pourquoi le marché d'offres public est important en France pour les PME ?
c. Qu'est-ce que garantit un marché public ?
d. Qu'est-ce que le principe de transparence ? Et celui de libre accès ?

Les mots pour

- Un marché public
- Une collectivité territoriale
- Un contribuable
- L'influence
- Un principe
- Le libre-accès
- La transparence
- La corruption
- Un appel d'offres

2 Je lance un appel d'offres

Règlement de consultation

Objet : Achat et maintenance de copieurs multifonctions

ARTICLE 1 – ACHETEUR PUBLIC
Mairie de Brive, Place de l'Hôtel de Ville, 19312 Brive Cedex
Tél. 05 55 05 55 05 - Site Internet : www.brive.fr

ARTICLE 2 – OBJET DU MARCHÉ
1. Description
1.1. Description / objet du marché : **achat et services**
1.2. Lieu d'exécution des prestations de service : France
2. Durée du marché ou délai d'exécution
4 mois à compter de la notification du marché par la ville de Brive.

ARTICLE 3 – PROCÉDURE
1. Type de procédure : Procédure de mise en concurrence allégée
2. Jugement des offres
Les critères retenus ***pour le jugement des offres*** seront les suivants :
- Pertinence de la proposition technique (40 %)
- Modèle des copieurs (30 %)
- Prix (30 %)

3. Renseignements d'ordre administratif
3.1. Le candidat retenu devra remettre l'ensemble des certificats attestant que celui-ci a satisfait à ses obligations fiscales et sociales.
3.2. Date limite de réception des offres : 19 novembre 2014 à midi.
3.3. Date d'envoi de la lettre de consultation : jeudi 30 octobre 2014.
3.4. Langue devant être utilisée dans l'offre : **Français**.

ARTICLE 4 – AUTRES RENSEIGNEMENTS
Documents à produire
Chaque candidat aura à produire un dossier complet comprenant les pièces suivantes datées et signées :
- Projet de marché lu et approuvé
- Cahier des charges lu et approuvé
- Proposition technique
- Relevé d'identité bancaire (RIB)
- Cadre de décomposition du prix global et forfaitaire complété
- Un CD ROM contenant une version électronique de la proposition technique et du cadre de décomposition des prix

Toute offre non conforme au contenu du dossier de consultation sera automatiquement rejetée.

ARTICLE 5 – CONDITIONS D'ENVOI ET DE REMISE DES OFFRES
Les candidats transmettent leur offre sous pli cacheté.

2. Lisez le document et répondez.

a. Qui lance cet appel d'offres ? Que recherche l'acheteur ? Pour combien de temps ?
b. Quels critères sont pris en compte pour choisir le lauréat ?
c. Quels documents doit fournir le candidat ? Dans quels délais ?
d. Comment fait le candidat pour répondre à cet appel d'offres ?

Les mots pour

- Un délai d'exécution
- Une notification
- Une procédure
- La mise en concurrence
- Allégé(e)
- Un jugement
- La pertinence
- Attester
- Une obligation fiscale
- Lu et approuvé
- Un pli cacheté

3 L'autopartage de voiture

3. Lisez les 3 fiches p. 99 et répondez.

a. Quelle société propose les abonnements les plus intéressants ?
b. Quels sont les avantages du groupe Fracolis ?
c. Pourquoi la proposition du groupe Aviota a peu de chance d'être retenue ?
d. Selon vous, quelle est l'offre la plus intéressante ? Justifiez.

GRAMMAIRE

Les pronoms relatifs simples RAPPEL

- Le pronom relatif introduit une subordonnée. Il remplace :
  - un sujet pour ***qui*** ;
  - un COD pour ***que*** ;
  - un complément de lieu ou de temps pour ***où*** ;
  - un complément d'objet indirect ou un complément de nom pour ***dont***.
- Pour désigner une chose (*qui/que/dont*), *on utilise* ***ce que***, ***ce qui***, ***ce dont***.

Les pronoms relatifs composés

- Ils sont utilisés après une préposition : *à, sur, avec, chez, pour, grâce à, près de...*
  - *Les trois principes* ***sur lesquels*** *reposent les marchés publics sont...*
- Lorsque le pronom relatif composé suit la préposition ***à***, il se contracte.
  - *Les stations* ***auxquelles*** *on branche les voitures électriques...*

 Au féminin singulier, le pronom relatif ne se contracte pas.

Masculin		Féminin	
Singulier	**Pluriel**	**Singulier**	**Pluriel**
lequel duquel auquel	lesquels desquels auxquels	laquelle de laquelle à laquelle	lesquelles desquelles auxquelles

1 Complétez avec un pronom relatif composé : *auxquelles – à laquelle – sur lesquels*

a. L'offre ... vous avez répondu est soumise à des règles strictes.
b. Les principes ... repose l'appel d'offres permettent une bonne transparence.
c. Les négociations ... ils ont participé ont été fructueuses.

2 Complétez avec un pronom relatif.

a. Paris est la ville ... est né Autolib'.
b. Bolloré est le groupe ... appartient le service Autolib'.
c. La ville près de .... elle travaille est grande.

↘ Micro-tâche

La mairie de votre ville lance un appel d'offres pour équiper son collège en matériel informatique (ordinateurs, tablettes, TBI). Vous créez une fiche pour récapituler les informations importantes qui vous permettront de répondre à cet appel d'offres.

L'agglomération de Bruxelles a lancé un appel d'offres pour la mise en place d'un service de location de voitures électriques pour de courts trajets. Trois prestataires ont répondu à cet appel d'offres.

4. L'agglomération de Bruxelles rencontre les représentants des sociétés qui ont répondu à l'appel d'offres et les interroge sur leur proposition. Jouez la scène à plusieurs.

Les mots pour

- Un prestataire
- L'autonomie
- Une batterie rechargeable
- Mensuel (le) / Hebdomadaire / Quotidien(ne)
- Prévisionnel(le)

5. Deux ou trois représentants de l'agglomération de Bruxelles sont réunis pour sélectionner la société qui va remporter l'appel d'offres. Imaginez leurs débats. Jouez la scène à plusieurs.

Société Aviota

- Autonomie : 175 km
- 4 places, coffre de 250 l
- Batterie rechargeable en 4 h
- 3 000 voitures prévues (1500 au départ + 500/an pendant 4 ans)
- 800 stations prévues
- Abonnement : hebdomadaire et mensuel
- Tarif prévisionnel : 350 € /an + 4 € toutes les 15 min au-delà d'1 h.
- Investissement : 55 millions d'euros
- Création d'emplois : 700 agents
- Livraison : janvier 2015

Le groupe Voltabo

- Autonomie : 160 km
- 4 places, coffre de 200 l
- Batterie rechargeable en 5 h
- 2 500 véhicules prévus
- 650 stations prévues
- Abonnement : hebdomadaire et mensuel
- Tarif prévisionnel : 110 € /an + 5,25 € par ½ heure
- Investissement : 50 millions d'euros
- Création d'emplois : 500 agents
- Livraison : novembre 2014

Le groupe Fracolis

- Autonomie : 250 km
- 4 places, coffre de 200 l
- Batterie rechargeable en 4 h
- 2 850 véhicules prévus
- 1 000 stations prévues
- Abonnement particuliers : mensuel/hebdomadaire/journalier + abonnement pour les entreprises.
- Tarif prévisionnel : 120 € /an + 4 € par ½ heure
- Investissement : 60 millions d'euros
- Création d'emplois : 800 agents terrains
- Livraison : février 2015

8 UNITÉ Incollable sur les réglementations

1 Le travail du dimanche

Les mots pour

- Bricoler / Le bricolage
- Un(e) réfractaire
- Une astreinte
- Provisoire
- Être concerné(e)
- Dérogatoire
- Plaider
- Encourir
- Un dommage
- Imminent(e)
- Au profit de
- Dominical(e)
- Une violation
- Flagrant(e)

Les magasins de bricolage condamnés à rester fermés le dimanche

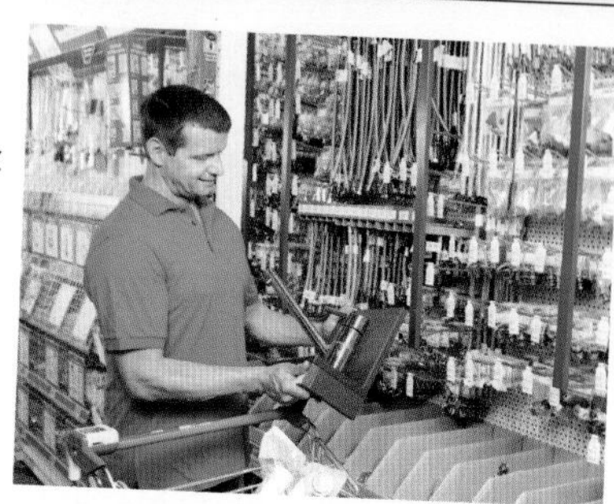

Si vous avez l'intention de bricoler ce week-end, prévoyez de faire vos courses le samedi. La justice vient en effet d'ordonner aux enseignes de bricolage (Castorama et Leroy Merlin) de rester fermées le dimanche. Et gare aux réfractaires : une astreinte provisoire de 120 000 euros par magasin et par dimanche sera appliquée en cas de non-respect du jugement.

Quinze enseignes de Seine-Saint-Denis sont concernées. C'est leur concurrent, l'enseigne Bricorama qui a déposé plainte. Le magasin, qui n'a pas reçu d'autorisations dérogatoires pour ouvrir ses magasins le dimanche, avait plaidé qu'il encourait un « dommage imminent constitué par la perte de chiffre d'affaires et la perte de clientèle au profit de ses concurrents Leroy Merlin et Castorama ». Le juge lui a donné raison en estimant que l'ouverture dominicale était « une violation flagrante de l'interdiction » du Code du travail sur le travail dominical et que Bricorama souffrait d'une « rupture d'égalité ».

Métro, 26 septembre 2013.

1. Lisez le texte et répondez.

a. Quelle mesure est prise pour les magasins de bricolage ?
b. Que risquent les magasins qui ne respectent pas cette décision ?
c. Qui est concerné par cette mesure ?
d. Pourquoi Bricorama a fait appel à la justice ?

2 Témoignages

(...) Voir transcription p. 153

2. Écoutez les témoignages et répondez.

a. Qui est pour le travail du dimanche ? Qui est contre ?
b. En général, comment sont les clients le dimanche ? Et les vendeurs ?
c. Pourquoi Michel et Narumi travaillent le dimanche ?
d. D'après ces témoignages, quels sont les avantages à l'ouverture des magasins le dimanche ? Et les inconvénients ?

GRAMMAIRE

Pour que + subjonctif présent

Le verbe d'une subordonnée introduite par ***pour que*** est toujours au subjonctif.

- *Selon Edmond, les magasins doivent fermer le dimanche **pour que** les employés **puissent** se reposer.*

RAPPEL

Le subjonctif présent est formé à partir du radical de la 3e personne du pluriel du présent de l'indicatif auquel on ajoute les terminaisons ***-e, -es, -e, -ions, -iez, -ent***.

- *Fermer → ils ferment → ferm- → que nous fermions*
- *Finir → ils finissent → finiss- → que vous finissiez*
- *Prendre → ils prennent → prenn- → que je prenne*

⚠ De nombreux verbes sont irréguliers (*avoir, être, pouvoir, savoir, vouloir, aller, faire...*)

→ conjugaison p. 137

3. Imaginez une discussion entre une personne favorable au travail du dimanche et une autre contre. Jouez la scène à deux.

1 Conjuguez les verbes.

a. Le volontariat pour le travail dominical est en place pour que les employés (avoir) le choix.
b. Bricorama a porté plainte pour que Leroy Merlin et Castorama (ne pas pouvoir) ouvrir le dimanche.
c. Pour que tu (aller) faire tes courses dimanche, le magasin doit être ouvert.

3 Comprendre la RSE

Les mots pour

- La commission européenne
- Une contribution
- Le développement durable
- Une partie prenante
- Un riverain
- Une vision globale
- La compétitivité
- Un observatoire
- L'insertion ≠ L'exclusion
- Une inégalité
- Équitable
- Vivable

La RSE, qu'est-ce que c'est ?

En 2011, la commission européenne définit la RSE comme « la responsabilité des entreprises vis-à-vis des effets qu'elles exercent sur la société ». La RSE peut donc être considérée comme la contribution des entreprises vis-à-vis du développement durable. Si son développement repose souvent sur la volonté du chef d'entreprise, un projet RSE associe l'ensemble des parties prenantes (salariés, actionnaires, clients, fournisseurs, riverains de l'entreprise, partenaires publics ou privés).

La RSE permet une vision globale de la performance de l'entreprise, au-delà de la seule performance financière : cette vision à moyen/long terme est source de compétitivité notamment du fait d'une meilleure gestion des risques et des ressources humaines.

Dans son édition 2012, l'observatoire de la RSE réalisé par la CCI* de Maine et Loire résumait le concept de RSE par ce schéma :

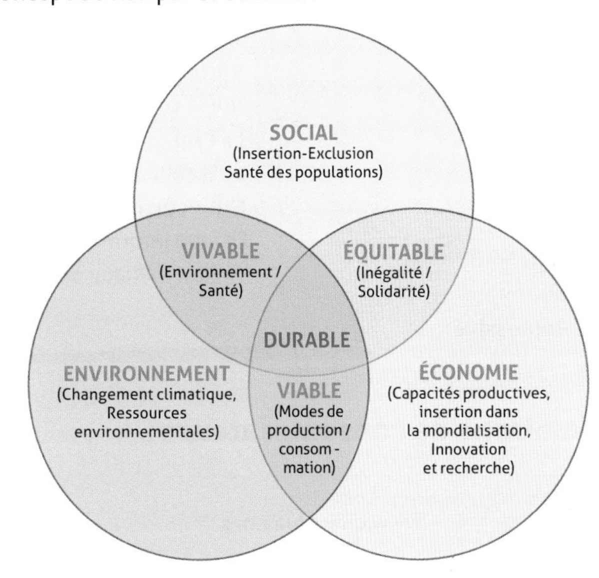

* *Chambre de commerce et d'industrie.*

www.tropheesrseaquitaine.com/

4. Lisez le document et répondez.

a. Qu'est-ce que la RSE ?
b. Qui sont les acteurs du développement de la RSE dans une entreprise ?
c. Que permet la RSE du point de vue environnemental ? Économique ? Social ?

4 Quand les PME se mobilisent

Intégrer le développement durable aujourd'hui dans la gestion de l'entreprise, c'est lui donner la possibilité d'évoluer progressivement vers des pratiques qui permettront, demain, de prendre en compte les attentes environnementales et sociales des marchés, des territoires et des salariés.

(...) Voir transcription p. 153

Agir en entreprise responsable
▶ EDENA
- Activité : production et embouteillage de boissons
- Effectifs : 120 personnes

Ouvrir de nouveaux marchés
▶ CLEAN BIO SYSTEM
- Activité : services en ingénierie chimique
- Effectifs : 200 personnes (Groupe)

Motiver et fidéliser le personnel
▶ L'ENVOL
- Activité : hygiène et sécurité
- Effectifs : 200 personnes

www2.ademe.fr

5. Écoutez l'enregistrement, lisez les informations et répondez.
Faites un tableau qui récapitule les différentes informations du document : nom et fonction des intervenants, nom de l'entreprise, activité et effectif, objectif de développement durable, actions mises en place, conséquences.

Les mots pour

- L'embouteillage
- Entreprendre une démarche
- Une bonbonne
- Une fontaine
- Le dégraissage
- Des débouchés
- Se démarquer
- Un solvant
- Nouer des partenariats
- En circuit fermé
- Un programme d'alphabétisation

↘ Micro-tâche

En petits groupes, vous inventez une entreprise. Vous déterminez son domaine d'activité, puis vous proposez deux mesures sociales et environnementales afin de développer la RSE. Vous présentez ces mesures à la classe.

8 UNITÉ Incollable sur les réglementations

1 L'Europe s'oppose à Google

1. Lisez le texte et répondez.

a. Pourquoi la CNIL a infligé une amende à Google ?
b. Que doit publier Google ?
c. Quelle décision a pris Google en 2012 ?
d. Qui a engagé des poursuites contre Google ?
e. Qu'est ce que la CNIL avait demandé à Google ?

La Commission nationale de l'informatique et des libertés en France (CNIL) a infligé une amende record de 150 000 euros à Google pour refus de mise en conformité de sa politique de confidentialité des données sur Internet. Cette sanction s'accompagne de l'obligation de publier un communiqué relatif à cette décision sur la page d'accueil de google.fr sous huit jours à compter de la notification de cette décision, et ce pendant 48 heures, a précisé la CNIL mercredi dans un communiqué.

Le contentieux fait suite à la décision du géant américain, le 1er mars 2012, de fusionner les différentes règles de confidentialité applicables à une soixantaine de ses services, dont Google Search, YouTube, Gmail, Picasa, Google Drive, Google Docs, Google Maps.

Du fait du nombre des services en cause, quasiment tous les internautes français sont concernés par cette décision. Or la CNIL estime que ce regroupement n'est pas conforme au cadre juridique européen et a émis plusieurs recommandations.

« La société Google Inc n'ayant pas donné de suite effective à celles-ci, six autorités européennes ont engagé à son encontre des procédures répressives, chacune en ce qui la concerne », précise-t-elle.

La CNIL avait demandé à Google de faire état de la finalité des données personnelles qu'il collecte lorsqu'un internaute utilise ses services ou surfe sur son moteur de recherche, et qu'il définisse une durée de conservation de ces données. Elle voulait aussi que le groupe informe et demande leur accord préalable aux utilisateurs avant d'installer dans leurs terminaux des « cookies », ces fichiers qui permettent le ciblage publicitaire.

Gérard Bon, 08 janvier 2014, www.usinenouvelle.com

Les mots pour

- Une mise en conformité
- La confidentialité
- Infliger
- Un contentieux
- Fusionner
- Répressif / Répressive
- Le ciblage

2 Les associations de consommateurs

www.quechoisir.org

UFC-Que Choisir
QueChoisir.Org – Le site au service des consommateurs

Un comparateur de produits performant. Des essais comparatifs de produits régulièrement mis à jour. Des résultats que vous pouvez trier selon vos propres besoins, par marques, par prix, par fonctions...

Plus de 600 produits testés en continu. Dès qu'un produit nouveau apparaît sur le marché, l'UFC-Que Choisir l'achète et le teste. Les résultats du banc d'essai sont immédiatement mis en ligne.

Tous les produits dangereux rappelés. Dès qu'un produit est rappelé par un professionnel car dangereux pour la santé ou la sécurité des consommateurs, l'information est portée avec les références du produit incriminé. Une base de données qui compte actuellement plus de 1 600 rappels de produits.

Des forums permanents. Des avis sur une enquête, un test, un nouveau produit... La parole vous est donnée à travers nos forums. Venez apporter votre témoignage et participer au débat avec d'autres consommateurs.

Des enquêtes de terrain. Des milliers d'enquêteurs bénévoles recueillent sur l'ensemble du territoire des informations sur les prix et les pratiques des professionnels pour vous alerter.

Des analyses économiques. Dérapages des prix, ententes commerciales, pratiques abusives... les économistes analysent les marchés et dénoncent tout comportement préjudiciable aux consommateurs.

Des combats judiciaires. Le service juridique mène des actions en justice pour faire sanctionner des pratiques irrégulières ou faire évoluer la jurisprudence.

Des actions de lobby. L'UFC-Que Choisir intervient auprès des pouvoirs publics, des parlementaires nationaux et européens ou des instances de régulation pour faire avancer vos droits de consommateurs.

Les mots pour

- Un comparateur / Un essai comparatif
- Un banc d'essai
- Incriminer
- Une base de données
- Un rappel de produit
- Un(e) bénévole
- Un dérapage
- Une entente commerciale
- Une pratique abusive
- Préjudiciable
- La jurisprudence
- Un lobby
- Une instance de régulation

2. Lisez le document et répondez.

a. À qui s'adresse ce site ?
b. Que peuvent faire les consommateurs sur les forums du site ?
c. À quoi servent les enquêtes réalisées sur le terrain ?
d. Pourquoi l'association a-t-elle un service juridique ?
e. Auprès de qui intervient le lobby ? Pourquoi ?

3. Vous n'êtes pas satisfait par un produit ou un service. Vous contactez une association de consommateurs. Jouez la scène à deux.

3 L'open data appliqué au transport ferroviaire

(...) Voir transcription p. 154

4. Écoutez l'enregistrement et répondez.

a. Qu'est ce que l'Open Data ?
b. Qu'est ce que le Tranquilien ?
c. Que doit permettre le Tranquilien ?

Les mots pour

- L'open data
- Un usager / Une usagère
- Un concepteur / Une conceptrice
- Un vecteur d'innovation
- Le taux de remplissage
- L'affluence
- La régulation
- Le *crowdsourcing*
- La géolocalisation
- Une donnée publique

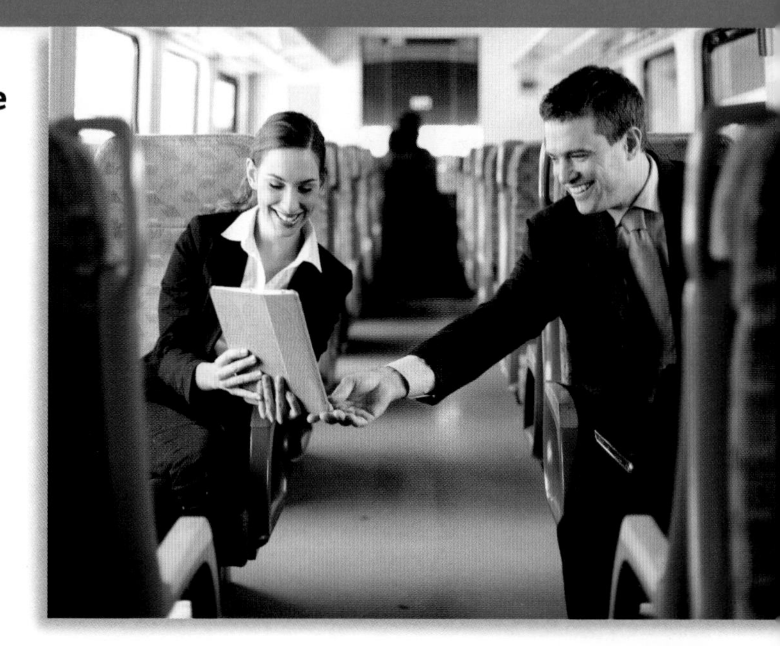

4 Les fichiers de données

(...) Voir transcription p. 154

5. Écoutez l'interview et répondez.

a. Que signifie FIBEN ?
b. Combien de personnes physiques et d'entreprises figurent dans le FIBEN ?
c. Quelles informations apparaissent dans ce fichier ?
d. À qui peuvent être transmises les informations ? Pourquoi ?

Les mots pour

- Recenser
- Une information comptable
- Un incident de paiement
- La solvabilité
- Une compagnie d'assurance
- Le secret professionnel
- Un établissement de crédit / de paiement
- L'octroi d'une aide
- La passation
- Une rectification
- Disposer d'un droit de
- Être immatriculé(e)
- Le registre du commerce

Phonétique

Les nasales /Ẽ/, /En/ et /yn/

Les mots masculins terminés par le son /Ẽ/, qui s'écrit *-ain*, *-ein* et *-en*, ont en général un féminin en /En/. Lorsque le son /Ẽ/ s'écrit *-un*, le féminin est en général en /yn/.

- La norme europé**enne** – un collaborateur autrich**ien** – une situation comm**une**

GRAMMAIRE

Les doubles pronoms

Quand il y a deux pronoms, ils se placent dans un ordre précis.

- *Il est important de* ***le leur*** *rappeler*
- *La banque peut* ***le lui*** *refuser.*

me / m' te / t' se / s' nous vous se	le / l' la / l' les y / en	lui leur	en

À l'impératif affirmatif, tous les pronoms se placent après le verbe.

- *Montrez-****le moi*** *!*

1 Remplacez les éléments en gras par des pronoms. Réécrivez les phrases.

a. La Banque de France transmet **les informations aux compagnies d'assurances.**
b. Le FIBEN permet **aux compagnies d'assurances et aux banques** de parler **de la situation financière des entreprises.**
c. La Banque de France inscrit toutes **les entreprises au registre du commerce.**

↘ Micro-tâche

Vous créez un fichier de données pour votre entreprise. Vous faites la liste des informations que vous allez collecter puis vous expliquez à quoi vous utiliserez ces données. Vous insistez sur l'intérêt d'avoir une base de données.

Le fichier Virgin

Dans une ordonnance en date du 27 juin, « le juge-commissaire (chargé de la liquidation) a retenu la Fnac comme seul acquéreur du fichier clients de Virgin », a déclaré mercredi à l'AFP Me Dominique Wernert, avocat du liquidateur judiciaire de Virgin. La Fnac a ensuite elle-même confirmé avoir bien remporté cet appel d'offres, mettant fin à un imbroglio médiatique de plusieurs heures.

Mardi soir, David Daddi, entrepreneur toulousain de 39 ans, avait annoncé à plusieurs médias, dont Challenges.fr, avoir racheté aux enchères pour 122,50 euros la base clients de Virgin, comprenant 1,6 million de noms dont 1,2 million dotés d'une adresse mail valide. [...]

David Daddi a fait part mercredi après-midi à l'AFP de sa « déception » suite à ce qu'il considère comme un « coup de théâtre ». « Même si j'étais surpris de la manière dont cela s'était passé, j'y croyais vraiment dans la mesure où j'avais reçu une attestation officielle de ce site me disant que j'avais remporté les enchères et que ma demande allait être transmise au liquidateur », a-t-il expliqué. « C'est dommage », a simplement conclu l'entrepreneur qui espérait pouvoir relancer les magasins Virgin, via cette base clients et un projet de « crowdfunding », système participatif de collecte de dons sur Internet qui a déjà fait ses preuves dans la musique ou le cinéma.

Les coordonnées des quelque 1,6 million de porteurs de cartes Virgin devraient être transmises à la Fnac prochainement, une fois les formalités administratives réglées. Pour exploiter les données du fichier, l'enseigne, récemment mise en Bourse, devra au préalable se conformer à la réglementation de la CNIL sur la protection des données personnelles.

www.challenges.fr, 4 juillet 2013.

1. Qui est David Daddi ? Pourquoi a-t-on beaucoup parlé de lui dans les médias ?
2. Qui a finalement acquis le fichier Virgin ? Comment a-t-il été vendu ?
3. Que devra faire l'acquéreur du fichier Virgin avant d'utiliser les données personnelles des clients Virgin ?

UN PRIX POUR LES FEMMES ENTREPRENEURES

Le prix « Entrepreneure responsable » vise à mettre en lumière deux notions importantes : promotion de l'entrepreneuriat au féminin, et la Responsabilité Sociétale de l'Entreprise (RSE). Et donc à promouvoir celles qui s'illustrent en la matière. Cette année, le jury vient de sélectionner six semi-finalistes. Trois seront récompensées, à l'issue d'un vote actuellement en cours auprès des membres du réseau EPWN. La lauréate finale sera, elle, choisie lors d'un grand oral devant le jury présidé par Margaret Milan, présidente de la fondation Éveil et Jeux.

Valérie Talmon, 22 janvier 2014, www.business.lesechos.fr

1. Quel est le but du prix « Entrepreneure responsable » ?

Concilier carrière et quête de sens : c'est possible !

Bocuse d'or, Fabrice Fontaine a rejoint, en octobre 2011, le groupe SOS où il occupe le poste de chef exécutif de Té-Le, traiteur éthique. Un virage à 180 degrés. Après avoir roulé sa bosse en France et à l'étranger pendant une quinzaine d'années, puis être devenu professeur à l'école hôtelière de Paris, il a pris, en 2003, la direction des restaurants du domaine de Chantilly, classés luxe. « J'avais envie de vivre une nouvelle aventure et ce défi avait tout pour me motiver », raconte-t-il. Travailler avec des produits bio, équitables et privilégier autant que possible les circuits courts étaient pour lui une première source de satisfaction. « J'étais assez mal à l'aise quand, pour répondre à la demande des clients, je devais proposer des fraisiers en plein mois de janvier », mentionne-t-il. [...]

Données personnelles : le « phishing », c'est quoi ?

INFO. – *87 % : c'est l'augmentation du nombre d'internautes victimes de phishing entre 2012 et 2013, d'après une étude du spécialiste de la sécurité informatique Kaspersky. Mi-janvier, ils sont près de 800 000 abonnés Orange visés par cette technique qui consiste à se faire passer pour un site de confiance (EDF, opérateur téléphonique, impôts, etc.) pour dérober des informations personnelles. L'opérateur a tenu à rassurer ses utilisateurs vendredi.*

C'EST QUOI LE PHISHING ? – *Ce terme informatique est un dérivé de l'anglais* fishing *(pêcher). Il s'agit d'une technique largement utilisée par les hackers pour récupérer des informations personnelles sur Internet, par exemple les adresses, mots de passe, informations bancaires ou encore numéros de téléphone. Pour cela, les pirates copient les e-mails d'entreprises ou de sites de confiance : EDF, impôts, opérateur téléphonique, site de e-commerce, etc. Le message reçu ressemble à s'y méprendre à un vrai, mais quelques indices permettent de repérer les arnaques.*

Johann Duriez-Mise, 3 février 2014, www.europe1.fr

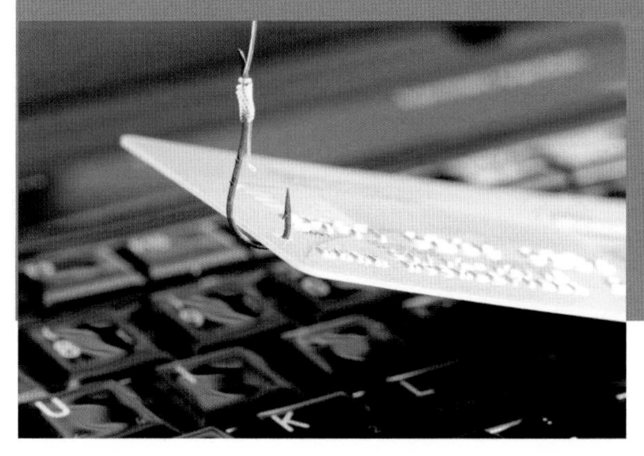

1. Qu'est ce que le phishing ?
2. Qui a été récemment, d'après l'article, victime de phishing ?

Internet et les données personnelles

▶ **Résumé** : Nicolas prépare un article sur la protection des données personnelles. Son ami Hugo le rejoint et l'interroge.

▶ **Objectifs**
- Comprendre la législation
- La protection des données personnelles

→ **Cahier d'activités**

L'autre challenge – aider les salariés en insertion qui représentent près de 50 % du personnel – n'a fait que renforcer son intérêt pour le poste. « Je mets tout en œuvre pour les rendre autonomes. Au début, ce n'est pas facile, mais quel plaisir quand on arrive à ce qu'ils aient le sourire et commencent à s'accrocher », ajoute ce pédagogue dans l'âme. En faisant ce grand saut, il a certes accepté de perdre 20 % de son salaire précédent, mais n'en a cure : « Qu'est-ce que la richesse ? », interroge-t-il face au bilan de son année et demie à la tête des fourneaux : 83 % des salariés en insertion sont maintenant en poste.

Laurence Estival, 26 décembre 2013, www.lexpress.fr

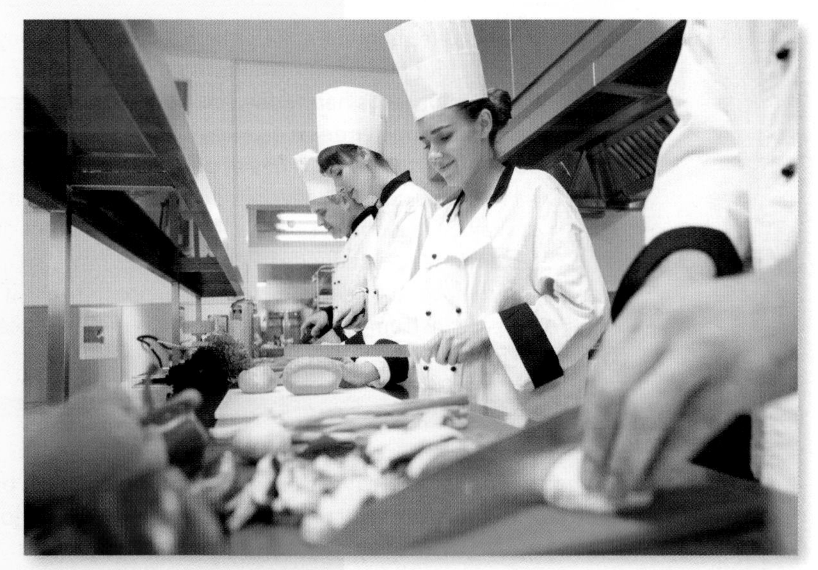

1. Qui est Fabrice Fontaine ?
2. Quelle est sa première source de satisfaction ? Et la deuxième ?

8 UNITÉ Entraînement aux examens

1 Compréhension de l'oral

Exercice 1
Lisez les questions, écoutez le document, puis répondez aux questions.

a. Qui est Catherine Moulin ?

b. Combien de clients compte SFR ?
- ❒ 21 millions de clients mobiles et 7 millions de clients Internet haut-débit.
- ❒ 20 millions de clients mobiles et 5 millions de clients Internet haut-débit.
- ❒ 21 millions de clients mobiles et 5 millions de clients Internet haut-débit.

c. Comment résume-t-on le mot d'ordre chez SFR ?

d. Quelle est la volonté de SFR ?
- ❒ Être une entreprise solidaire et citoyenne.
- ❒ Être une entreprise citoyenne et responsable.
- ❒ Être une entreprise solidaire et responsable.

e. Sur quels grands axes repose la stratégie de SFR pour le développement durable ?

f. Qu'a fait SFR au niveau de la solidarité ?

g. Combien d'associations a soutenu la Fondation en 2011 ?
❒ 127 ❒ 147 ❒ 187

h. Du point de vue environnemental, quels sont les enjeux de SFR ?
- ❒ Réduire la consommation énergétique de ses sites techniques.
- ❒ Accompagner ses clients, les entreprises et les particuliers.
- ❒ Obliger ses clients à réduire leur propre impact environnemental.

i. Citez un exemple concret d'enjeu environnemental pris par SFR ?

Exercice 2
Lisez les questions, écoutez le document, puis répondez aux questions.

a. Quelle est la question que pose l'homme qui réalise le micro-trottoir ?

b. Que répond la première personne interrogée ?

c. L'homme a rencontré :
- ❒ un problème de téléphone.
- ❒ un problème de réseau Internet.
- ❒ un problème de changement d'opérateur.

d. Que lui demandait son opérateur téléphonique ?

e. Combien a-t-il dû payer ?

f. La femme a rencontré :
- ❒ un problème de facture.
- ❒ un problème de livraison.
- ❒ un problème de commande.

g. Qu'a obtenu la cliente ?
- ❒ La société lui a renvoyé ses articles.
- ❒ La société l'a remboursée.
- ❒ La société a retrouvé ses articles.

2 Production orale

• Monologue suivi
Vous dégagez l'idée du texte ci-dessous et vous donnez votre opinion dans un court exposé de 2 minutes environ.

Appels téléphoniques, SMS, chats, recherches Google, statuts sur Facebook : chaque jour nous communiquons des données sur nos fréquentations, nos opinions, nos habitudes, nos peurs, nos désirs ou nos pensées intimes, sans nous soucier de ce qu'elles deviennent. Or ces informations privées sont enregistrées, stockées et peuvent facilement être analysées et exploitées. À l'heure où nous échangeons de plus en plus via Internet, des systèmes de surveillance globaux se déploient pour tirer profit du nouvel or noir du XXIe siècle : les données personnelles.
Internet, ce formidable outil d'émancipation, est-il en train de devenir le plus efficace instrument de contrôle jamais mis en place ?

Présentation du livre de Julian Assange, Menaces sur les libertés, *Robert Laffont, 2013 ; www.amazon.fr*

• Exercice en interaction
Votre patron vous propose de travailler le dimanche, vous lui posez des questions sur les conditions. Vous lui répondez en justifiant votre décision. (Le professeur joue le rôle du patron.)

3 Production écrite

Exercice 1

Vous avez répondu à un appel d'offres des marchés publics de la ville de Montpellier pour l'entretien des espaces verts. Vous expliquez dans un texte ce que vous proposez, et en quoi vos propositions sont bénéfiques pour l'environnement. (140 mots)

Exercice 2

Vous travaillez le dimanche, mais certains de vos collègues refusent de travailler le dimanche. Sur un forum consacré au travail du dimanche, vous expliquez les raisons pour lesquelles vous avez choisi de travailler le dimanche et celles pour lesquelles vos collègues refusent. (140 à 160 mots)

4 Compréhension des écrits

Lisez le document puis répondez aux questions en cochant la bonne réponse ou en écrivant l'information demandée.

À journée exceptionnelle, conditions de travail exceptionnelles. D'une part, travailler le dimanche ouvre en effet souvent droit à des avantages non négligeables ; d'autre part, les employeurs sont souvent plus généreux que le minimum légal. Dans certaines zones et aussi dans certains secteurs, comme le jardinage ou l'ameublement, le travail dominical est autorisé.
La loi oblige les employeurs à donner un jour de repos par semaine aux employés. Les employeurs n'ont pas le droit d'obliger leurs employés à travailler le dimanche. En principe, le dimanche, seuls les volontaires travaillent. Dans la réalité, les choses sont beaucoup plus compliquées.
Dans les zones touristiques où le travail dominical est autorisé depuis longtemps, le volontariat n'est pas obligatoire. Et il n'y a pas de rémunération exceptionnelle. Mais il existe parfois des accords locaux. Ainsi à Saint-Martin-de-Ré en Charente-Maritime, la rémunération des employés est multipliée par deux. Elle peut, lorsque l'employé le souhaite, être échangée contre un repos compensateur. Depuis 2009, dans les marchés aux puces*, la rémunération doit également être augmentée de 100 % le dimanche. Certaines enseignes comme les magasins Decathlon (articles de sport) ou Boulanger (électroménager) ont choisi de rémunérer de la même façon tous leurs salariés qui travaillent le dimanche. Ils appliquent cette règle que le magasin se trouve en zone touristique ou en zone de marché aux puces. Dans ces groupes, il y a aussi des règles qui permettent aux salariés qui le souhaitent d'arrêter de travailler le dimanche.
Dans le secteur de l'ameublement, les magasins peuvent ouvrir toute l'année le dimanche, dans toute la France. Ikea majore les salaires de 125 %. Les salariés peuvent travailler seulement un dimanche sur deux. Résultat, 78 % des employés d'Ikea se portent volontaires pour le travail dominical, affirme avec fierté la direction.

D'après www.lefigaro.fr, 10 octobre 2013.

* *Marchés d'occassion et de brocante.*

a. Les salariés sont-ils payés partout de la même façon le dimanche ?
b. Pourquoi le travail dominical en zones touristiques est moins favorable aux employés ?
c. Quels sont les avantages pour les salariés qui travaillent le dimanche à Saint-Martin-de-Ré?
d. Que prévoit la loi pour les marchés aux puces ?
e. Les règles sur le travail dominical sont différentes pour une même enseigne selon la localisation du magasin. ❒ Vrai ❒ Faux
f. Chez Decathlon et Boulanger, quand on choisit de travailler le dimanche, on ne peut plus changer ensuite. ❒ Vrai ❒ Faux
g. Que propose Ikea à ses employés qui travaillent le dimanche ?
h. Quelle est la conséquence ?

Bilan

1 Mettez les verbes au plus-que-parfait.

a. Quand je suis arrivé à la gare, je me suis rendue compte que je (acheter) un aller simple uniquement.
b. Au comptoir de la compagnie aérienne, ils m'ont dit que ma réservation (ne pas être) enregistrée.
c. Paul est arrivé en retard à l'aéroport, son avion (décoller) déjà.
d. Quand ils ont pesé son bagage, il s'est aperçu qu'il (mettre) trop de choses dans sa valise.
e. Audrey a envoyé les documents par mail mais lorsqu'ils ont commencé la réunion, le responsable ne les (ne pas recevoir).
f. Il était 19 heures quand Isabelle est sortie de réunion, elle (ne pas prévoir) de rentrer si tard.
g. Nous avons su deux jours avant le départ que les formalités de visa (ne pas régler).

2 Continuez les phrases. Introduisez une conséquence et utilisez un connecteur.

a. Les stations services aménagent des espaces de travail ...
b. Ma valise pesait 30 kilos ...
c. J'ai raté mon avion ...
d. Il y a eu un accident sur la voie ...
e. Elle n'a pas réussi à convaincre le prospect ...

3 Lisez le document et répondez aux questions.

Madame Aviet prend un billet de train pour monsieur Muguet qui revient de Grenoble le 7 mars et doit être à Paris avant 18 h 30. Monsieur Muguet à un rendez-vous important l'après-midi à 14 h et compte 30 mn de trajet de son rendez-vous à la gare. Il ne souhaite pas avoir de correspondance.
a. Quel train madame Aviet doit-elle choisir ? Justifiez.
b. Expliquez la différence de temps de transport entre les trains.

4 Monsieur Muguet fait sa demande de billet à madame Aviet. Madame Aviet donne à monsieur Muguet les informations sur sa réservation. À deux, jouez la scène entre madame Aviet et monsieur Muguet.

5 Conjuguez les verbes aux temps qui conviennent.

a. Si je (contacter) une association de consommateurs, elle (pouvoir) m'aider.
b. Si nous (aller) à Madrid, ça (être) plus simple.
c. Vous (obtenir) l'appel d'offres si vous (proposer) des tarifs plus intéressants.
d. Ils (arriver) à l'heure s'il (ne pas avoir) pris la mauvaise route.
e. Tu (accepter) de travailler le dimanche si on te (offrir) une prime ?

6 Écoutez le dialogue et répondez.

a. Pourquoi Madame Sévillon téléphone à Monsieur Turchetti ?
b. Quand monsieur Turchetti a-t-il prévu de commencer les travaux ?
c. Pourquoi madame Sévillon souhaite que les travaux commencent plus tôt ?
d. L'appel d'offres concerne :
❒ l'installation de structures de jeux sur les plages de La Rochelle.
❒ l'installation de structures de jeux dans les parcs de La Rochelle.
❒ l'entretien des structures de jeux de la ville de La Rochelle.
e. Madame Sévillon est-elle intéressée par le dossier de monsieur Turchetti ? Justifiez.

Aller le 07/03/2014 entre 13h24 et 15h20 – prix total pour 1 passager

	Ven 7 Mar.						
Départ	13h24	13h35	14h00	14h10	14h27	14h35	15h20
À partir de	63.90 €	69.50 €	68.50 €	64.90 €	63.90 €	89.90 €	88.00 €
Durée	03h38 1 corresp.	04h18 2 corresp.	03h53 1 corresp.	04h05 2 corresp.	03h48 1 corresp.	03h48 1 corresp.	03h03 Direct
Voyagez avec	TER	TGV TER Autocar	TGV Autocar	TGV TER	TGV TER	TGV TER	TGV TGV

7 Récrivez les phrases en remplaçant les mots en gras par des pronoms.

a. Elliott a parlé de **son cas à la CNIL**.
b. La compagnie aérienne a rappelé **le règlement aux passagers**.
c. Notre association aide **les consommateurs** à régler **leurs problèmes**.
d. Il note **les horaires de son avion dans son agenda**.
e. Le directeur a parlé **de la modification du planning à Amélie**.

8 Associez le mot à sa définition.

a. Un voucher •	• Étiquette ou marque apposée sur un produit.
b. Un visa •	• Une compensation ou une réparation suite à un problème.
c. Un dédommagement •	• Titre échangeable contre une prestation hôtelière.
d. Un label •	• Cachet sur un passeport qui donne le droit de séjourner dans un pays.

9 Complétez avec un pronom relatif composé.

a. Les associations ... nous avons fait appel sont très efficaces.
b. L'agence de voyage ... nous sommes passés est réputée.
c. Les appels d'offres ... ils ont répondu sont intéressants.
d. Le magasin ... Olivier travaille est ouvert le dimanche.
e. L'hôtel ... nous avons dormi est situé en centre ville.
f. Le voyage d'affaires ... nous venons de rentrer s'est bien passé.
g. Le rendez-vous d'affaires ... je viens de sortir était long.
h. Le compte-rendu ... tu as noté toutes les informations était très détaillé.

10 Répondez aux questions en utilisant des pronoms indéfinis.

a. Vous connaissez une association de consommateurs ?
b. Tu as rencontré les entreprises qui ont répondu à l'appel d'offres ?
c. Est-ce que ces appels d'offres sont intéressants ?

11 Choisissez le terme qui convient.

a. Pour aller à Pékin, il y a une *escale / annulation* à Shanghai.
b. L'avion part du *quai / terminal* 4B.
c. Je ne trouve pas ma carte *d'enregistrement / d'embarquement*.
d. Pour obtenir un *dédommagement / excédent*, vous devez remplir un formulaire.
e. Grâce à la *convocation / convention* de Montréal, vous serez dédommagé en cas de perte de bagages.

12 Continuez les phrases. Utilisez le subjonctif.

a. La CNIL existe pour que ...
b. Nous avons lancé un appel d'offres pour que ...
c. J'ai contacté l'hôtel pour que ...

13 Complétez le texte avec les mots proposés.
pli cacheté – un appel d'offres – une procédure – les délais

Pour répondre à ..., il faut suivre ... précise. Il faut bien respecter les différentes étapes et répondre dans ... . Il ne faut pas oublier de joindre tous les documents sous ... avant la date indiquée. Ensuite, il ne vous reste plus qu'à attendre les résultats !

14 Associez chaque cause à sa conséquence puis reliez les phrases par un connecteur.

a. Je n'ai pas pu assister à ma réunion...
b. L'entreprise a accès aux noms de tous les clients...
c. La RSE n'est pas appliquée par beaucoup d'entreprises...
d. L'accès doit être facilité...

1. l'employé se déplace en fauteuil roulant.
2. le concept est méconnu.
3. le rachat du fichier Virgin.
4. l'annulation du vol par la compagnie aérienne.

15 Complétez le texte avec les mots proposés.
conclure – le voucher – affaires – un client – forcer – un excédent – réservé – autorisé – le contrat – mission – négociation – l'avion

La semaine dernière, je suis partie en ... . J'ai ... une chambre dans un hôtel en centre ville. J'ai pris ... en classe ... . J'avais ... de bagages. Le poids de ma valise était supérieur au poids ... Quand je suis arrivée à l'hôtel, ils m'ont demandé ... . Je me suis installée et le soir même, j'avais rendez-vous avec ... . Après une longue ..., il a fini par signer ... . J'ai eu du mal à ... le marché. J'ai dû lui ... la main !

16 Complétez avec un pronom démonstratif.

a. Je vais prendre ce vol. Non, prends plutôt ...
b. J'aime bien cette compagnie aérienne. Moi, je préfère ...
c. Lucas a étudié les appels d'offre. Ce sont ... les plus intéressants.

Lancer et répondre à une procédure d'appel d'offres

Objectif : lancer et répondre à une procédure d'appel d'offres en incluant des enjeux sociaux et environnementaux.

Étape 1

Travaillez par petits groupes. Chaque groupe prépare un appel d'offres pour le produit ou le service de son choix.
Dans l'appel d'offres, vous insistez sur l'importance du développement durable et/ou de la RSE. Ce sera un des critères de sélection des dossiers.
Pour rédigez l'appel d'offres, vous pouvez vous aider du document proposé à la page 99. Pour préparer l'appel d'offres, vous pouvez utiliser une carte heuristique.
Exemple :

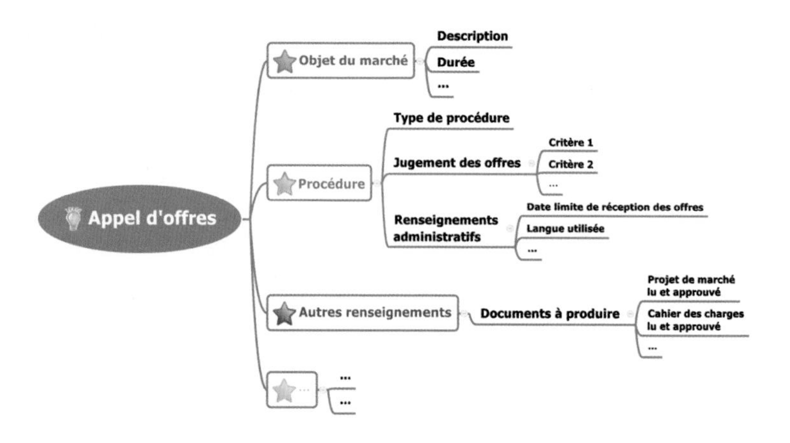

Étape 2

Chaque groupe présente son appel d'offres aux autres apprenants qui peuvent poser des questions.

Étape 3

Chaque groupe choisit deux appels d'offres et propose une réponse pour chacun en veillant à bien respecter la demande.
Dans votre réponse, pensez à mettre en avant les enjeux sociaux et environnementaux de votre entreprise.

Étape 4

Vous présentez vos appels d'offres. Chaque groupe choisit ensuite celui qui remporte la réponse à son appel d'offres.
Vous devez justifiez votre choix.

Méthode

Lancer un appel d'offres

- Déterminer précisément l'objet de l'appel d'offres.
- Expliquer précisément la procédure : critères de sélection, renseignements administratifs, date limite de candidature...
- Indiquer les documents à produire.
- Indiquer les conditions de remise des offres.

Vive la crise !

UNITÉ 9

PRÉSENTATION DES CONTENUS

Je présente et je commente des résultats et des données chiffrées, je décrypte la crise économique et financière, j'apprends à rebondir en temps de crise, je découvre des idées originales et innovantes.

J'ai besoin des éléments grammaticaux suivants :

Le discours indirect
Le passif
Les pronoms *en* et *y*

J'ai aussi besoin des outils lexicaux suivants :

Les commentaires de données chiffrées
La crise économique
L'innovation

9 UNITÉ Vive la crise !

1 Les résultats de l'entreprise

Monsieur Ménez, directeur général de l'entreprise Gilfoc, présente les résultats de l'entreprise pour l'année 2013.

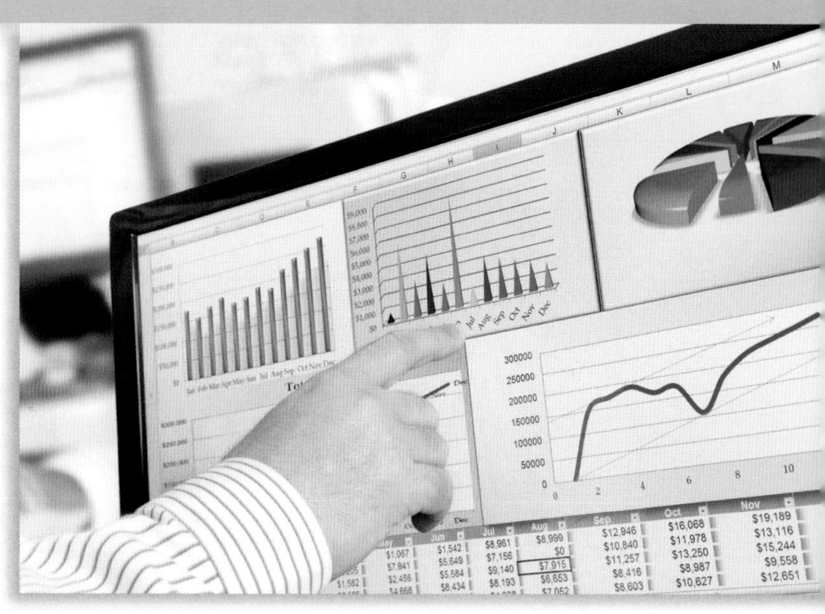

Notre société a enregistré, en 2013, un chiffre d'affaires de 1,14 milliard d'euros, soit une augmentation de 3,3 % par rapport à l'année dernière. S'élevant à 153 millions d'euros, le résultat d'exploitation a progressé de 10 % par rapport à 2012. Le bénéfice par action (BPA) s'élève à 0,70 euro, soit une augmentation de 11,1 % par rapport au BPA de 0,63 euro enregistré en 2012. Nos actionnaires vont être satisfaits.

Nous affirmons donc aujourd'hui avec fierté que nous avons conservé notre place de leader européen des services aux entreprises et ce malgré un environnement économique difficile. L'année 2013 a été très contrastée, avec un premier semestre très bon et une fin d'année où nous avons constaté un ralentissement net de la croissance et une attitude prudente de certains de nos clients.

(...) Voir transcription p. 155

1. Écoutez l'enregistrement et répondez.

a. Qu'apprend-t-on sur le chiffre d'affaires de Gilfoc ?
b. Qu'est-ce que le BPA ? Comparez le BPA entre 2012 et 2013 ?
c. Comment ont évolué les commandes de Gilfoc ?
d. Quel était le contexte économique en 2013 ?
e. Quelles sont les prévisions pour 2014 ?

Les mots pour

- Par rapport à
- Le résultat d'exploitation
- Le bénéfice par action (BPA)
- La fierté
- Le leader
- Contrasté(e)
- Porter ses fruits
- Un équilibre
- Une tendance
- Maintenir la rentabilité
- Afficher une croissance positive

GRAMMAIRE

Le discours indirect

Il sert à rapporter des paroles ou des pensées. Il est introduit par des verbes comme *dire, déclarer, affirmer, penser...* suivi de *que, si...*

• *Adèle dit que les bénéfices* ***augmentent****.*	*(présent)*
→ *Adèle a dit que les bénéfices* ***augmentaient****.*	*(imparfait)*
• *Adèle dit que les bénéfices* ***ont augmenté****.*	*(passé composé)*
→ *Adèle a dit que les bénéfices* ***avaient augmenté****.*	*(plus-que-parfait)*
• *Adèle dit que les bénéfices* ***vont augmenter****.*	*(futur proche)*
→ *Adèle a dit que les bénéfices* ***allaient augmenter****.*	*(aller à l'imparfait + infinitif)*
• *Adèle dit que les bénéfices* ***augmenteront****.*	*(futur)*
→ *Adèle a dit que les bénéfices* ***augmenteraient****.*	*(conditionnel)*

Les marqueurs temporels subissent aussi des changements.
jeudi prochain → le jeudi suivant ; dimanche dernier → le dimanche précédent ; demain → le lendemain ; hier → la veille...

Les phrases interrogatives
• Avec un mot interrogatif : ***Quand*** *est-il arrivé ? → Il a demandé* ***quand*** *il était arrivé.*
• Interrogation directe : *Vous allez à la réunion ? → Il a demandé* ***si*** *nous allions à la réunion.*

1 Mettez au discours indirect.

a. Monsieur Menez a affirmé : « Gilfoc est leader européen des services informatiques. »
b. Il a déclaré : « Nos clients ont eu une attitude prudente. »
c. Il a dit : « Les Suédois augmenteront leurs commandes en 2014. »
d. Les assistants ont demandé : « Savez-vous quelle pourrait être la tendance pour l'année prochaine ? »
e. Quelqu'un a demandé : « Le contexte européen sera favorable ? »

2 L'entreprise communique ses comptes annuels

①

BILAN 2012		
ACTIF	Total de l'actif immobilisé	4 243 971
	Total de l'actif réalisable	612 761
	Total de l'actif disponible	438 382
	TOTAL DE L'ACTIF	5 295 114
PASSIF	Capitaux propres	3 717 953
	Provisions pour risque et charges	93 121
	Total des dettes	1 484 040
	TOTAL DU PASSIF	5 295 114

(...) Voir transcription p. 155

Les mots pour

- L'actif immobilisé / réalisable / disponible
- Le passif
- L'actif
- Les capitaux propres
- Une provision
- Un risque
- Une charge
- Une dette
- Un total / Des totaux
- L'actif circulant
- Fluctuant(e)
- Les créances clients
- La trésorerie
- Financer
- Le capital social
- Les organismes sociaux
- L'impôt
- Être équilibré(e)
- Un document comptable

2. Écoutez l'enregistrement, observez le document n° 1 et répondez.

a. Qu'est-ce que l'actif immobilisé ?
b. Pourquoi l'actif réalisable est-il fluctuant ?
c. À quoi est consacré la deuxième partie de la présentation.
d. Pourquoi peut-on dire que le bilan est équilibré ?

3. Écoutez l'enregistrement, observez le document n° 2 et répondez.

a. Qu'est-ce qu'un CR ? À quoi sert-il ?
b. Au cours de l'exercice 2012, le patrimoine de l'entreprise s'est-il enrichi ? Justifiez.

4. a. Complétez le tableau puis présentez-le.
b. Le résultat avant impôt donne-t-il un bénéfice ou un déficit ?

②

Total de l'actif immobilisé	2012
Produits d'exploitation	9 287
Charges d'exploitation	- 24 087
Quotes-parts de résultat sur opérations faites en commun	- 42
Résultat d'exploitation	182 827
Résultat financier	167 985
Résultat courant	-24 759
Résultat exceptionnel	34 768
RÉSULTAT NET	177 994

RÉSULTAT D'EXPLOITATION	*Vente de produits finis*	+ 75 000 €
	Produits en stock	+ 12 000 €
	Achat de matières premières	- 14 500 €
	Salaires	- 45 000 €
	Charges patronales	- 22 000 €
	TOTAL	...
RÉSULTAT FINANCIER	Intérêts perçus	**+ 200**
	Intérêts sur emprunt	**- 750**
	TOTAL	...
RÉSULTAT EXCEPTIONNEL	Plus-value sur cession	**+ 1 200**
	TOTAL	...
RÉSULTAT D'EXPLOITATION		...
RÉSULTAT FINANCIER		...
RÉSULTAT EXCEPTIONNEL		...
RÉSULTAT AVANT IMPÔTS		...

Les mots pour

- Le compte de résultat (CR)
- Un produit d'exploitation
- Une charge d'exploitation
- Une quote-part
- Net / Brut
- Un état financier
- Un flux
- Le patrimoine
- Un produit fini
- Une matière première
- Une charge patronale
- Un intérêt perçu
- Un intérêt sur emprunt
- Une plus-value
- Une cession

↘ Micro-tâche

Présentez les données ci-dessous dans un tableau ordonné (vous pouvez utiliser un logiciel de votre choix), puis présentez les résultats à la classe (total actif, total passif, et situation nette). Recherchez les termes que vous ne connaissez pas en français.

ACTIF (en millions d'euros) : immobilisations corporelles et incorporelles : 257 562 – immobilisations financières : 167 930 – stocks : 32 229 – créances : 54 949 – trésorerie active : 13 338 – autres : 8 247.
PASSIF (en millions d'euros) : dettes financières : 893 937 – dettes non financières : 92 758 – provisions pour risques et charges : 50 078 – trésorerie passive : 65 528 – autres : 25 097.

9 UNITÉ — Vive la crise !

1 Parler de la crise financière

1. Lisez le document et répondez.

a. Quand dit-on qu'un pays est en excédent ? Et quand est-il en déficit ?
b. Qu'est-ce qu'un pays créditeur ? Et un pays débiteur ?
c. Qu'est-ce que la dette privée ?
d. Quelles ont été les conséquences des prêts aux ménages ces dernières années ?

Les mots pour

- Un excédent / Être en excédent
- Un déficit
- Exporter / Une exportation
- Importer / Une importation
- Persistant(e)
- Compenser
- Un déséquilibre structurel
- Un pays créditeur
- Un pays débiteur
- Les ménages
- Un taux d'intérêt
- Une institution financière
- Un mécanisme
- Emprunter / Un emprunt
- Recouvrir
- Un(e) épargnant(e)

Tout a commencé par les excédents et déficits commerciaux. Un pays est en excédent s'il exporte plus qu'il n'importe, c'est-à-dire quand il produit plus qu'il ne consomme. Il est en déficit dans le cas inverse, c'est-à-dire s'il dépense plus pour importer des biens qu'il ne gagne pas en vendant sa propre production.
Les excédents et déficits persistants (tout excédent est forcément compensé par des déficits dans une autre partie du monde) engendrent un déséquilibre structurel mondial.
Les pays créditeurs, soit ceux qui connaissent des excédents commerciaux (Allemagne, Chine, Japon...), prêtent sur les marchés financiers internationaux l'argent qui résulte de la différence entre leurs exportations et leurs importations.
De leur côté, les pays débiteurs, qui souffrent de déficits commerciaux (Grèce, États-Unis), empruntent cet argent sur les marchés financiers pour financer leurs importations.
Avec ces emprunts, la dette privée, c'est-à-dire la dette des ménages et des entreprises, augmente. En effet, l'argent proposé par les pays créditeurs à des taux d'intérêt intéressants est emprunté par les ménages et les entreprises qui souhaitent consommer plus qu'ils ne produisent et sont une cible évidente, via les banques et les institutions financières.
Il y a cependant un grain de sable dans le mécanisme : les emprunts qui ne peuvent être remboursés (*bad loans* en anglais). Ces dernières années, les banques ont beaucoup prêté aux ménages et au secteur de l'immobilier. Avec la hausse du chômage, cela a mal tourné puisque ces derniers n'ont plus été capables de rembourser leurs emprunts.
Or si une banque ne recouvre pas l'argent qu'elle a prêté, il lui est difficile de faire face à ses obligations vis-à-vis des épargnants ou des autres banques. C'est toute la chaîne financière qui est touchée.

www.europarl.europa.eu.

2 Rebondir en temps de crise

Journaliste : On parle d'une crise globale, c'est-à-dire financière, économique et aussi sociale. Certains cèdent à la panique, d'autres cherchent des coupables...
Femme : Oui, c'est vrai. Mais heureusement, certains se tournent vers l'avenir et développent les aptitudes nécessaires pour sortir gagnant de cette situation. On a vu des chefs d'entreprise affronter la crise et en profiter pour rebondir.
Journaliste : Avez-vous quelques conseils à donner aux entrepreneurs pour pouvoir traverser cette période avec succès ?
Femme : Tout d'abord, et c'est fondamental, il faut faire preuve d'optimisme.

(...) Voir transcription p. 155

Les mots pour

- La panique
- Coupable / Un(e) coupable
- Une aptitude
- Sortir gagnant
- Affronter
- Rebondir
- L'optimisme
- Le bout du tunnel
- Saisir une opportunité
- Un territoire
- Clarifier
- Contre-productif / Contre-productive
- La lucidité

2. Écoutez l'enregistrement et répondez.

a. Expliquez « une crise globale ».
b. De quelles qualités faut-il faire preuve pour surmonter la crise ?
c. Pourquoi faut-il savoir ralentir ?

3 Décrypter la crise

La crise économique bouleverse profondément la situation économique d'un pays, ou d'un ensemble de pays. Elle commence par un krach qui a ensuite des répercussions dans tous les domaines de l'économie.

- Des prêts immobiliers sont accordés à des ménages dont la solvabilité est fragile et qui risquent, par conséquent, de ne pas pouvoir rembourser.
- Des sociétés ont pour rôle d'évaluer les placements grâce à une note.
- Une stratégie d'investissement consiste à mobiliser des sommes empruntées aux banques pour se lancer dans des opérations spéculatives.
- Les prix d'un secteur – par exemple l'immobilier, la bourse, Internet... – sont surévalués avant de dégringoler.
- La banque centrale européenne (BCE) introduit du cash (des milliards d'euros) dans le circuit monétaire de la zone euro.

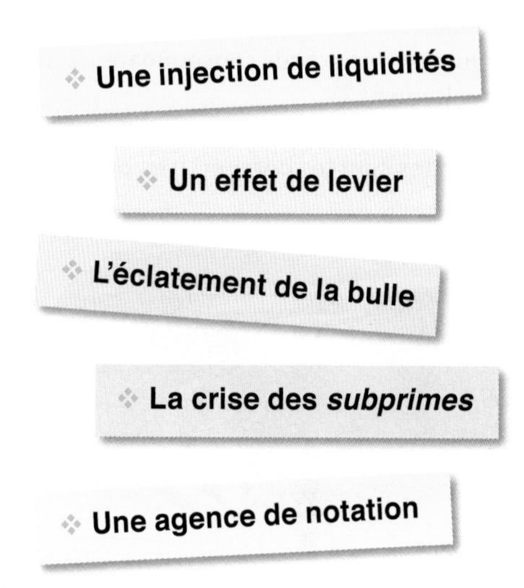

Les mots pour

- Un krach
- Un prêt immobilier
- Accorder
- Évaluer
- Un placement
- Une opération spéculative
- Surévaluer
- Dégringoler
- Le cash
- La zone euro
- Le circuit monétaire
- Une injection de liquidités
- Un effet de levier
- L'éclatement de la bulle
- La crise des *subprimes*
- Une agence de notation

3. Associez les répercussions de la crise économique à la rubrique correspondante.

4. Citez le nom d'au moins une agence de notation, puis expliquez le rôle de ces agences.

5. Que signifie l'anglicisme « cash » ?

GRAMMAIRE

Le passif

À la forme passive, le complément d'objet direct devient le sujet et le sujet devient un complément introduit par « *par* ». On ajoute l'auxiliaire *être* conjugué au temps du verbe à la voix active.

- *Ils **construisent** une usine. → Une usine **est** construite.*
- *Jules **a ouvert** un magasin. → Un magasin **a été** ouvert **par** Jules.*
- *On **avait fait** des travaux. → Des travaux **avaient été** faits.*

1 Mettez les phrases au passif.

a. Malgré la crise, cet entrepreneur a ouvert une nouvelle usine.
b. Avant la crise, Paul avait investi de l'argent dans plusieurs projets.
c. Aujourd'hui, on emploie de plus en plus de personnes dans le secteur de l'environnement.
d. Elle classe ses priorités avec méthode.

↘ Micro-tâche

Par groupes, vous préparez une revue de presse sur la crise. Chaque groupe se charge de la presse d'un pays francophone : la France, la Belgique, le Cameroun, le Sénégal... Devant la classe, vous faites une revue de presse : vous présentez la situation du pays que vous aurez analysé, vous expliquez comment il se situe actuellement face à la crise.

9 UNITÉ Vive la crise !

1 Le luxe résiste à la crise

1. Lisez le document et répondez.

a. Comment progressent les ventes dans le secteur du luxe ?
b. Qui sont les grands consommateurs du luxe actuellement ?
c. Qui domine le marché du luxe ?
d. Quelles sont les perspectives pour ce secteur ?

La progression des ventes du luxe dépasse 10 % par an depuis 2010. Et tous les clignotants restent au vert...

Un îlot de prospérité dans un océan de morosité. Avec des marges de plus de 20 % en 2011 et des ventes toujours aussi robustes depuis le début de l'année, le luxe est l'une des rares industries à traverser la crise sans encombre. [...]
C'est en Asie, et notamment en Chine, où se concentre désormais la moitié des dépenses de luxe du continent, que l'augmentation des ventes est la plus forte (+18 %), devant la zone Amériques (+13 %) et l'Europe (+5 %). Plus de 70 % des 607 milliards d'euros de chiffre d'affaires générés en 2010 par l'industrie du luxe ont atterri dans les caisses de groupes européens. Le mobilier design, les berlines et la mode au sens large sont les grandes spécialités de l'Union.

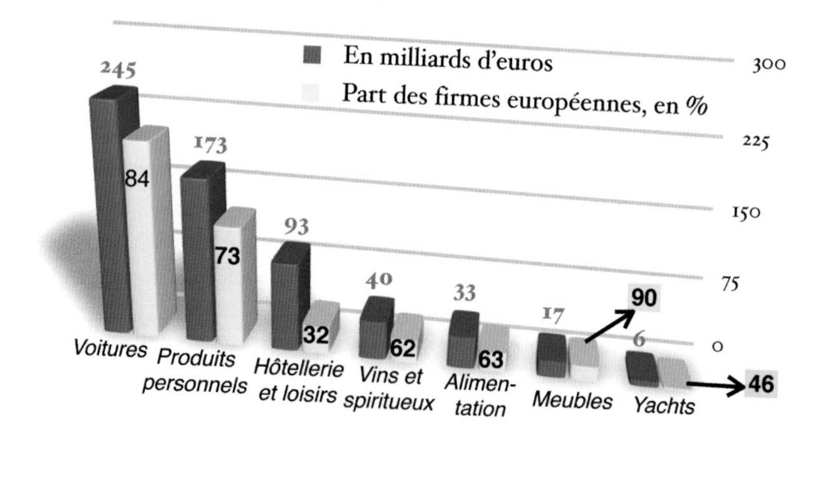

www.capital.fr, 25 février 2013.

Les mots pour

- Le luxe
- Un clignotant
- La prospérité
- La morosité
- Une marge
- Robuste
- Sans encombre

2 Marchés porteurs et marchés de niche

Pour atteindre rapidement le succès, il est essentiel de créer et développer son business dans un marché porteur ou une niche qui très souvent permettent de rapporter beaucoup d'argent, car la demande est toujours plus forte que l'offre !
Ces marchés porteurs peuvent être une véritable mine d'or pour toute entreprise qui s'y développe ! Des opportunités restent à prendre ! Pour optimiser vos chances de réussite, trouvez un domaine encore peu exploité et lancez-vous ! [...]
Tout d'abord, il faut savoir qu'un marché porteur est un secteur d'activité économique qui est en pleine expansion, en croissance car la demande en produits ou services est plus forte que l'offre ! L'émergence d'entreprises sur ces marchés est donc facilitée !
Un marché de niche est un marché très étroit correspondant à un produit ou service très spécialisé. La concurrence est souvent peu présente et moins forte, mais la demande est limitée et plus faible que sur un marché porteur !

www.centre-news.fr, 21 avril 2013.

Les mots pour

- Un marché porteur
- Un marché de niche / Une niche
- Rapporter de l'argent
- Une mine d'or
- Optimiser
- Un domaine peu exploité
- Être en pleine expansion
- L'émergence
- Étroit(e)

2. Lisez le texte et répondez.

a. Que faut-il faire pour avoir du succès avec son entreprise ?
b. Qu'est-ce qu'un marché porteur ? Et une niche ?
c. Où la concurrence est-elle plus forte ? Et où est-elle peu présente ?

3 Une chômeuse en fin de droits qui crée... un site d'emploi !

C'est mon boulot par Philippe Duport

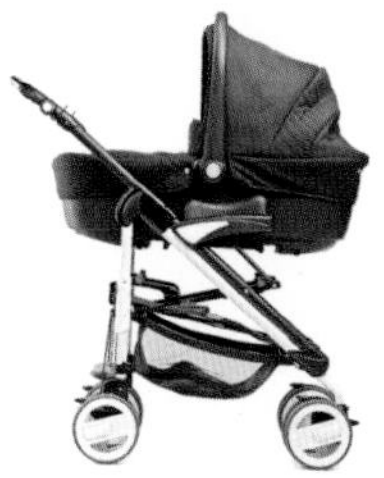

On parle création d'entreprise avec aujourd'hui l'initiative d'une femme au chômage depuis trois ans. Elle est comptable de formation, en fin de droits. Et elle s'est lancée toute seule dans la création d'un site Internet... justement pour permettre aux autres de trouver du boulot.

30 décembre 2013, www.franceinfo.fr

3. Écoutez l'enregistrement et répondez.

(...) Voir transcription p. 156

a. Quelle est la formation d'Isabelle ? Quelle est sa situation actuellement ?
b. Quelle est la particularité de son site ?
c. Comment lui est venue cette idée ?
d. Combien lui a coûté le lancement de son site ? Avait-elle de l'argent pour cela ?
e. Quelles sont les propositions de boulots les plus fréquentes ?

Les mots pour

- Être en fin de droits
- Se lancer
- Le boulot
- Lancer un site
- Prendre sur ses économies
- Référencer un site
- Un site pratique
- Cumuler des petits boulots
- Mettre du beurre dans les épinards
- Rapporter de l'argent

GRAMMAIRE

Les pronoms *en* et *y*

Le pronom ***en*** remplace un complément direct introduit par un article indéfini (*un, une, des*), un article partitif (*du, de la, de l'*), un article numéral (*un, deux, trois...*) ou une quantité (*beaucoup, assez...*).
- *Cette banque accorde **des prêts** à un taux intéressant.*
- → *Cette banque **en** accorde à un taux intéressant.*

Le pronom ***y*** remplace un complément introduit par *à*, ou un complément de lieu introduit par une autre préposition que *de* (*chez, en...*). Il ne remplace jamais un nom de personne.
- ***Dans notre village**, plusieurs initiatives solidaires ont été mises en place.*
- → *Plusieurs initiatives **y** ont été mises en place.*

1 Répondez en utilisant les pronoms *en* ou *y*.

a. Vous connaissez une initiative intéressante pour trouver des créateurs ?
b. Avez-vous participé à ce projet ?
c. Avez-vous lancé dans votre entreprise des campagnes solidaires ?
d. Vous avez pensé à un slogan ?
e. Vous avez créé un nouveau site ?
f. Depuis quand travaille-t-il chez Danone ?

Phonétique

Le R français

En français, le /R/ se prononce au niveau de la gorge, et non au niveau de la langue et des dents supérieures.
Écoutez le son /R/, puis répétez.
• tu arrives – progresser – un crédit – la dette privée – porter ses fruits

↘ Micro-tâche

Par deux, vous choisissez un secteur d'activité et deux pays dont un pays francophone. Vous recherchez des données chiffrées. Vous réalisez une brève étude comparative que vous présentez au reste de la classe sous la forme que vous préférez : un exposé oral, une présentation en PowerPoint, une carte mentale...

Le « made in France » fait vendre

Vincent Gruau, PDG de Majencia a réusi à sauver de la faillite son entreprise de mobilier de bureau en misant sur la fabrication française.

« Fabriquer en France, ça vaut le coût ! Économiquement, socialement et sur le plan de l'environnement. » Vincent Gruau, PDG de Majencia, a fait un pari dans un secteur « considéré comme perdu » : arrivé fin 2004 comme directeur financier, il a réussi à sauver de la faillite Samas (devenue Majencia), fabricant centenaire de mobilier de bureau. « J'ai tout misé sur la fabrication française. » Entre autres décisions, il a relocalisé une ligne de production de caissons mobiles partie en Chine dans les années 1990. « Le prix de revient n'y était que de 20 % inférieur et la moitié de ce gain était mangée par les coûts de transport Chine-Europe, constate Vincent Gruau. Il y avait 10 % de gain de productivité à trouver pour rendre un produit fabriqué ici aussi compétitif qu'un produit made in China transporté. »
Ce sont les ouvriers qui ont pointé l'amélioration possible : réduire le temps de manutention. La croissance repart en 2008 et ne s'est pas interrompue depuis.
La relocalisation en France répond mieux aux besoins du client : flexibilité, délais, petites commandes. « On peut fabriquer des meubles roses à pois vert, ironise l'industriel. Quand tout est sous-traité en Chine vous n'avez le choix qu'entre le noir et le gris. »
Aujourd'hui Majencia est florissante avec 104 millions d'euros de chiffre d'affaires réalisés en 2010 pour 2,6 millions de résultat net. Il y a quatre ans, elle réalisait 90 millions d'euros de chiffre d'affaires et perdait 20 millions d'euros. [...]
Le « made in France » s'exporte également bien. Gautier, fabricant vendéen de meubles, utilise cet argument de vente pour placer ses canapés design jusqu'en Inde. Il réalise désormais 30 % de son chiffre d'affaires (150 millions d'euros) à l'export.

Etienne Gless, 31 juillet 2012, www.lentreprise.lexpress.fr

1. Comment Vincent Gruau a-t-il réussi à sauver son entreprise ?
2. Quels sont les avantages du « made in France » pour le client français ?
3. Quel argument de vente utilise le fabricant de meubles Gautier ? Pourquoi d'après vous ?

« Sauveteur » pour étudiant étranger

Deux jeunes diplômés lyonnais ont lancé un site d'aides pratiques (banques, logement, assurances) à destination des étudiants étrangers qui viennent s'installer en France.

Deux étudiants tout juste diplômés de l'École de commerce de Lyon, Louis Bonduelle et Hubert Dubois Athenor, originaires du nord de la France, lancent dans la ville où ils ont fait leurs études, Lyon, un site dédié à l'accueil des étudiants étrangers.
Des services clés en main fort utiles aux jeunes Erasmus et autres étudiants en cursus international : accès aux banques, logement, assurances, téléphonie, sport... Un passeport et l'accès à une communauté d'internautes pour contourner la barrière de la langue, les lourdeurs administratives, les délais d'attente, le stress.
Le projet des jeunes entrepreneurs est de créer des agences sur le territoire national avec une stratégie multilocale.

Marion Bain et Patricia Salentey pour LEntreprise.com, 14 août 2013, www.lentreprise.lexpress.fr

1. Quelle est l'idée des deux jeunes étudiants ?
2. Quel est leur projet ?

La solidarité en période de crise

C'est une idée toute simple, qui fait son chemin depuis quelques mois : la « baguette en attente ». Le principe ? Les clients paient deux baguettes (ou plus) à leur boulanger, l'une d'elle est « mise en attente » et sera disponible gratuitement pour la personne qui viendra la demander. Le concept s'inspire des « cafés suspendus » venus d'Italie et qui se développent également en France.
Jean-Manuel Prime, animateur d'une page Facebook qui recense les nouvelles initiatives, a lancé l'idée en Auvergne au printemps dernier. Une vingtaine de boulangeries ont déjà annoncé la mise en place de ce système, à Rouen, Évreux, Bordeaux, Amiens, Saint-Nazaire, Quimper... Un logo (libre de droit), une petite affiche, quelques documents explicatifs sont disponibles. À chacun ensuite de diffuser l'idée, d'en parler à son boulanger. Celui-ci inscrit les baguettes en attente ou « suspendues » sur une feuille, sur un tableau. « L'enjeu est que les gens sachent que cela existe », explique Jean-Manuel Prime. Cela fonctionne plutôt bien dans les secteurs où la population dispose de peu de moyens. L'initiative peut bénéficier à tous, étudiants, personnes âgées, SDF... ».
Payer une baguette à un inconnu, nouvelle forme de solidarité ? « J'ai de plus en plus de sollicitations depuis quelques semaines », souligne l'initiateur, qui a mis en place une carte des boulangeries concernées.

www.bastamag.net, 26 novembre 2013.

Une baguette en attente s'exporte, après la Suisse et le Canada, l'idée fait des émules au Liban. Aujourd'hui, 18 boulangeries libanaises pratiquent « le pain en attente ».

1. Expliquez l'initiative de Jean-Manuel Prime.
2. Donnez votre avis sur cette initiative.

« Doudou et ses belles-mères » : une lucarne chinoise au Sénégal

Dernière offensive chinoise en Afrique francophone : la conquête du petit écran. Avec un feuilleton doublé par des acteurs locaux, « Doudou et ses belles-mères », diffusé sur une télévision sénégalaise.

Pas facile pour Doudou, jeune mariée, de s'attirer les bonnes grâces de ses deux belles-mères – l'ancienne épouse et la nouvelle du père de son mari – alors que ces dernières se détestent cordialement et que l'une d'elles vient s'installer sous son toit.
Ce scénario, qui rappellera peut-être aux téléspectateurs sénégalais les vicissitudes des relations entre coépouses, constitue la trame de *Doudou et ses belles-mères*, une série diffusée depuis le 14 décembre 2013 par la RTS 1. Avec cette particularité que l'histoire se déroule en Chine et que le doublage en français des comédiens véhicule la pointe d'accent caractéristique des Sénégalais.
Venue compléter, sur la RTS, l'éventail des telenovelas brésiliennes et des séries « bollywoodiennes », *Doudou et ses belles-mères* représente, selon l'ambassadeur de Chine à Dakar, Xia Huang, « une expérience sans précédent ». C'est en effet la première fois qu'une série chinoise en version française est diffusée dans un pays francophone. Pour l'occasion, dix-huit comédiens sénégalais se sont rendus à Pékin afin de doubler les dialogues des trente-six épisodes. Mais ils ne se sont pas arrêtés là puisque des doublages ont également été réalisés pour cinq autres séries et huit longs-métrages. « Il y a une volonté de la Chine de faire mieux connaître sa culture et la vie quotidienne de sa population », explique Tai Xueqing, directrice des programmes de Radio Chine internationale à Dakar, le média audiovisuel qui a supervisé le doublage.

Mehdi Ba, 22 janvier 2014, www.jeuneafrique.com

1. Quelle est la particularité de la série *Doudou et ses belles-mères* ?
2. Expliquez le choix des chinois ? Qu'en pensez-vous ?

9 UNITÉ

Entraînement aux examens

1 Compréhension de l'oral

Exercice 1
Lisez les questions, écoutez le document, puis répondez aux questions.

a. Qu'est-ce que FairCoop ? Qui a créé FairCoop ?
b. Dans quels autres pays ce projet s'est-il développé ?
c. En Belgique, combien sont-ils à adhérer au mouvement ?
❒ 200 producteurs ❒ 600 producteurs ❒ 500 producteurs
d. Et en France?
e. Combien de litres de lait consomme chaque Français par an ?

Exercice 2
Lisez les questions, écoutez le document, puis répondez aux questions.

a. Pourquoi Stéphane a-t-il décidé de créer son entreprise ?
b. Quel a été son parcours professionnel les 12 derniers mois ?
c. Quelle est l'activité de son entreprise ?
d. Quels sont les produits qu'elle propose ?
e. Selon vous, Gaspard semble-t-il intéressé par l'entreprise de Stéphane ? Justifiez.

2 Compréhension des écrits
Lisez l'article puis répondez aux questions.

Première agence de voyage et d'événementiel dédiée au public handicapé, YOOLA innovait dès 2010 en étant la seule agence au monde à proposer des séjours adaptés pour la Coupe du Monde de la FIFA en Afrique du Sud.

Première agence de voyage et d'événementiel dédiée au public handicapé, Yoola se lance aussi sur le marché des box.

Trois valeurs phares régissent cette jeune entreprise : le handicap, la sensibilisation et l'accessibilité. Tout d'abord, le handicap est au cœur du service proposé, la logistique et les partenaires sont ainsi parfaitement adaptés. De plus, Yoola permet de sensibiliser les partenaires au handicap, et devient intermédiaire entre les organisateurs des évènements et les personnes handicapées. Enfin, l'accessibilité à tous les lieux fréquentés est assurée.

La start-up sociale ne manque pas d'idées : une YoolaBox a été lancée récemment, permettant à un proche d'offrir un cadeau original et accessible aux personnes en situation de handicap.

www.lentreprise.lexpress.fr, 14 février 2014.

a. Quel est le domaine d'activité de Yoola ?
b. Quelle est la particularité de cette entreprise ?
c. Quels services offre-t-elle ?
d. Quel produit a-t-elle récemment mis sur le marché ?

3 Production écrite

Vous recevez ce mail d'une amie. Vous lui répondez et vous lui donnez des conseils et des idées.

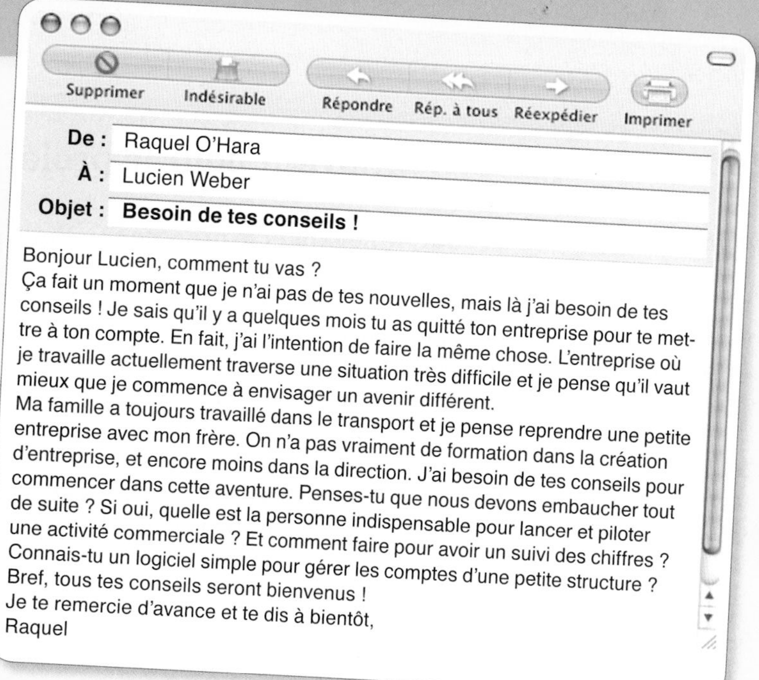

Supprimer Indésirable Répondre Rép. à tous Réexpédier Imprimer

De : Raquel O'Hara
À : Lucien Weber
Objet : **Besoin de tes conseils !**

Bonjour Lucien, comment tu vas ?
Ça fait un moment que je n'ai pas de tes nouvelles, mais là j'ai besoin de tes conseils ! Je sais qu'il y a quelques mois tu as quitté ton entreprise pour te mettre à ton compte. En fait, j'ai l'intention de faire la même chose. L'entreprise où je travaille actuellement traverse une situation très difficile et je pense qu'il vaut mieux que je commence à envisager un avenir différent.
Ma famille a toujours travaillé dans le transport et je pense reprendre une petite entreprise avec mon frère. On n'a pas vraiment de formation dans la création d'entreprise, et encore moins dans la direction. J'ai besoin de tes conseils pour commencer dans cette aventure. Penses-tu que nous devons embaucher tout de suite ? Si oui, quelle est la personne indispensable pour lancer et piloter une activité commerciale ? Et comment faire pour avoir un suivi des chiffres ? Connais-tu un logiciel simple pour gérer les comptes d'une petite structure ? Bref, tous tes conseils seront bienvenus !
Je te remercie d'avance et te dis à bientôt,
Raquel

4 Production orale

- **Exercices en interaction**

a. Voici le bilan annuel de l'entreprise pour laquelle vous travaillez. Vous commentez les chiffres et l'évolution. Le professeur pose des questions pour obtenir des détails ou des explications.

	31/12/13	31/12/12	Variation	Évolution (%)
Actif immobilisé	289 200	232 900	+ 56 300	+ 23,54 %
Actif circulant	64 100	133 200	- 69 100	- 51,9 %
Total actif	353 300	366 100	- 12800	- 3,50 %

b. Vous travaillez dans une entreprise française du secteur pharmaceutique. Lors d'une réunion, vous êtes amené à commenter les tableaux suivants sur les exportations de médicaments. Le professeur, assistant à cette réunion, posera quelques questions.

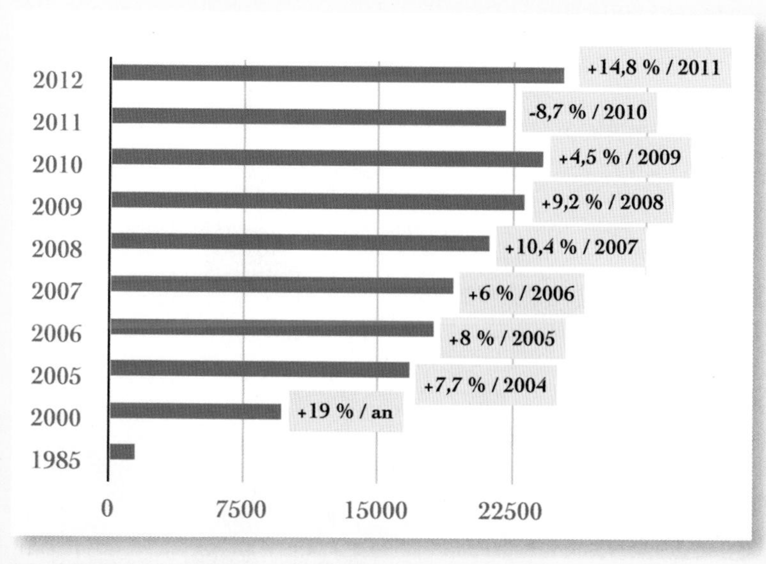

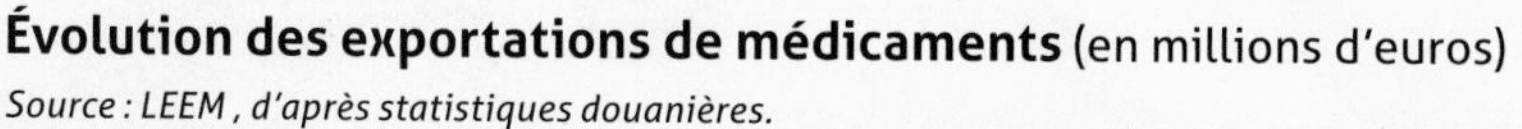

Évolution des exportations de médicaments (en millions d'euros)
Source : LEEM, d'après statistiques douanières.

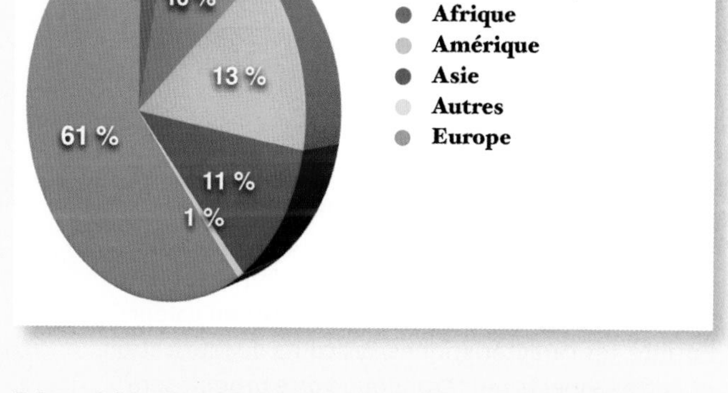

Répartition des exportations françaises de médicaments par zone géographique en 2012 (en millions d'euros)
Source : statistiques douanières.

9 UNITÉ

Tâche

Proposer un produit innovant pour le projet Quirky de Auchan

Objectif : imaginer un produit innovant et le proposer en ligne pour le projet Quirky de Auchan.

Étape 1

Constituez des groupes de travail. Chaque groupe va réfléchir sur un produit qui pourrait être vendu en grande surface. Ce produit doit avoir certaines caractéristiques afin qu'il soit retenu par le projet Quirky de Auchan : il doit être astucieux, ou innovateur, ou utile, ou original, ou simple à fabriquer, bon marché... Ou tout à la fois !

Étape 2

Lisez le document ci-dessous. Vous pouvez aussi aller sur la page d'accueil du projet Quirky Auchan. Vous prenez connaissance des conditions de participation, des modalités d'inscription et de présentation des produits...

Le fonctionnement de Quirky

- **Soumettez votre idée**
  Cela n'a pas d'importance, il peut s'agir d'un gribouillis, d'une phrase, ou d'un produit totalement abouti !
- **Aidez-nous à décider**
  Votez pour les idées que vous aimez, et améliorez-les. Regardez-nous ensuite chaque mois en direct débattre des meilleures idées, et choisir les plus prometteuses.
- **Influencez et gagnez de l'argent**
  Aidez-nous dans des choses allant du choix de la couleur à la conception d'un produit et gagnez de l'argent !
- **En faire une réalité**
  Quirky utilise les techniques industrielles les plus avancées pour créer vos produits.
- **Le monde s'enrichit**
  Le monde a accès à un produit qui n'aurait jamais existé sans votre aide et vous aurez plus d'argent pour acheter de nouvelles chaussures, ou ce que vous voulez !

www.auchan.fr

Étape 3

Préparez le dossier de présentation que vous allez adresser au site Quirky de Auchan. N'hésitez pas à ajouter des dessins, des schémas, des photos de votre produit, avec des explications claires sur le fonctionnement, sa fabrication... Mettez en valeur l'utilité, les caractéristiques, les coûts de fabrication, et autres aspects qui feront que votre produit sera sélectionné, fabriqué, puis finalement mis en vente.

Étape 4

Chaque groupe présente son produit devant la classe. Si les projets sont aboutis, ils pourront être postés sur le site Quirky de Auchan.

Je crée mon entreprise

UNITÉ 10

PRÉSENTATION DES CONTENUS

Je fais le point sur mes compétences et mes motivations, je me renseigne sur les aides à la création d'entreprise, je procède à un recrutement, j'analyse la situation des femmes entrepreneures.

J'ai besoin des éléments grammaticaux suivants :
Les articulateurs du discours
Les verbes de sentiments
La préposition *sans* + infinitif

J'ai aussi besoin des outils lexicaux suivants :
Le bilan de compétences
Les aides à la création d'entreprise
L'innovation
Les femmes entrepreneures

10 UNITÉ Je crée mon entreprise

1 Un bilan de compétences : qu'est-ce que c'est ?

Émile a rendez-vous avec sa supérieure hiérarchique.

Barbara : Bonjour Émile. Je vous en prie, asseyez-vous.
Émile : Bonjour Barbara. Je vous remercie.
Barbara : Alors vous m'avez demandé un rendez-vous. Que se passe-t-il ?
Émile : Eh bien, depuis un certain temps, je m'interroge sur ma carrière, sur ma place dans l'entreprise… Ça fait 10 ans que je travaille chez Inter Média. Alors j'ai pensé qu'il était temps que je fasse un bilan de compétences.
Barbara : C'est votre droit. Je suis plutôt favorable, cependant, nous devons en parler. Je songeais même un peu à vous le suggérer…
Émile : Ah bon ?
(…) Voir transcription p. 157

1. Écoutez l'enregistrement et répondez.

a. Pourquoi Émile envisage-t-il de faire un bilan de compétences ?
b. Que pense Barbara ?
c. Selon Barbara, pourquoi un bilan pourra aider Émile ?
d. Que va faire Émile après l'entretien avec sa supérieure ?

Les mots pour

- Un bilan de compétences
- Une carrière
- Être favorable
- Être motivé(e)
- S'investir
- Une restructuration
- Des opportunités d'évolution
- Un changement
- Réaliste
- Réalisable
- Un cabinet de conseil
- Formaliser une demande
- Enclencher un processus

---

2 Témoignages

(…) Voir transcription p. 157

Stéphanie, chargée de marketing junior, 27 ans

Gaëlle, commerciale, 33 ans

Driss, ingénieur, 31 ans

Adrien, webdesigner, 33 ans

Marianne, assistante de direction, 30 ans

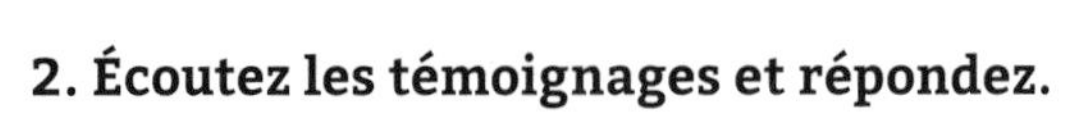

2. Écoutez les témoignages et répondez.

a. Pourquoi Adrien a-t-il fait un bilan de compétences ?
b. Quelle est la durée d'un bilan de compétences ?
c. Que permet le bilan de compétences ?
d. Qu'est-ce que la VAE ?
e. Expliquez l'investissement nécessaire pour faire un bon bilan de compétences.

Les mots pour

- Porter un regard critique
- Une évaluation
- Une expertise
- Une aide à la décision
- Tourner en rond
- Être déstabilisé(e)
- Être perçu(e)
- Se prendre en charge
- Un miracle
- S'investir
- Un doute
- Une session
- S'avérer
- Nuisible
- Salutaire
- Une validation des acquis de l'expérience (VAE)
- S'accumuler

3 Un rapport de bilan de compétences

3. Lisez le document et répondez.

a. À quoi sert ce graphique ?
b. D'après vous, que sont les compétences interpersonnelles ?
c. Et la culture numérique ?
d. Quelles sont les principales compétences de cette personne ? Quelles sont celles qu'elle devrait développer ?

↘ Micro-tâche

Faites la liste des compétences les plus importantes dans votre travail. Évaluez ces différentes compétences et présentez-les sous la forme d'un graphique. Expliquez au reste du groupe vos points forts et vos points faibles.

Les mots pour

- Une toile d'araignée
- Épineux / Épineuse
- Un domaine d'intérêt / de compétence
- La culture numérique
- Interpersonnel(le)

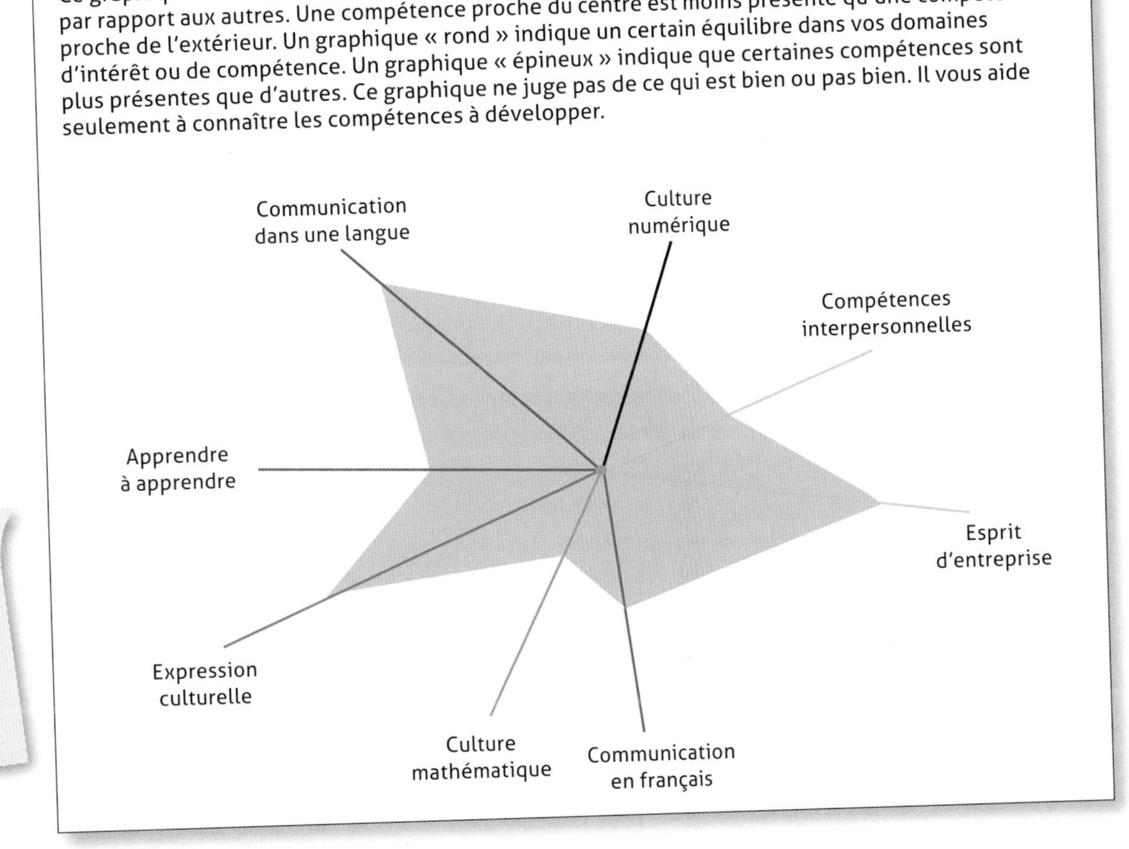

Ce graphique en toile d'araignée montre les tendances qui caractérisent vos compétences les unes par rapport aux autres. Une compétence proche du centre est moins présente qu'une compétence proche de l'extérieur. Un graphique « rond » indique un certain équilibre dans vos domaines d'intérêt ou de compétence. Un graphique « épineux » indique que certaines compétences sont plus présentes que d'autres. Ce graphique ne juge pas de ce qui est bien ou pas bien. Il vous aide seulement à connaître les compétences à développer.

Vous voulez établir le profil de vos compétences ? Allez sur le site http://diagnosticompetences.iportfolio.velay.greta.fr/

GRAMMAIRE

Les articulateurs du discours

En plus des articulateurs chronologiques (voir p. 13), il existe d'autres articulateurs qui servent à structurer le discours.

- Pour ajouter une idée : *par ailleurs, de plus, d'autre part, en outre...*
- Pour donner un exemple ou insister : *notamment, en particulier, quant à, à propos de, en ce qui concerne...*
- Pour exprimer des conséquences : *de ce fait, c'est pourquoi, par conséquent...*
- Pour résumer : *en bref, en définitive...*
- Pour exprimer une réserve : *toutefois, cependant, néanmoins, par contre...*
- Pour exprimer une opposition : *en revanche, au contraire...*
- Pour présenter deux idées : *d'une part... d'autre part...*
- Pour marquer un obstacle : *encore* (+ sujet inversé...)

1 Complétez avec les articulateurs suivants : *au contraire – encore – cependant – d'une part... d'autre part*

a. On n'est ... pas obligé d'utiliser ces heures.
b. ... faut-il savoir ce qu'est le DIF !
c. Faites ressortir vos potentialités ..., et ... présentez vos compétences.
d. ..., j'aimerais évoluer au sein de cette entreprise.

10 UNITÉ Je crée mon entreprise

1 L'aventure de l'entrepreneuriat

Journaliste : Bonjour à tous pour ce nouveau numéro de notre émission « Bienvenue les entrepreneurs ». Aujourd'hui, nous sommes heureux que Serge Da Silva, entrepreneur dans l'innovation, nous accompagne pour nous parler de son parcours. Bonjour Serge et bienvenue.
Serge Da Silva : Bonjour.
Journaliste : Alors Serge, racontez nous votre parcours.
(...) Voir transcription p. 157

Les mots pour

- Un parcours
- Un doctorat
- Le génie chimique
- Une thèse
- L'esprit d'initiative
- Adopter une stratégie
- Abandonner
- Décrocher un contrat
- Stabiliser
- Un incubateur
- Un business plan

1. Écoutez l'enregistrement et répondez.

a. Quelle est la première étape de l'aventure de Serge Da Silva ?
b. Quelle décision a-t-il pris en 2007 ? Pourquoi ?
c. De quelles aides a-t-il bénéficié ?
d. Qu'est-ce que lui a permis le concours national de la création d'entreprises ?
e. Que fait-il en plus de son métier d'entrepreneur ?
f. Quels conseils donne-t-il aux jeunes qui se lancent dans la création d'entreprise ?

2 Les prix à l'innovation

2. Lisez le document et répondez.

a. « Y'a d'l'idée », qu'est-ce que c'est ?
b. À qui s'adresse ce concours ?
c. Selon vous, à quoi correspondent les différentes catégories ?
d. Que peut-on gagner ?

Y'a d'l'idée !

Concours régional de l'innovation en Basse-Normandie

Bienvenue sur le portail du concours de l'innovation !

Ouvert aux porteurs de projets bas-normands ou visant une implantation en Basse-Normandie, le concours « Y'a d'l'idée ! » a pour objectif d'encourager l'innovation, de valoriser les jeunes équipes porteuses de projets et de promouvoir produits, organisations ou services innovants, technologiques et non technologiques. Il récompense 5 catégories de projets :

- ➔ Espoirs de l'innovation
- ➔ Innovation de demain
- ➔ Innovation et services
- ➔ Innovation et produits
- ➔ Innovation et sociétés

Conditions d'accès

Le concours régional de l'innovation 2013 est ouvert à tout projet porté par des candidat(e)s bas-normands : entreprises, laboratoires et équipes de recherche publics, créateurs d'entreprises innovantes, lycéens de l'enseignement technologique et professionnel, étudiants de l'enseignement supérieur et associations.

Dotations

Grâce au soutien de partenaires privés, le concours est doté de 3 prix de 10 000 € pour les catégories « innovation et services », « innovation et produits » et « innovation et société ». Les catégories « espoirs » et « innovation de demain » seront soutenues sous forme de conseil et d'études.

D'après http://concours-innovation.fr

GRAMMAIRE

Les verbes de sentiments

En général, les verbes qui expriment les sentiments sont suivis du subjonctif.

- *Je suis surpris / étonné / triste / content / désolé que... + subjonctif*
- *J'ai honte / peur que... + subjonctif*

→ *Je **suis heureux** que mon projet **soit** choisi.*

Le verbe ***espérer*** se construit avec l'indicatif.
- ***J'espère** que notre investissement **sera** rentable.*

1 Conjuguez le verbe entre parenthèses.

a. Je suis surprise que votre projet (avoir) abouti.
b. Je serais heureux que tu (venir) travailler dans mon entreprise.
c. Je suis étonnée qu'on m'(accorder) une subvention.
d. Je suis désolé que ton entreprise ne (aller) pas mieux.

2 Transformez les phrases comme dans l'exemple.

- *Je suis content de réussir → Je suis content qu'il réussisse.*

a. J'ai honte d'abandonner. (tu) →
b. Je préfère le faire moi-même. (vous) →
c. Je suis désolé d'avoir quitté la réunion. (il) →
d. Je suis fier d'avoir gagné le concours. (nous) →

3 Les incubateurs

Les mots pour

- Un talent
- Le tout-connecté
- Le big data
- Une application mobile
- Un contrat de licence
- L'avant-garde
- Le secteur de l'audiovisuel
- La gamification
- Un partenariat

Les médias, nouveaux incubateurs de start-up ?

Qu'est-ce que c'est ? *Canal Start* est une structure créée par le groupe Canal + destinée à *« aider, encourager, et accompagner des talents porteurs d'idées et de projets entrepreneuriaux »*, indique le site dédié à l'incubateur.

À qui s'adresse-t-il ? À des *« start-up de toutes nationalités, tournées vers le secteur des médias et particulièrement sensibles à l'environnement du tout-connecté, de la vidéo, du big data, des réseaux sociaux et applications mobiles. »* Fabienne Fourquet, directrice des nouveaux contenus chez Canal + a indiqué dans une interview à *20 Minutes* que quatre à cinq start-up par an seront sélectionnées et que 50 000 à 150 000 euros seront investis par le groupe pour chaque projet. Le partenariat peut également être commercial (échange de services, contrat de licence, etc.)

Pourquoi ? L'objectif est de permettre au groupe Canal + de *« continuer à être à l'avant-garde de l'innovation dans le secteur de l'audiovisuel. »* Plus concrètement, le groupe pourrait ainsi être au courant des dernières innovations dans les domaines cités (big data, vidéo, mobile, gamification, réseaux sociaux, HTMPL5) et s'assurer des partenariats privilégiés avec leurs créateurs.

www.meta-media.fr/, 5 janvier 2014.

3. Lisez le texte et répondez.

a. Quel est le projet de Canal + ?
b. À qui s'adresse ce projet ?
c. Quels secteurs d'activité sont concernés ?
d. Quelles sont les sommes investies ?
e. Quel est le but de ce projet ?

Phonétique

Les sons /ʃ/ et /ʒ/

- /ʃ/ : un **ch**ef d'entreprise, une re**ch**er**ch**e, une tâ**ch**e, pro**ch**aine
- /ʒ/ : un pro**j**et, un **j**eu, un apprentissa**g**e, une straté**g**ie

↘ Micro-tâche

Vous lancez un concours pour un projet innovateur dans votre entreprise ou dans votre école.

Vous devez concevoir la page d'accueil du site du concours.

Les éléments suivants devront apparaître sur la page d'accueil :
– la présentation générale du concours ;
– à qui est destiné le concours ;
– quelles sont les catégories qui seront récompensées ;
– les prix à gagner.

10 UNITÉ Je crée mon entreprise

1 Je recrute

1. Lisez le texte et répondez.

a. Comment comprenez-vous une manière « artisanale » de recruter ?
b. Pourquoi le potentiel est-il essentiel dans la sélection des candidats ?
c. Qu'est-ce qui est un ressort de motivation important ?

Les mots pour

- Artisanal(e) ≠ Professionnel(le)
- Un fondateur / Une fondatrice
- La compatibilité
- La culture d'entreprise
- Un contributeur
- Un ressort de motivation
- La maturité

Premiers recrutements : comment choisir les « bonnes » compétences ?

Une fois que l'on a trouvé du financement pour se lancer, on se lance en général dans les premiers recrutements. On passe alors du rôle d'entrepreneur à celui de « manager », à devoir sélectionner des collaborateurs, à leur définir des objectifs, à les rémunérer, à organiser l'ensemble du travail dans la société.

L'expérience montre que les méthodes de recrutement évoluent rapidement avec la croissance de l'entreprise. Elles démarrent de manière artisanale avec un tour du réseau proche des fondateurs et puis on passe à des méthodes plus professionnelles. Les entretiens de recrutement ont lieu après un premier tri de CV selon les profils recherchés pour les postes à pourvoir. Ils servent à valider la personnalité et sa compatibilité avec la fonction et aussi avec la culture de l'entreprise, les acquis (compétences, expérience), et enfin, le potentiel. Ce dernier point est essentiel. Une start-up est une entreprise en forte croissance et il est souhaitable que les premiers embauchés puissent évoluer en responsabilité rapidement. Celui ou celle que vous recrutez comme « contributeur individuel » doit pouvoir à terme prendre plus de responsabilités.

Tous ne seront pas dans ce cas-là. Mais il est souhaitable qu'un nombre suffisant d'entre eux puisse le faire. C'est d'abord un ressort de motivation important que de pouvoir évoluer dans une entreprise de croissance. Ensuite, les évolutions internes coûteront moins cher à la start-up que le recrutement de « managers expérimentés » à l'extérieur, même si à un certain stade de maturité, la start-up devenue PME n'y coupera guère.

www.lentreprise.lexpress.fr, septembre 2013.

2 Des femmes entrepreneures témoignent

(...) Voir transcription p. 158

2. Écoutez les témoignages et répondez.

a. Quels sont les effets négatifs des préjugés sur les femmes chefs d'entreprises ?
b. Pourquoi les banques hésitent souvent à faire un prêt à une femme ?
c. Qu'a fait la dirigeante de l'imprimerie pour affirmer son autorité auprès de ses collaborateurs masculins ?

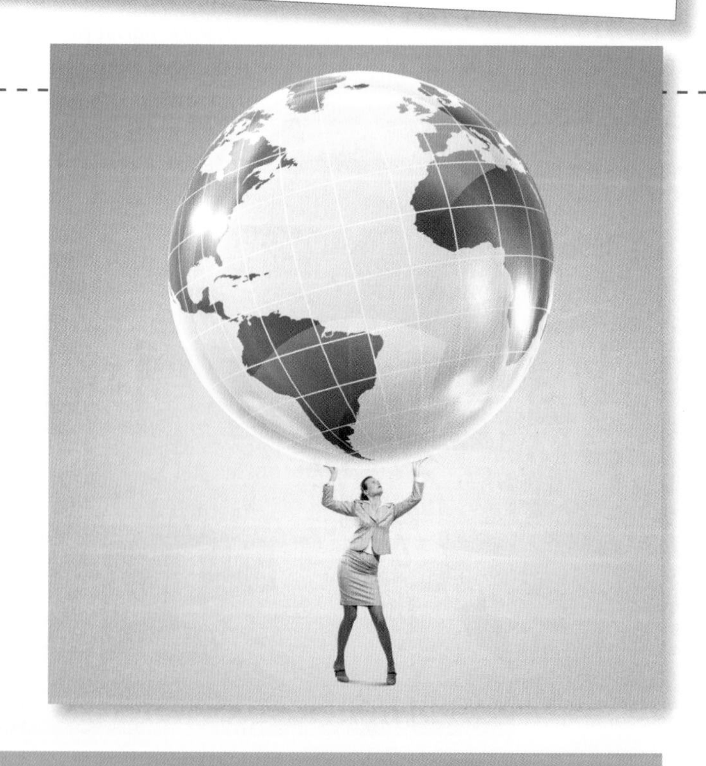

Les mots pour

- Être confronté(e) à des préjugés
- Tenace
- La crédibilité
- Se faire voler la vedette
- Imposer/affirmer son autorité
- Le charisme
- La détermination
- Être déboussolé(e)
- Le sexe faible
- Une plaisanterie de potache
- Jouer cartes sur table
- Un(e) récalcitrant(e)
- Accaparant(e)

↘ Micro-tâche

Vous venez de créer votre entreprise. Vous êtes dans un ascenseur et vous devez présenter à la personne qui vous accompagne votre entreprise. Vous avez seulement une minute pour être convaincant(e).

3 Bruxelles à l'heure du *speedmeeting*

http://www.mefbruxelles.be/evenements/rencontre-recruteurs-speedmeeting/

➡ Rencontres recruteurs (Speedmeeting)

Faciliter la rencontre entre l'offre et la demande !

Régulièrement, la Maison de l'Emploi et de la Formation organise des rencontres entre employeurs et chercheurs d'emploi bruxellois. Ces moments privilégiés permettent à des employeurs à la recherche de profils spécifiques de s'entretenir individuellement avec des candidats potentiellement intéressés et répondant aux exigences de la fonction. Plus ciblées et restreintes qu'une bourse à l'emploi, ces rencontres réunissent un maximum de 50 à 80 personnes.

Concrètement, comment cela se déroule-t-il ?

La rencontre débute par une présentation de l'employeur sur le métier et les critères exigés pour le poste. Par la suite, les candidats peuvent poser leurs questions et établir un premier contact avec les recruteurs. Ils ont également l'occasion de laisser leur CV et de s'inscrire aux éventuels tests de recrutement obligatoires chez certains employeurs.

Ces sessions organisées sur mesure répondent à un réel besoin tant du côté des chercheurs d'emploi que des employeurs. Une belle opportunité pour favoriser la rencontre entre l'offre et la demande et permettre à davantage de bruxellois d'accéder au marché de l'emploi !

3. Lisez le document et répondez.

a. Qu'est-ce que propose la Maison de l'Emploi et de la Formation de Bruxelles ?
b. Pourquoi est-ce plus intéressant pour les recruteurs qu'une bourse à l'emploi ?
c. Comment se déroulent les rencontres ?

4. Vous participez à un *speedmeeting*. Un apprenant est l'employeur et un autre le candidat. Jouez la scène à deux.

Les mots pour

- Le *speedmeeting*
- Spécifique
- Potentiellement
- Ciblé(e)
- Restreint(e)
- Une bourse à l'emploi

GRAMMAIRE

La préposition *sans* + infinitif

Après la préposition ***sans*** le verbe est à l'infinitif.

- *Elle a créé son entreprise et n'a pas eu de subvention.*
→ *Elle a créé son entreprise **sans avoir** de subvention.*
- *Elle écrit en anglais et ne consulte pas le dictionnaire.*
→ *Elle écrit en anglais **sans consulter** le dictionnaire.*

1 Transformez les phrases en utilisant *sans*.

- *Elle a obtenu un financement et n'a pas eu de facilités.*
→ *Elle a obtenu un financement sans avoir de facilités.*

a. Elle a quitté Paris et ne nous a pas encore donné sa nouvelle adresse.
b. Il nous a donné son accord mais ne l'a pas mis par écrit.
c. Ils ont pris une décision et ne m'ont pas consulté.

2 Transformez les phrases comme dans l'exemple.

- *Je ne voudrais pas vous blesser, mais ce travail est mauvais.*
→ *Sans vouloir vous blesser, ce travail est mauvais.*

a. Je ne veux pas être trop optimiste, mais je suis sûre que ça va marcher.
b. Je ne voudrais pas vous paraître injuste, mais son projet est meilleur que le vôtre.

Vérone Mankou, le « Steve Jobs » congolais

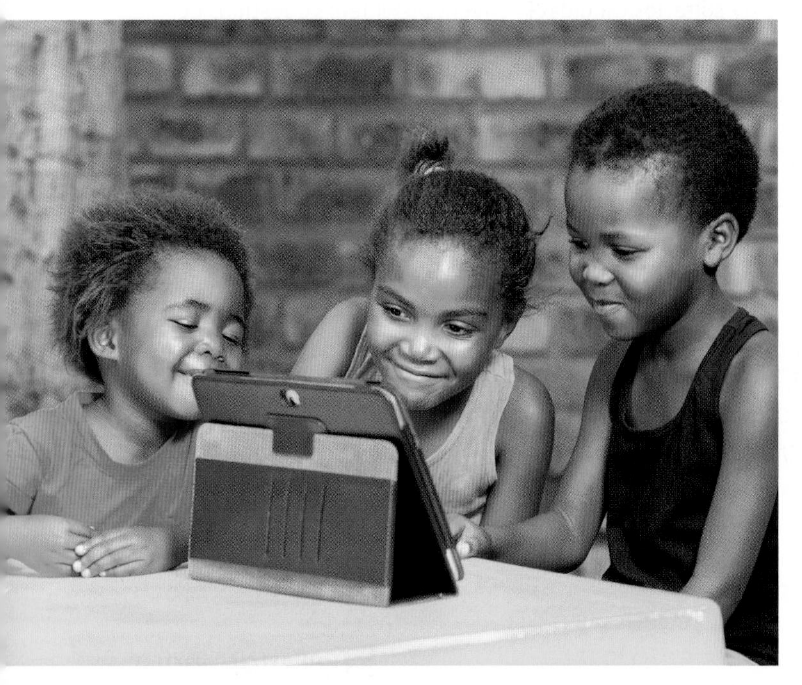

Il faut mettre des visages sur le boom économique à l'œuvre sur le continent africain. Le Congolais Vérone Mankou, vingt-sept ans, fait partie de cette génération d'entrepreneurs pour lesquels tout semble possible.

Vérone Mankou est l'un des jeunes voltigeurs de cette Afrique désormais en marche. Il a vingt-sept ans. Il est le président-fondateur de la société congolaise VMK (« Vou Mou Ka », soit « Réveillez-vous », en dialecte kikongo, version SMS), créée en 2009. Une sorte d'ovni du secteur des télécoms dans son pays. Il est aussi le père de la première « tablette » africaine, la Way-C, lancée en décembre 2011, du premier smartphone africain, Elikia (« Espoir » en lingala, la langue nationale du Congo), mis sur le marché fin 2012, et de l'Elikia Mokè, un portable polyvalent plus usuel, sorti en septembre dernier et déjà le plus acheté au Congo, selon son concepteur. Des produits qui trahissent une obsession et son grand dessein : mettre à la disposition du plus grand nombre d'Africains des outils de communication de qualité, capables de rivaliser avec les grandes marques, mais à un prix abordable. « Il ne suffit pas de proposer de bons produits, encore faut-il qu'ils soient accessibles », explique Vérone Mankou. Dans un monde où le principe des terminaux à bas prix liés à des abonnements ou forfaits proposés par les opérateurs téléphoniques n'existe pas, il fallait des produits « secs » attractifs : la Way-C de 7 pouces fonctionnant avec Androïd 2.3 coûte moins de 200 euros, l'Elikia, qui utilise une version personnalisée du logiciel libre Android le plus utilisé au monde, 115 euros, et le petit Mokè, 38 euros. Prolongement logique de cette démarche, celui qui doit son étonnant prénom à la passion d'amis de ses parents pour Shakespeare a pour souci constant de mettre en avant sur son VMK Market les applications mises au point par des développeurs africains… au service des Africains.

Daniel Bastien, www.lesechos.fr, 20 janvier 2014.

1. Quels sont les produits créés par Vérone Mankou ?
2. Qu'est-ce qui a poussé Vérone Mankou à créer ces produits ?

LE PROFIL DES CRÉATRICES D'ENTREPRISE

Pour dresser un rapide portrait des créatrices d'entreprise, les femmes entrepreneures ont en moyenne 48 ans, sont davantage présentes dans le secteur des services, et sont également plus diplômées que leurs homologues masculins. Elles gèrent des entités plus petites en termes de nombre de salariés et de chiffre d'affaires et déclarent travailler en moyenne 50 heures par semaine, soit moins que les hommes chefs d'entreprises.

www.redressement-productif.gouv.fr

L'Ouvre-Boîtes 44 : l'épargne cOOpitaliste, une nouvelle forme de financement

L'Ouvre-Boîtes 44, coopérative d'entreprises, a pour objectif de soutenir les entrepreneurs dans leur projet : hébergement mais aussi accompagnement administratif et financier.

Dans le paysage des structures d'aides à la création d'entreprise, l'Ouvre-Boîtes 44 a une posture bien à elle. Cette coopérative d'entreprises a la vocation d'aider les entrepreneurs à développer leur projet. « On leur fournit les outils classiques administratifs, techniques et comptables tout en leur proposant un accompagnement personnalisé au sein d'un réseau d'entrepreneurs locaux », explique Frédéric Ratouit, responsable développement à l'Ouvre-Boîtes 44.
Pour intégrer l'Ouvre-Boîtes 44, aucune formation particulière n'est requise puisqu'aucune sélection n'est faite à l'entrée sur le cursus scolaire ni sur les activités de la future entreprise. « Ce sont d'ailleurs beaucoup de personnes en recherche d'emploi qui rejoignent la coopérative, concède Frédéric Ratouit. À l'occasion d'un licenciement, elles profitent de ce temps libéré autour de leurs compétences pour créer leur propre emploi ou leur propre société ».
Le concept de l'Ouvre-Boîtes 44 : proposer un réel accompagnement sans pour autant s'immiscer dans toutes les décisions du futur chef d'entreprise. « Nous faisons plus du décryptage que de la formation, explique Frédéric Ratouit. On aide l'entrepreneur à décrypter le monde qui l'entoure, les clients, les fournisseurs, le territoire... mais au final, c'est à lui de choisir dans quelle direction il veut aller. »
En contrepartie de cet accompagnement sur-mesure, les entrepreneurs reversent une partie de leur chiffre d'affaires à la coopérative. « Ils acceptent d'emblée, à partir du moment où ils sont présents au sein de l'Ouvre-Boîtes 44, de participer à hauteur de 10,5 % de leur chiffre d'affaires, confie Frédéric Ratouit. C'est l'un des piliers de notre auto-financement ».

Camille Boulatte, www.lesechos.fr, janvier 2014.

1. Quel est l'objectif d'Ouvre-Boîtes 44 ?
2. Qui sont les personnes qui intègrent cette coopérative ?
3. Expliquez le nom de la structure « Ouvre-boîtes » ?

Trouver un financement

▶ **Résumé** : Stéphane reçoit Manon dans son bureau. Manon veut créer son entreprise, elle demande des conseils à Stéphane.

▶ **Objectifs**
- Le contexte économique
- Les aides à la création d'entreprises
- Les femmes chefs d'entreprise.

→ Cahier d'activités

Attirer au Canada les meilleurs talents de partout dans le monde

« Dans le cadre des efforts du gouvernement axés sur les emplois, la croissance et la prospérité à long terme, il est essentiel pour le Canada d'attirer les meilleurs entrepreneurs et innovateurs de partout dans le monde, a indiqué le ministre Alexander. Ce nouveau volet du Programme de visa pour démarrage d'entreprise permettra la création de partenariats entre des incubateurs d'entreprises canadiens de renommée mondiale et des entrepreneurs immigrants, assurant ainsi la croissance économique du Canada et permettant au pays de devancer ses concurrents sur les marchés internationaux. »

Ce nouveau volet [...] permettra d'attirer des entrepreneurs et des entreprises en démarrage et à potentiel de croissance élevée qui pourront contribuer à la culture d'innovation et de commercialisation au Canada.
Les incubateurs d'entreprises offrent aux entrepreneurs prometteurs de précieuses occasions de mentorat et les aident à attirer des investisseurs et à faire en sorte que leurs nouvelles entreprises deviennent des entreprises durables capables de créer des emplois au Canada.

Communiqué du 21 octobre 2013, Toronto, www.cic.gc.ca

1. Qui le Canada souhaite-t-il attirer dans son pays ?
2. Pourquoi ?

10 UNITÉ Entraînement aux examens

1 Compréhension de l'oral

Exercice 1
Lisez les questions, écoutez le document, puis répondez aux questions.

a. Quel est le travail d'Amina ? Où a-t-elle travaillé avant ?
b. Quelle est la qualité de son mari ?
c. Amina a-t-elle eu des difficultés à s'imposer à son équipe ?
d. Selon Amina, le fait d'être une femme est-il un avantage ou un inconvénient ? Justifiez.
e. Qu'est-ce que lui a enseigné son père ?

Exercice 2
Lisez les questions, écoutez le document, puis répondez aux questions.

a. Expliquez, avec vos propres mots, ce qu'est *Midi Incubateurs.*
b. *Midi Incubateurs* accueille des entreprises de :
❒ moins de 3 ans. ❒ moins de 1 an. ❒ moins de 5 ans.
c. Combien d'entreprises y a-t-il ? À quoi se consacrent-elles ?
d. Comment sont les bureaux ?
e. Où et à quelle occasion les entrepreneurs peuvent-ils se rencontrer ?
f. Combien paient les jeunes entrepreneurs pour occuper ces locaux ?

2 Compréhension des écrits

Lisez cet article puis répondez aux questions en écrivant l'information demandée ou en cochant la bonne réponse.

Talent Center : un outil pour lier savoir-faire et savoir-être

Aujourd'hui, un des principaux enjeux des DRH est de tenir compte à la fois des compétences des collaborateurs, mais aussi de leurs désirs. Le Talent Center est une plateforme qui permet d'évaluer l'adéquation entre les compétences et les désirs des collaborateurs, tout en prenant en compte la stratégie de l'entreprise.
Cet outil est déjà largement utilisé à l'étranger. Mais il arrive timidement en France. Le Talent Center répond à un double constat : l'entreprise évolue sans cesse (nouveaux défis, nouveaux marchés, nouveaux territoires à conquérir...), mais elle n'est pas la seule... Le collaborateur, lui aussi, change en permanence. Au cours de l'exercice de sa fonction, de son activité, il acquiert de nouvelles compétences, son expertise s'affine et donc ses envies changent...
Le Talent Center ne dissocie pas l'individu (la personnalité, l'intelligence, les valeurs, les aptitudes, les centres d'intérêts...) du collaborateur (la fonction, le business, la formation, les compétences, l'expertise...). Au contraire, il permet à ces deux aspects de se rencontrer.
Le Talent Center repose sur une méthode, le TMA (Talents-Motivations-Analyse), qui s'adresse à tous les professionnels des RH, cadres d'entreprise, psychologues, coaches et formateurs chargés du recrutement, du développement et de l'évaluation du personnel. Au final, elle permet d'associer les compétences des collaborateurs et leur potentiel aux ambitions de l'entreprise.

D'après www. business.lesechos.fr, 18 février 2014.

a. Qu'est-ce qui change chez les salariés pendant leur carrière ?
b. Expliquez, avec vos propres mots, quel est l'enjeu des directeurs de ressources humaines aujourd'hui.
c. Où le Talent Center est-il utilisé ?
d. De quelle idée part le Talent Center ?
❒ Le collaborateur a peur de l'évolution.
❒ Le collaborateur est ouvert à de nouvelles perspectives.
❒ Le collaborateur exprime rarement ses attentes.
e. À qui s'adresse la méthode du Talent Center ?

3 Production écrite

Vous lisez un article sur Internet qui retient votre attention ainsi qu'un commentaire posté par un lecteur. Vous réagissez en publiant votre avis sur l'article et sur le commentaire. (160 à 180 mots)

➔ Le sens du service et la passion : des qualités essentielles

Pour Allison Mambourg, chargée de recrutement et de mobilité, les valeurs qui animent le candidat peuvent faire la différence.

L'Hôtellerie Restauration : Quelles sont vos perspectives d'embauche pour 2014 ?

Allison Mambourg : Compass, représenté par ses marques Eurest, Scolarest, Medirest et Mediance, prévoit de recruter quelque 2 000 postes en CDI d'ici à la fin de l'année 2014.

Quels sont les profils recherchés ?

Nous recrutons, sur l'ensemble du territoire national, des employés de restauration, des cuisiniers, mais aussi et surtout des chefs de partie, des seconds de cuisine, des chefs de cuisine et des chefs gérants. Ainsi proposons-nous à tout jeune diplômé, à toute personne issue de la restauration traditionnelle ou à tout professionnel de la restauration collective de venir visiter notre site internet [www.compass-group.fr] et de transmettre leur CV.

Quels conseils pouvez-vous donner aux candidats avant leur entretien et quels détails feront la différence ?

Nous conseillons aux candidats de soigner leur présentation et cela commence, bien sûr, par le CV. Nous attendons d'eux qu'ils soient capables d'expliquer leur parcours, leurs missions et leurs motivations. Nous attachons également une grande attention aux valeurs de nos candidats et ce, au-delà des seules compétences techniques. Autrement dit : le sens du service et la passion pour la restauration sont des points forts qui peuvent faire la différence entre deux profils.

Maxime Motta – *28/02/2014 18:04*

La passion, la passion... C'est un concept bien vague et dont, pourtant, les professionnels n'arrêtent pas de nous parler. Je me demande comment ils mesurent la passion lors d'un recrutement ?...

www.lhotellerie-restauration.fr, 27 février 2014.

4 Production orale

Donnez votre avis sur les deux documents ci-dessous concernant les femmes créatrices d'entreprises. Le professeur pourra vous poser des questions.

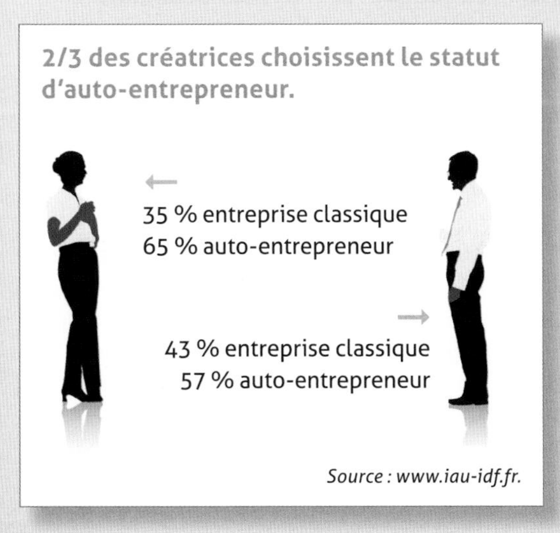

Source : www.iau-idf.fr.

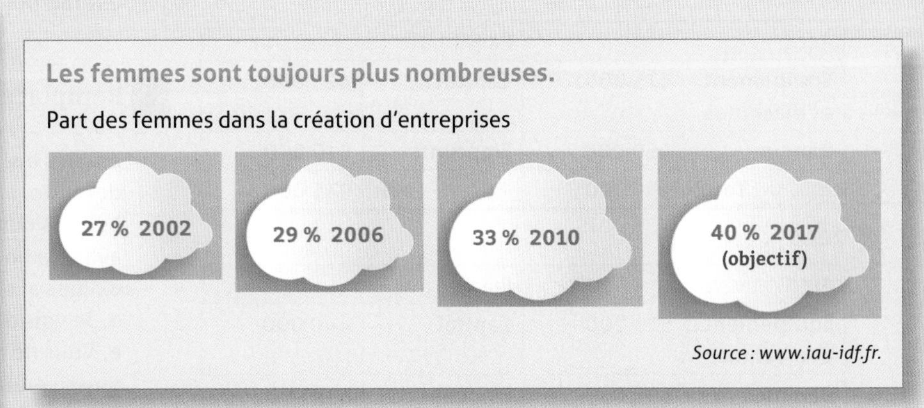

Source : www.iau-idf.fr.

9 & 10 UNITÉS Bilan

1 Écoutez le dialogue et répondez aux questions. 

a. Quels sont les deux crises mentionnées par l'expert ?
b. En quoi sont-elles différentes ?
c. Laquelle des deux crises est la plus grave et pourquoi ?
d. Que peut-on espérer après la crise ?
e. Pour l'expert, où en est l'Europe aujourd'hui ?

2 Complétez les phrases avec les verbes et conjuguez-les.

être en plein essor – être en baisse – ralentir – être en augmentation – être stationnaire – se stabiliser

a. Les demandes de crédit ... ce mois-ci : les chiffres sont les mêmes que le mois dernier.
b. En raison de la baisse du pouvoir d'achat, cette année les ventes ... .
c. Les commandes des pays asiatiques ...: elles sont passées de 10 à 53 % en six mois.
d. Les résultats de cette année .... Il y a à peine une variation de 0,2 %.
e. Pour le prochain exercice, et compte tenu de la conjoncture actuelle, nous pensons que les importations ... .
f. Les échanges commerciaux avec les pays émergents ... .

3 Associez les termes et les définitions.

a. Investir •
b. Être endetté •
c. Emprunter •
d. Rembourser •
e. Financer •

• Devoir de l'argent.
• Utiliser de l'argent pour l'achat ou l'aménagement d'un bien.
• Mettre des capitaux (de l'argent) dans un projet.
• Demander et recevoir un prêt.
• Rendre une somme d'argent qui a été avancée.

4 Comparez ces deux tableaux.

2012

Actif		Passif	
Équipement et machines	575 000	**Capital**	425 000
Banque	360 000	**Emprunts**	510 000
Total	935 000	**Total**	935 000

2013

Actif		Passif	
Équipement et machines	510 000	**Capital**	440 000
Banque	305 000	**Emprunts**	375 000
Total	815 000	**Total**	815 000

5 Complétez les phrases avec les mots suivants. Faites les modifications nécessaires.

un bilan – une évaluation – une validation – un domaine – une demande

a. Je travaille ici depuis 5 ans ; je viens de faire ... pour réaliser un bilan de compétences.
b. La première phase est une phase de ... : on te pose une série de questions qui permettent de déterminer quels sont tes centres d'intérêts et tes ... de compétences.
c. Vous avez la possibilité de demander ... des acquis de l'expérience ; c'est ce qu'on appelle la VAE.
d. L'entretien m'a servi à faire ... de mes besoins, de mes aptitudes et de mes compétences.

6 Mettez les phrases au discours indirect. Attention aux temps des verbes !

a. « Nous allons ouvrir deux nouvelles fabriques le mois prochain. »
→ Le président a dit ...
b. « Les opportunités de travail pour les femmes sont moins nombreuses. »
→ Sylvie dit ...
c. « Je ferai mon bilan de compétences l'année prochaine. »
→ Il a assuré ...
d. « Mes compétences n'ont pas été valorisées à mon ancien poste. »
→ Nicolas prétend ...

7 Mettez les phrases à la forme passive.

a. On attend beaucoup de visiteurs au salon de l'innovation.
b. Stéphanie a créé cette entreprise en 2005.
c. Les participants au congrès sur les femmes entrepreneures vont rédiger un compte-rendu.
d. On a listé toutes les compétences de ce salarié.
e. On a réalisé un entretien avec Marc pour déterminer s'il est fait pour ce poste.

8 Remplacez les mots en gras par les pronoms *en* ou *y*

a. Vous avez réalisé **des ventes** au Moyen-Orient l'année dernière.
b. Nous ouvrirons quatre usines **sur le continent asiatique** avant la fin de l'année.
c. Vous avez moins **de capitaux propres** que l'année passée.
d. Je vois **dans ce projet** une excellente idée de business.
e. Vous ne m'avez donné **aucune information** pour que je puisse établir le bilan annuel.

9 Complétez le dialogue avec les mots suivants.

tourner en rond – valorisé – cabinet – expertise – intérêts – recherche – compétences – motivé – dossier

– Moi, j'ai fait un bilan de compétences l'année dernière.
– Et comment ça s'est passé ?
– J'avais besoin de remettre mes idées à plat. Je commençais à ... dans mon ancien poste. Je sentais que mes ... n'étaient pas valorisées. Et je me suis adressé à un ... de conseil qui a pris en main mon ... . Leur ... a permis de détecter des centres d'... que je n'avais pas pris en compte jusqu'alors. Ils ont listé mes aptitudes et mes compétences et il s'est avéré que je n'étais pas fait pour le poste que j'occupais. J'ai commencé une nouvelle ... d'emploi. Maintenant, j'occupe un nouveau poste et je me sens ... . Je me sens beaucoup plus ... dans mon travail.

10 Conjuguez les verbes entre parenthèses aux temps qui conviennent.

a. Je suis surpris que les échanges commerciaux avec nos partenaires européens (ne pas encore reprendre).
b. Nous sommes tristes de savoir que cette femme (ne pas réussir) à matérialiser un si beau projet.
c. Je suis étonné que cet inventeur (ne pas pouvoir) obtenir un financement pour son idée.
d. Avec cette subvention, j'espère que notre dette (baisser) dans les mois qui viennent.
e. Je suis désolée que ce partenariat (ne pas aboutir).

11 Transformez ces phrases en utilisant *sans* + infinitif.

• *Vous avez créé une start-up mais vous n'aviez pas d'expérience.*
→ *Vous avez créé une start-up sans avoir d'expérience.*

a. Manon a quitté cette entreprise et n'a pas eu le résultat de son bilan de compétences.
b. Nous avons créé notre société et n'avons pas obtenu de subventions de la municipalité.
c. Vous avez mis en place ce projet et vous ne connaissez pas tous les éléments.
d. Martha dirige une équipe d'hommes et n'a pas de problème pour imposer son autorité.
e. Le conseil d'administration s'est réuni et n'a pas annoncé l'ordre du jour.

12 Lisez les commentaires postés sur un forum et répondez aux questions.

a. Quel est le projet de Sandy ?
b. Quelles sont les motivations de Lucie ?
c. Pourquoi Abby a-t-elle créé une entreprise ?
d. Quel est le projet de Lola ?

13 Vous réagissez sur le forum de l'exercice précédent. Vous laissez un commentaire.

ENTREPRENEURIAT AU FÉMININ

Sandy 17.02.14 16h29
J'hésite à me lancer dans l'aventure de la création d'entreprise... Quelles ont été vos motivations ??

Lucie 17.02.14 17h15
Bonjour Sandy !
Pour moi c'est simple, je voulais être + libre et + indépendante ! On entend parfois « je voulais me réaliser professionnellement »... Moi, j'en avais assez de me faire exploiter et je voulais gagner + d'argent !!

Abby 17.02.14 18h25
Bonjour ! Lucie, je ne sais pas si tu as gagné beaucoup d'argent, mais moi au début c'était difficile. ☹ Je n'ai pas eu trop le choix. Mon entreprise a fermé et je ne trouvais rien dans mes compétences (je suis chimiste). J'ai monté un laboratoire de produits bio, et maintenant ça commence à porter ses fruits !

Lola 17.02.14 21h18
J'envisage de me mettre à mon compte. Je suis commerciale depuis une dizaine d'années et j'ai décidé de créer ma propre activité. Mon idée : coaching personnalisé pour les créateurs d'entreprise, aide à la création (études de marché, business plan, etc), aide à l'établissement de la stratégie commerciale...
Qu'est-ce que vous en pensez ? Vous croyez que ça peut marcher ? Merci de votre aide.

Organiser un *speed networking*

Objectif : organiser un *speed networking* pour recruter des collaborateurs, des clients, des fournisseurs.

Étape 1
Commencez par définir le type de *speed networking*. Réfléchissez par petits groupes au but de votre *speed networking* : s'agit-il de rencontrer des travailleurs handicapés, de rencontrer des clients, des fournisseurs...

Étape 2
En tant que futur recruteur, vous devez cibler le public qui participera à votre *speed networking*. Vous dressez une liste de ces participants potentiels : demandeurs d'emploi, étudiants, prestataires...

Étape 3
Vous réfléchissez à l'organisation. Vous notez toutes les étapes et tous les détails (vous pouvez utiliser la technique de la carte heuristique) : lieu, matériel à prévoir, mobilier, badges... Et n'oubliez pas d'indiquer qui fait quoi !

Étape 4
Pour diffuser cet évènement, vous devez l'annoncer. Pensez au support : newsletter, page Facebook, Twitter, journal interne...

Étape 5
Pour les inscriptions, préparez un formulaire. Pensez à toutes les informations qui vous seront utiles une fois l'évènement terminé.

Étape 6
Préparez une liste de questions que vous poserez au moment du *speed networking*. Listez les éléments que vous prendrez en compte pour le recrutement. Vous pouvez aussi préparer un barème ou une grille d'évaluation des candidats. Pour cela, il vous faudra définir précisément tous vos critères.
Pour vous entraîner avant le jour du *speed networking*, vous pouvez simuler une ronde d'entretiens. Certains d'entre vous devront jouer le rôle du demandeur d'emploi (ou autre).

Les temps de l'indicatif et l'impératif

Les auxiliaires

	Présent	Imparfait	Passé composé	Futur	Plus-que-parfait	Impératif
avoir	j'ai tu as il a nous avons vous avez ils ont	j'avais tu avais il avait nous avions vous aviez ils avaient	j'ai eu tu as eu il a eu nous avons eu vous avez eu ils ont eu	j'aurai tu auras il aura nous aurons vous aurez ils auront	j'avais eu tu avais eu il avait eu nous avions eu vous aviez eu ils avaient eu	aie ayons ayez
être	je suis tu es il est nous sommes vous êtes ils sont	j'étais tu étais il était nous étions vous étiez ils étaient	j'ai été tu as été il a été nous avons été vous avez été ils ont été	je serai tu seras il sera nous serons vous serez ils seront	j'avais été tu avais été il avait été nous avions été vous aviez été ils avaient été	sois soyons soyez

Verbes réguliers

	Présent	Imparfait	Passé composé	Futur	Plus-que-parfait	Impératif
(1er groupe)	je chante tu chantes il chante nous chantons vous chantez ils chantent	je chantais tu chantais il chantait nous chantions vous chantiez ils chantaient	j'ai chanté tu as chanté il a chanté nous avons chanté vous avez chanté ils ont chanté	je chanterai tu chanteras il chantera nous chanterons vous chanterez ils chanteront	j'avais chanté tu avais chanté il avait chanté nous avions chanté vous aviez chanté ils avaient chanté	chante chantons chantez
(2e groupe)	je finis tu finis il finit nous finissons vous finissez ils finissent	je finissais tu finissais il finissait nous finissions vous finissiez ils finissaient	j'ai fini tu as fini il a fini nous avons fini vous avez fini ils ont fini	je finirai tu finiras il finira nous finirons vous finirez ils finiront	j'avais fini tu avais fini il avait fini nous avions fini vous aviez fini ils avaient fini	finis finissons finissez

Verbes irréguliers terminés en *-ir*

	Présent	Imparfait	Passé composé	Futur	Plus-que-parfait	Impératif
partir	je pars tu pars il part nous partons vous partez ils partent	je partais tu partais il partait nous partions vous partiez ils partaient	je suis parti(e) tu es parti(e) il/elle est parti(e) nous sommes parti(e)s vous êtes parti(e)s ils/elles sont parti(e)s	je partirai tu partiras il partira nous partirons vous partirez ils partiront	j'étais parti(e) tu étais parti(e) il/elle était parti(e) nous étions parti(e)s vous étiez parti(e)s ils/elles étaient parti(e)s	pars partons partez
venir	je viens tu viens il vient nous venons vous venez ils viennent	je venais tu venais il venait nous venions vous veniez ils venaient	je suis venu(e) tu es venu(e) il/elle est venu(e) nous sommes venu(e)s vous êtes venu(e)s ils/elles sont venu(e)s	je viendrai tu viendras il viendra nous viendrons vous viendrez ils viendront	j'étais venu(e) tu étais venu(e) il/elle était venu(e) nous étions venu(e)s vous étiez venu(e)s ils/elles étaient venu(e)s	viens venons venez

Annexes

Verbes irréguliers terminés en *-oir*

	Présent	Imparfait	Passé composé	Futur	Plus-que-parfait	Impératif
s'asseoir	je m'assieds tu t'assieds il s'assied nous nous asseyons vous vous asseyez ils s'asseyent	je m'asseyais tu t'asseyais il s'asseyait nous nous asseyions vous vous asseyiez ils s'asseyaient	je me suis assis(e) tu t'es assis(e) il/elle s'est assis(e) nous nous sommes assis(es) vous vous êtes assis(es) ils/elles se sont assis(es)	je m'assiérai tu t'assiéras il s'assiéra nous nous assiérons vous vous assiérez ils s'assiéront	je m'étais assis(e) tu t'étais assis(e) il/elle s'était assis(e) nous nous étions assis(es) vous vous étiez assis(es) ils/elles s'étaient assis(es)	assieds-toi asseyons-nous asseyez-vous
devoir	je dois tu dois il doit nous devons vous devez ils doivent	je devais tu devais il devait nous devions vous deviez ils devaient	j'ai dû tu as dû il a dû nous avons dû vous avez dû ils ont dû	je devrai tu devras il devra nous devrons vous devrez ils devront	j'avais dû tu avais dû il avait dû nous avions dû vous aviez dû ils avaient dû	dois devons devez
falloir	il faut	il fallait	il a fallu	il faudra	il avait fallu	–
pouvoir	je peux tu peux il peut nous pouvons vous pouvez ils peuvent	je pouvais tu pouvais il pouvait nous pouvions vous pouviez ils pouvaient	j'ai pu tu as pu il a pu nous avons pu vous avez pu ils ont pu	je pourrai tu pourras il pourra nous pourrons vous pourrez ils pourront	j'avais pu tu avais pu il avait pu nous avions pu vous aviez pu ils avaient pu	–
recevoir	je reçois tu reçois il reçoit nous recevons vous recevez ils reçoivent	je recevais tu recevais il recevait nous recevions vous receviez ils recevaient	j'ai reçu tu as reçu il a reçu nous avons reçu vous avez reçu ils ont reçu	je recevrai tu recevras il recevra nous recevrons vous recevrez ils recevront	j'avais reçu tu avais reçu il avait reçu nous avions reçu vous aviez reçu ils avaient reçu	reçois recevons recevez
savoir	je sais tu sais il sait nous savons vous savez ils savent	je savais tu savais il savait nous savions vous saviez ils savaient	j'ai su tu as su il a su nous avons su vous avez su ils ont su	je saurai tu sauras il saura nous saurons vous saurez ils sauront	j'avais su tu avais su il avait su nous avions su vous aviez su ils avaient su	sache sachons sachez
voir	je vois tu vois il voit nous voyons vous voyez ils voient	je voyais tu voyais il voyait nous voyions vous voyiez ils voyaient	j'ai vu tu as vu il a vu nous avons vu vous avez vu ils ont vu	je verrai tu verras il verra nous verrons vous verrez ils verront	j'avais vu tu avais vu il avait vu nous avions vu vous aviez vu ils avaient vu	vois voyons voyez
vouloir	je veux tu veux il veut nous voulons vous voulez ils veulent	je voulais tu voulais il voulait nous voulions vous vouliez ils voulaient	j'ai voulu tu as voulu il a voulu nous avons voulu vous avez voulu ils ont voulu	je voudrai tu voudras il voudra nous voudrons vous voudrez ils voudront	j'avais voulu tu avais voulu il avait voulu nous avions voulu vous aviez voulu ils avaient voulu	veuillez

Les verbes irréguliers terminés en *-re*

	Présent	Imparfait	Passé composé	Futur	Plus-que-parfait	Impératif
apprendre	j'apprends tu apprends il apprend nous apprenons vous apprenez ils apprennent	j'apprenais tu apprenais il apprenait nous apprenions vous appreniez ils apprenaient	j'ai appris tu as appris il a appris nous avons appris vous avez appris ils ont appris	j'apprendrai tu apprendras il apprendra nous apprendrons vous apprendrez ils apprendront	j'avais appris tu avais appris il avait appris nous avions appris vous aviez appris ils avaient appris	apprends apprenons apprenez
attendre	j'attends tu attends il attend nous attendons vous attendez ils attendent	j'attendais tu attendais il attendait nous attendions vous attendiez ils attendaient	j'ai attendu tu as attendu il a attendu nous avons attendu vous avez attendu ils ont attendu	j'attendrai tu attendras il attendra nous attendrons vous attendrez ils attendront	j'avais attendu tu avais attendu il avait attendu nous avions attendu vous aviez attendu ils avaient attendu	attends attendons attendez
connaître	je connais tu connais il connaît nous connaissons vous connaissez ils connaissent	je connaissais tu connaissais il connaissait nous connaissions vous connaissiez ils connaissaient	j'ai connu tu as connu il a connu nous avons connu vous avez connu ils ont connu	je connaîtrai tu connaîtras il connaîtra nous connaîtrons vous connaîtrez ils connaîtront	j'avais connu tu avais connu il avait connu nous avions connu vous aviez connu ils avaient connu	connais connaissons connaissez
croire	je crois tu crois il croit nous croyons vous croyez ils croient	je croyais tu croyais il croyait nous croyions vous croyiez ils croyaient	j'ai cru tu as cru il a cru nous avons cru vous avez cru ils ont cru	je croirai tu croiras il croira nous croirons vous croirez ils croiront	j'avais cru tu avais cru il avait cru nous avions cru vous aviez cru ils avaient cru	crois croyons croyez
dire	je dis tu dis il dit nous disons vous dites ils disent	je disais tu disais il disait nous disions vous disiez ils disaient	j'ai dit tu as dit il a dit nous avons dit vous avez dit ils ont dit	je dirai tu diras il dira nous dirons vous direz ils diront	j'avais dit tu avais dit il avait dit nous avions dit vous aviez dit ils avaient dit	dis disons dites
écrire	j'écris tu écris il écrit nous écrivons vous écrivez ils écrivent	j'écrivais tu écrivais il écrivait nous écrivions vous écriviez ils écrivaient	j'ai écrit tu as écrit il a écrit nous avons écrit vous avez écrit ils ont écrit	j'écrirai tu écriras il écrira nous écrirons vous écrirez ils écriront	j'avais écrit tu avais écrit il avait écrit nous avions écrit vous aviez écrit ils avaient écrit	écris écrivons écrivez
faire	je fais tu fais il fait nous faisons vous faites ils font	je faisais tu faisais il faisait nous faisions vous faisiez ils faisaient	j'ai fait tu as fait il a fait nous avons fait vous avez fait ils ont fait	je ferai tu feras il fera nous ferons vous ferez ils feront	j'avais fait tu avais fait il avait fait nous avions fait vous aviez fait ils avaient fait	fais faisons faites
lire	je lis tu lis il lit nous lisons vous lisez ils lisent	je lisais tu lisais il lisait nous lisions vous lisiez ils lisaient	j'ai lu tu as lu il a lu nous avons lu vous avez lu ils ont lu	je lirai tu liras il lira nous lirons vous lirez ils liront	j'avais lu tu avais lu il avait lu nous avions lu vous aviez lu ils avaient lu	lis lisons lisez

	Présent	Imparfait	Passé composé	Futur	Plus-que-parfait	Impératif
mettre	je mets tu mets il met nous mettons vous mettez ils mettent	je mettais tu mettais il mettait nous mettions vous mettiez ils mettaient	j'ai mis tu as mis il a mis nous avons mis vous avez mis ils ont mis	je mettrai tu mettras il mettra nous mettrons vous mettrez ils mettront	j'avais mis tu avais mis il avait mis nous avions mis vous aviez mis ils avaient mis	mets mettons mettez
prendre	je prends tu prends il prend nous prenons vous prenez ils prennent	je prenais tu prenais il prenait nous prenions vous preniez ils prenaient	j'ai pris tu as pris il a pris nous avons pris vous avez pris ils ont pris	je prendrai tu prendras il prendra nous prendrons vous prendrez ils prendront	j'avais pris tu avais pris il avait pris nous avions pris vous aviez pris ils avaient pris	prends prenons prenez
vendre	je vends tu vends il vend nous vendons vous vendez ils vendent	je vendais tu vendais il vendait nous vendions vous vendiez ils vendaient	j'ai vendu tu as vendu il a vendu nous avons vendu vous avez vendu ils ont vendu	je vendrai tu vendras il vendra nous vendrons vous vendrez ils vendront	j'avais vendu tu avais vendu il avait vendu nous avions vendu vous aviez vendu ils avaient vendu	vends vendons vendez

Autres verbes irréguliers

	Présent	Imparfait	Passé composé	Futur	Plus-que-parfait	Impératif
aller	je vais tu vas il va nous allons vous allez ils vont	j'allais tu allais il allait nous allions vous alliez ils allaient	je suis allé(e) tu es allé(e) il/elle est allé(e) nous sommes allé(e)s vous êtes allé(e)s ils/elles sont allé(e)s	j'irai tu iras il ira nous irons vous irez ils iront	j'étais allé(e) tu étais allé(e) il/elle était allé(e) nous étions allé(e)s vous étiez allé(e)s ils/elles étaient allé(e)s	va allons allez
appeler	j'appelle tu appelles il appelle nous appelons vous appelez ils appellent	j'appelais tu appelais il appelait nous appelions vous appeliez ils appelaient	j'ai appelé tu as appelé il a appelé nous avons appelé vous avez appelé ils ont appelé	j'appellerai tu appelleras il appellera nous appellerons vous appellerez ils appelleront	j'avais appelé tu avais appelé il avait appelé nous avions appelé vous aviez appelé ils avaient appelé	appelle appelons appelez
envoyer	j'envoie tu envoies il envoie nous envoyons vous envoyez ils envoient	j'envoyais tu envoyais il envoyait nous envoyions vous envoyiez ils envoyaient	j'ai envoyé tu as envoyé il a envoyé nous avons envoyé vous avez envoyé ils ont envoyé	j'enverrai tu enverras il enverra nous enverrons vous enverrez ils enverront	j'avais envoyé tu avais envoyé il avait envoyé nous avions envoyé vous aviez envoyé ils avaient envoyé	envoie envoyons envoyez
payer	je paie/paye tu paies/payes il paie/paye nous payons vous payez ils paient/payent	je payais tu payais il payait nous payions vous payiez ils payaient	j'ai payé tu as payé il a payé nous avons payé vous avez payé ils ont payé	je paierai/payerai tu paieras/payeras il paiera/payera nous paierons/payerons vous paierez/payerez ils paieront/payeront	j'avais payé tu avais payé il avait payé nous avions payé vous aviez payé ils avaient payé	paie/paye payons payez

Le conditionnel et le subjonctif présent

	Conditionnel présent	Conditionnel passé	Subjonctif présent
avoir	j'aurais tu aurais il aurait nous aurions vous auriez ils auraient	j'aurais eu tu aurais eu il aurait eu nous aurions eu vous auriez eu ils auraient eu	que j'aie que tu aies qu'il ait que nous ayons que vous ayez qu'ils aient
être	je serais tu serais il serait nous serions vous seriez ils seraient	j'aurais été tu aurais été il aurait été nous aurions été vous auriez été ils auraient été	que je sois que tu sois qu'il soit que nous soyons que vous soyez qu'ils soient
parler	je parlerais tu parlerais il parlerait nous parlerions vous parleriez ils parleraient	j'aurais parlé tu aurais parlé il aurait parlé nous aurions parlé vous auriez parlé ils auraient parlé	que je parle que tu parles qu'il parle que nous parlions que vous parliez qu'ils parlent
finir	je finirais tu finirais il finirait nous finirions vous finiriez ils finiraient	j'aurais fini tu aurais fini il aurait fini nous aurions fini vous auriez fini ils auraient fini	que je finisse que tu finisses qu'il finisse que nous finissions que vous finissiez qu'ils finissent
partir	je partirais tu partirais il partirait nous partirions vous partiriez ils partiraient	je serais parti(e) tu serais parti(e) il/elle serait parti(e) nous serions parti(e)s vous seriez parti(e)s ils/elles seraient parti(e)s	que je parte que tu partes qu'il parte que nous partions que vous partiez qu'ils partent
venir	je viendrais tu viendrais il viendrait nous viendrions vous viendriez ils viendraient	je serais venu(e) tu serais venu(e) il/elle serait venu(e) nous serions venu(e)s vous seriez venu(e)s ils/elles seraient venu(e)s	que je vienne que tu viennes qu'il vienne que nous venions que vous veniez qu'ils viennent
devoir	je devrais tu devrais il devrait nous devrions vous devriez ils devraient	j'aurais dû tu aurais dû il aurait dû nous aurions dû vous auriez dû ils auraient dû	que je doive que tu doives qu'il doive que nous devions que vous deviez qu'ils doivent
falloir	il faudrait	il aurait fallu	qu'il faille

	Conditionnel présent	Conditionnel passé	Subjonctif présent
pouvoir	je pourrais tu pourrais il pourrait nous pourrions vous pourriez ils pourraient	j'aurais pu tu aurais pu il aurait pu nous aurions pu vous auriez pu ils auraient pu	que je puisse que tu puisses qu'il puisse que nous puissions que vous puissiez qu'ils puissent
vouloir	je voudrais tu voudrais il voudrait nous voudrions vous voudriez ils voudraient	j'aurais voulu tu aurais voulu il aurait voulu nous aurions voulu vous auriez voulu ils auraient voulu	que je veuille que tu veuilles qu'il veuille que nous voulions que vous vouliez qu'ils veuillent
dire	je dirais tu dirais il dirait nous dirions vous diriez ils diraient	j'aurais dit tu aurais dit il aurait dit nous aurions dit vous auriez dit ils auraient dit	que je dise que tu dises qu'il dise que nous disions que vous disiez qu'ils disent
faire	je ferais tu ferais il ferait nous ferions vous feriez ils feraient	j'aurais fait tu aurais fait il aurait fait nous aurions fait vous auriez fait ils auraient fait	que je fasse que tu fasses qu'il fasse que nous fassions que vous fassiez qu'ils fassent
mettre	je mettrais tu mettrais il mettrait nous mettrions vous mettriez ils mettraient	j'aurais mis tu aurais mis il aurait mis nous aurions mis vous auriez mis ils auraient mis	que je mette que tu mettes qu'il mette que nous mettions que vous mettiez qu'ils mettent
prendre	je prendrais tu prendrais il prendrait nous prendrions vous prendriez ils prendraient	j'aurais pris tu aurais pris il aurait pris nous aurions pris vous auriez pris ils auraient pris	que je prenne que tu prennes qu'il prenne que nous prenions que vous preniez qu'ils prennent
aller	j'irais tu irais il irait nous irions vous iriez ils iraient	je serais allé(e) tu serais allé(e) il/elle serait allé(e) nous serions allé(e)s vous seriez allé(e)s ils/elles seraient allé(e)s	que j'aille que tu ailles qu'il aille que nous allions que vous alliez qu'ils aillent
appeler	j'appellerais tu appellerais il appellerait nous appellerions vous appelleriez ils appelleraient	j'aurais appelé tu aurais appelé il aurait appelé nous aurions appelé vous auriez appelé ils auraient appelé	que j'appelle que tu appelles qu'il appelle que nous appelions que vous appeliez qu'ils appellent

Annexes

Unité 1

Leçon 1 – Page 8

2 Présenter un produit

Le directeur d'Altoris a réuni ses équipes pour un séminaire de 3 jours au Canada.
Simon Medel : Bonjour à tous et bienvenue. Je suis ravi de vous retrouver pour ce séminaire. Pendant ces 3 jours, nous allons faire le point sur l'année écoulée mais aussi parler des nouveaux produits que nous lançons et des perspectives de développement de l'entreprise à long terme. Pour commencer, Julia Guillerm va vous présenter notre dernier produit qui sera commercialisé d'ici peu. Je lui cède donc ma place pour vous parler de la dernière tablette IF 682.
Julia Guillerm : Merci Simon. Bonjour à tous. Comme vient de vous le dire Simon, je vais vous présenter notre tout nouveau produit, la tablette IF 682. Nous avons travaillé sur ce produit avec l'équipe de Vancouver. Nous avons passé beaucoup de temps pour apporter des améliorations. Ce nouveau modèle est plus performant que le précédent et moins coûteux. La nouvelle tablette IF 682 possède une excellente ergonomie, avec un système d'exploitation plus simple d'utilisation que le précédent. Nos clients se plaignaient de la taille et du poids de la tablette IF 681, nous avons donc légèrement réduit la taille de l'écran et surtout l'épaisseur de la tablette. Nous en avons profité pour revoir son design. La tablette IF 682 est plus petite et plus fine. Nous avons écouté nos clients et aujourd'hui nous leur proposons un produit qui répond à leurs attentes : une tablette plus légère, plus petite, que l'on peut facilement emporter partout, une tablette plus performante et aussi moins chère.

Leçon 1 – Page 9

3 Le benchmarking

Romain Vaillant vient présenter à ses collègues les résultats d'un benchmarking.
Romain Vaillant : Comme vous le savez tous désormais, nous avons décidé de lancer un nouveau modèle de smartphone l'année prochaine. Nous cherchons à toucher d'une part des personnes qui font un usage modéré de leur portable mais qui souhaitent cependant acquérir un smartphone et, d'autre part, toute une clientèle – de jeunes notamment – qui veulent acquérir un smartphone mais qui n'ont pas les moyens de s'offrir le dernier modèle de chez Samsung ou Apple.
Le service marketing a fait un benchmark et, au final, deux modèles de la concurrence ont retenu notre attention. Ces deux modèles se vendent très bien et touchent notre cœur de cible. Il s'agit du Samsung Galaxy Trend et du Wiko Cink Slim. Nous avons fait une étude comparative détaillée des caractéristiques techniques des deux appareils qui sont semblables sur bien des points. Ils sont tous les deux dotés d'un écran tactile de 4 pouces et du système d'exploitation Android 4.0.4. La définition de l'écran du Wiko est légèrement meilleure : 480x800 pixels contre 480x640 pour le Samsung. De même, l'appareil photo du Wiko est plus performant. Cependant le Samsung accepte un plus grand nombre de format d'image : JPEG, PNG, GIF… La principale différence entre ces deux modèle est la mémoire interne : 4 GO de mémoire ROM et 768 Mo de mémoire RAM chez Samsung contre seulement 2 Go de mémoire chez Wiko. Autre point important, l'autonomie. Elle n'est que de 8 jours en veille chez Wiko contre 18 jours pour le Samsung. Je vais vous envoyer à tous l'étude détaillée, mais l'autonomie et la mémoire sont deux éléments très importants sur lesquels doivent donc porter nos efforts. Je tiens également à souligner, l'indice DAS. Les consommateurs font de plus en plus attention à cette donnée. Cela peut faire toute la différence.

Leçon 2 – Page 10

1 Un atelier de travail

[...]
Bastien : Tu as parfaitement raison Pauline, les cadeaux ça marche toujours pour attirer de nouveaux clients. Je propose de renouveler notre partenariat avec les shampoings Brillance Plus.
Michel : Au mois d'août, une équipe sera présente sur le salon professionnel de Munich. Nous devrons profiter de cet événement pour faire une opération marketing importante. Les deux nouveaux commerciaux qui arriveront en mai seront sur le stand.
Sophie Janvier : Et pour la force de vente ?
Michel : Nos équipes sont efficaces et motivées mais si on augmente les commissions, ils seront certainement plus investis encore.
Sophie Janvier : C'est certain Michel, mais ce n'est pas aussi simple que cela. Bon, récapitulons tout ce que nous venons de dire. Je note.

Leçon 3 – page 12

1 La clôture du séminaire

[...]
Nos concurrents sont là et mettent tout en œuvre pour nous ravir cette place. Je suis convaincue que nous pouvons conserver la première place, à condition de ne pas relâcher nos efforts. Nous devons rester compétitif et savoir saisir les opportunités. L'arrivée de concurrents sur le marché constitue un nouveau défi que nous sommes capables de relever.
Si chacun fait preuve, dans son travail, du même esprit d'équipe que pendant les épreuves sportives organisées durant ce séminaire, nous conserverons notre place ! Je compte sur vous et je vous donne rendez-vous l'année prochaine pour un nouveau séminaire. Merci à tous. »

Entraînement aux examens – Page 16

Activité 1

Magali rentre de séminaire. Elle déjeune avec une amie.
Magali : Bonjour Ariane. Ça va ?
Ariane : Salut Magali. Oui et toi ?
Magali : Très bien ! Je rentre de trois jours de séminaire !
Ariane : Alors ? C'était comment ? Raconte !
Magali : C'était très sympa. J'ai découvert des collègues que je ne connaissais pas vraiment en réalité. Ce n'était pas des vacances : nous avons beaucoup travaillé, mais dans une ambiance détendue.
Ariane : Je suis bien d'accord avec toi. Des tas de gens pensent qu'un séminaire, c'est des vacances. C'est vrai, on passe de très bons moments, mais on est d'abord là pour travailler.
Magali : Oui, c'est sûr. C'était très bien, mais ce n'est pas toujours facile de passer trois jours entiers entourée uniquement de ses collègues de travail.
Ariane : Tu as eu des problèmes avec tes collègues ?
Magali : Ah non, pas du tout. On s'est tous bien entendu. Et on a fait des activités sympas qui te font oublier que tu es au travail !
Ariane : Ah oui ? Vous avez fait quoi ?
Magali : L'entreprise a fait venir un grand chef qui nous a donné des cours de cuisine. C'est très utile pour des gens qui cuisinent mal comme moi !
Ariane : Oui, mais j'imagine que ton entreprise n'a pas fait venir un chef pour vous apprendre à faire de bons petits plats !
Magali : Non, bien sûr. Le but c'est de nous faire travailler en équipe et de supprimer les liens hiérarchiques habituels. On a aussi fait du kart, c'était drôle ça. Tu sais, te retrouver avec tes supérieurs à faire la course dans un kart, c'est une situation un peu étrange, mais on a bien ri.

Ariane : Tu as l'air de t'être amusée !
Magali : Oui, c'est vrai, c'était une très bonne expérience.

Entraînement aux examens – Page 16

Activité 2

Bonjour à tous ! Nous allons commercialiser un nouvel aspirateur dans un mois. Je vais donc vous présenter ce nouveau produit. Nous avons tenu compte des attentes des clients. C'est un produit très facile d'utilisation, silencieux et petit. Il prend beaucoup moins de place que l'ancien modèle. C'est une critique que nos clients faisaient souvent à propos de l'ancien modèle. Malgré sa petite taille, ce nouveau modèle est très puissant. Les utilisateurs ont le choix entre deux vitesses. Ils peuvent choisir la puissance. Nouveauté importante, cet aspirateur peut être utilisé sans fil et bénéficie de 4 heures d'autonomie !
Et le prix ? Eh bien, nous avons réussi à réduire le coût de plusieurs composants importants. Au final, nous avons donc un aspirateur plus petit et plus puissant, qui dispose d'une autonomie de 4 heures, et dont le prix est sensiblement inférieur au modèle précédent !

Unité 2

Leçon 1 – Page 20

2 Fixer un prix

Journaliste : Les produits issus du commerce équitable ont la réputation d'être plus chers que les autres. Pourquoi cette différence de prix, alors qu'il y a moins d'intermédiaires ?
Femme : Je vais vous expliquer. Le prix d'un paquet de café issu ou non du commerce équitable se décompose toujours en quatre postes principaux. Tout d'abord, il y a l'achat de la matière première, le café, auprès d'un producteur ou d'une coopérative. Ensuite, il y a le transport, puis la torréfaction et enfin la distribution.
Journaliste : Bien, alors où sont les différences ?
Femme : Dans le commerce traditionnel, on trouve souvent un certain nombre d'intermédiaires entre le producteur et la marque. Dans le commerce équitable, il faut prendre en compte le coût de l'organisme certificateur, environ 5 centimes pour un paquet de 250 grammes de café. L'organisme certificateur est essentiel : c'est lui qui délivre le label au produit.
Journaliste : Cela n'explique toujours pas la différence de prix...
Femme : J'y viens ! Nous avons donc vu que les quatre postes principaux sont les mêmes. Ce qui explique la différence, c'est le prix auquel le café est acheté auprès du producteur. Dans la filière équitable, le prix du café est fixe. Il ne dépend pas du cours du café, fixé par les bourses. Lorsque le cours du café est bas, le commerce équitable profite au producteur de commerce équitable. Il n'a pas besoin d'aligner ses prix à la baisse. En revanche, quand le cours du café monte, la différence s'amenuise.
Journaliste : En conclusion, c'est donc le producteur qui est gagnant avec le commerce équitable.
Femme : Tout à fait. Vous payez votre paquet de café équitable un peu plus cher, mais c'est le producteur, à l'autre bout du monde, qui profite de la différence. C'est cela même le principe du commerce équitable pour tous les produits.

Leçon 1 – Page 20

3 Les soldes et les promotions

Journaliste : Bonjour Patrick Lelba, vous êtes contrôleur à la Direction départementale de la Cohésion Sociale et de la Protection des Populations. Pouvez-vous nous expliquer les différences entre périodes de soldes, liquidations, offres promotionnelles... ?
Patricl Lelba : Il faut distinguer les offres promotionnelles ponctuelles, ou encore les liquidations, des soldes, qui sont deux périodes de cinq semaines par an, en hiver et en été. Toutes les promotions sont soumises à une réglementation.
Journaliste : Expliquez-nous les règles que les commerçants doivent suivre pendant ou avant les soldes.
Patricl Lelba : Les professionnels ont tendance à oublier qu'ils ont l'obligation de signaler en vitrine les périodes de soldes. Les produits soldés doivent être dans le magasin depuis plus de 30 jours. Et leur prix doit être plus bas que le prix pratiqué par le commerçant au cours des 30 derniers jours. Et si les prix ne sont pas lisibles et clairs, le commerçant peut être sanctionné. Les nouveaux produits doivent être bien signalés et ils ne peuvent bénéficier d'aucune réduction car ils ne sont pas dans le magasin depuis assez longtemps.
Journaliste : Quelles différences y a-t-il entre des soldes et des ventes promotionnelles ponctuelles ?
Patricl Lelba : En dehors des périodes de soldes, un commerçant peut vendre à un prix avantageux tout ou partie de ses marchandises lors d'une opération promotionnelle ponctuelle. Si ces opérations de type « liquidation de stock » existent, elles doivent être occasionnelles et de courtes durées. Elles sont soumises à une déclaration préalable auprès de la préfecture. Les articles à prix réduit doivent être disponibles à la vente pendant toute la durée de l'opération. Quant à la réduction de prix, elle ne doit pas entraîner une revente à perte, contrairement aux soldes. Elle ne doit pas constituer non plus une pratique de prix abusivement bas ou bien une pratique de prix d'appel, c'est-à-dire une annonce de prix bas sur des produits indisponibles ou disponibles en quantité très insuffisante.
Journaliste : Merci beaucoup Patrick pour ces éclaircissements qui vont permettre à nos auditeurs de profiter des soldes en toute connaissance dès la semaine prochaine ! En effet, si les consommateurs étaient toujours bien informés, il y aurait moins de fraude.

Leçon 2 – Page 22

3 Les lunettes en ligne

Tristan : Aujourd'hui, notre consultant Frédéric, nous parle de la vente d'optique en ligne autorisée depuis peu en France.
Frédéric : Bonjour Tristan. J'ai choisi de vous parler d'un thème qui fait actuellement débat en France, l'optique sur Internet. L'Assemblée nationale a adopté, en décembre 2013, un projet de loi qui facilite la vente de lunettes en ligne. Ces dispositions sont vivement critiquées par les opticiens traditionnels mais soutenues par les associations de consommateurs. Marc Simoncini, le fondateur du site d'optique en ligne sensse.com, nous a expliqué comment il a réussi à obtenir gain de cause. Il a produit plusieurs rapports pour démontrer que la vente de lunettes sur Internet permettrait une baisse des prix de l'ordre de 50 %. Il a dénoncé des pratiques anticoncurrentielles sur le marché de l'optique en France, arguant également que la vente d'optique en ligne est autorisée dans de nombreux pays.
Dans l'entourage de Benoît Hamon, ministre de la Consommation, on estime que la mesure prise par le gouvernement va permettre au e-commerce de prendre rapidement 10 % du marché de l'optique avec des prix inférieurs de 30 à 40 % aux prix des opticiens traditionnels. La profession dénonce une dérive. Les opticiens considèrent que délivrer une paire de lunettes ou des lentilles est un acte qui doit être encadré et qu'il ne s'agit pas seulement d'une opération purement commerciale. Le gouvernement garantit la sécurisation du parcours de santé.

Annexes

Leçon 3 – Page 24

2 Amazon : la livraison par drone

Le géant Amazon projette de mettre en place des livraisons à l'aide de petits engins volants qui transporteraient des colis depuis les entrepôts jusqu'aux clients qui habitent à moins de 16 kilomètres et qui ont passé commande sur le site Internet de l'entreprise. Les drones sont capables de porter des paquets de 2,3 kilos maximum, ce qui représente 86 % environ des livraisons effectuées par Amazon.
Le programme appelé « Amazon Prime Air » pourrait être mis en place dans 4 ou 5 ans, selon Jeff Bezos, mais le chemin pour y parvenir est semé d'embûches : le problème de la sécurité, les autorisations des autorités de l'aviation, l'impossibilité de livrer dans des immeubles, les aléas climatiques constituent beaucoup d'obstacles qui rendent peu viable l'utilisation de drones à grande échelle. Autre point faible, l'autonomie d'un drone est de 16 kilomètres, ce qui restreint le périmètre de livraison des drones autour des entrepôts et obligerait Amazon à démultiplier ses grands entrepôts, une tendance contraire au modèle économique qui a fait son succès.

D'après www.lemonde.fr, 2013.

Entraînement aux examens – page 28

Activité 1

Employée : Bonjour Madame.
Cliente : Bonjour Madame, je voudrais expédier ce colis au Mexique. Vous pouvez me renseigner. Je ne souhaite pas payer trop cher.
Employée : C'est urgent ?
Cliente : Non, pas vraiment.
Employée : Bien. Tout dépend de son poids. Il fait 7 kilos.
Cliente : Autant !
Employée : Vous avez deux options, le Chronopost et le Collisimo.
Cliente : Quelle est la différence ?
Employée : En Collisimo, votre colis sera au Mexique dans 4 à 8 jours. Avec Chronopost, ce sera dans 2 à 4 jours, c'est plus rapide.
Cliente : Et plus cher j'imagine ?
Employée : Oui, évidemment.
Cliente : Le Collisimo, c'est combien ?
Employée : Pour le Mexique, c'est 105 euros pour 7 kilos.
Cliente : 105 euros, mais c'est cher ! Et en Chronopost, quel est le prix ?
Employée : 169 euros.
Cliente : Bon, je vais prendre le Collisimo, c'est moins cher. Et, je peux savoir quand mon colis arrive ?
Employée : Oui, vous allez avoir un numéro. Grâce à ce numéro, depuis notre site Internet, vous pourrez suivre votre colis jusqu'à sa remise au destinataire.
Cliente : Parfait, je peux régler par carte bancaire ?
Employée : Bien sûr, mais avant il faut remplir ce document avec votre adresse et l'adresse du destinataire. Vous devez déclarer le contenu du colis.
Cliente : D'accord. Merci madame.

Entraînement aux examens – page 28

Activité 2

Un problème de livraison
L'employée : Magasin Électrodi bonjour ?
Le client : Bonjour madame, je vous appelle au sujet de la livraison de mon réfrigérateur. Il n'est toujours pas arrivé. Je devais le recevoir hier.
L'employée : Pouvez-vous me donner votre nom et le numéro de votre commande, s'il vous plaît ?
Le client : Oui, mon nom est Monet et mon numéro de commande est le XV 21352. J'ai acheté le réfrigérateur il y a 4 jours dans votre magasin.
L'employée : Effectivement, j'ai votre dossier sous les yeux. La livraison doit avoir lieu aujourd'hui.
Le client : Aujourd'hui ? On m'a téléphoné avant hier pour confirmer la livraison hier ! Et je n'ai toujours pas reçu mon réfrigérateur.
L'employée : C'est bizarre. Aujourd'hui, vous êtes sur la liste des livraisons, entre 16 h et 19 h.
Le client : Ah ? Très bien. Les livreurs se chargent bien de l'installation n'est-ce pas ?
L'employée : Oui, nos livreurs installent votre réfrigérateur, c'est compris dans la livraison. Est-ce qu'il y aura quelqu'un chez vous entre 16 h et 19 h ?
Le client : Oui, je serai là.
L'employée : Nos livreurs confirmeront leur arrivée 30 minutes avant par téléphone. Et je suis désolée pour ce malentendu.

Bilan – page 30

Monsieur Fayet : Allô Madame Leverne, ici monsieur Fayet de l'entreprise Dasso.
Madame Leverne : Oui, bonjour, monsieur Fayet.
Monsieur Fayet : Je vous appelle à propos de la livraison du photocopieur multifonction. Il y a une rupture de stock. Nous ne pouvons pas vous livrer dans les délais prévus.
Madame Leverne : C'est un problème effectivement. Et vous pourrez nous livrer quand ?
Monsieur Fayet : D'ici 10 jours.
Madame Leverne : 10 jours ! C'est très loin.
Monsieur Fayet : Oui, je sais que c'est très gênant pour vous. Mais malheureusement, je ne peux pas vous livrer avant.
Madame Leverne : Mais dans 10 jours, nous serons absents. Nous partons en séminaire pendant 3 jours.
Monsieur Fayet : Il n'y aura vraiment personne pour la livraison ?
Madame Leverne : Ça me paraît compliqué... Quel jour exactement ?
Monsieur Fayet : Jeudi 15 dans la matinée mais je ne peux pas vous donner d'heure précise.
Madame Leverne : Le mieux est encore de prévoir la livraison après notre séminaire.
Monsieur Fayet : Très bien. Dans ce cas, je peux vous proposer le lundi 19 dans la matinée.
Madame Leverne : Vous pouvez me préciser l'heure ?
Monsieur Fayet : Nous vous appellerons le matin de la livraison pour vous préciser l'horaire. Et je vous envoie un mail de confirmation.
Madame Leverne : Parfait. Au revoir.

Unité 3

Leçon 1 – Page 34

1 Le plan de communication

Directeur marketing : Depuis quelques années, notre boisson BioSoda est notre produit phare, celui pour lequel notre marque est connue et reconnue. Cependant, la concurrence devenant de plus en plus importante, nous avons décidé de mettre en place un plan de communication afin de relancer les ventes. Alors, petit brainstorming, toutes vos propositions sont bienvenues. Je vous écoute...
Femme 1 : Nous avons déjà avancé quelques pistes : sortir un coffret spécial, un packaging original, une édition limitée...
Femme 2 : Ayant déjà fait ce genre de campagnes, je peux vous dire que les effets sont à court terme.
Femme 1 : Pourquoi ne pas lancer une édition spéciale « Noël », proposer un nouveau format, ou changer le nom ?

Homme 1 : Pour un produit si connu, il vaut mieux ne pas changer le nom. La version Noël, non, car trop saisonnier, mais le nouveau format me plaît bien...
Femme 2 : Oui, une image plus moderne, actuelle... Il faudrait rajeunir le logo. Finalement, notre public ce sont les jeunes, non ?
Directeur marketing : Tout à fait, mais nous devons élargir notre public. Nous devons viser les adultes qui pratiquent un sport et qui sont soucieux de leur santé. Et on pourrait proposer de nouveaux goûts, pamplemousse ou citron par exemple. Il faut mettre l'accent sur sa composition équilibrée, ses bienfaits. Les boissons ayant une faible teneur en sucres accrochent bien ce public. Et le potentiel de consommateurs est large : les deux tiers des personnes ayant entre 20 et 50 ans pratiquent un sport.
Femme 1 : N'oublions pas : aujourd'hui, les jeunes consommateurs sont de plus en plus attentifs à leur santé.
Directeur marketing : Oui, c'est juste. Bien : réfléchissons aux actions de communication que nous pouvons mettre en place. Nous devons envisager un important dispositif publi-promotionnel pour le lancement de cette nouvelle formule. Des idées ?
Femme 2 : Auprès des médias, un communiqué de presse est indispensable. De la publicité dans les magazines, dans la presse sportive et la presse de loisirs.
Homme 1 : N'oublions pas les goodies pour la grande distribution, un échantillonnage à grande échelle, le remboursement du premier achat...
Femme 1 : Pourquoi ne pas faire un site dédié à ce produit ? Créer toute une image autour de la marque et du produit.
Homme 1 : Une campagne publicitaire avec une star ou une référence de la société actuelle, ça marche toujours.
Femme 2 : Il y a aussi l'évènementiel : le *street marketing*, un flash mob...
Directeur marketing : Bien, bien, je vois que vous avez beaucoup d'idées ! Je vous propose de réfléchir pendant la semaine. Les personnes pouvant assister à la prochaine réunion de travail apporteront des propositions plus concrètes, avec surtout des estimations de coûts...

Leçon 2 – Page 37

4 Les réseaux sociaux

Journaliste : Monsieur Philippi, vous êtes *community manager* et conseiller auprès de grandes entreprises. Vous les guidez pour développer leur présence dans les médias. Pouvez-vous nous expliquer en deux mots votre activité ?
Monsieur Philippi : Eh bien, disons que j'oriente les entreprises vers les médias qui leur correspondent le mieux.
Journaliste : Pour une entreprise, qu'est-ce qui est le plus important ?
Monsieur Philippi : Parlons plutôt du pire : ne pas maîtriser ou ne pas contrôler son identité numérique.
Journaliste : L'identité numérique c'est-à-dire ?
Monsieur Philippi : Eh bien, ce sont toutes les informations que peuvent trouver sur Internet vos clients, vos employés mais aussi vos amis... L'image d'une entreprise est très fortement construite par les opinions de vos clients. Et pour une entreprise, le plus intéressant c'est de connaître l'avis de ses clients. Et surtout, avant tout le monde ! C'est ce qu'on appelle la e-réputation.
Journaliste : Et pourquoi est-ce si intéressant ?
Monsieur Philippi : Eh bien, l'entreprise peut alors exploiter ces opinions pour booster ses ventes.
Journaliste : Gérer les médias, les réseaux sociaux, n'est-ce pas ce qu'il y a de plus chronophage ? Vu la vitesse à laquelle se propagent les informations actuellement...
Monsieur Philippi : Certainement ! C'est pour cela qu'il doit y avoir des personnes qui se consacrent uniquement à ça dans une entreprise. Les entreprises les plus actives sur les réseaux sociaux obtiennent des résultats très intéressants.
Journaliste : Et quels sont les réseaux les plus appréciés des entreprises ?
Monsieur Philippi : Eh bien Facebook et Twitter, mais aussi Instagram et maintenant Vine... De grandes entreprises comme La Poste, Air France, la SNCF les utilisent. Aujourd'hui les entreprises les plus proactives transfèrent une partie de leurs activités vers les réseaux sociaux.

Entraînement aux examens – page 42

Activité 1

Femme : Monsieur Coudrier, vous êtes directeur de marketing chez Formass. Comment gérez-vous l'e-réputation de votre société ?
Monsieur Coudrier : Les internautes utilisent les réseaux sociaux comme Facebook ou Twitter pour émettre leurs avis, positifs ou négatifs sur les entreprises. Mais ce sont les blogs qui ont le plus d'impact sur l'e-réputation des entreprises. Alors nous faisons très attention à ces blogs.
Femme : Les entreprises ont toujours porté une attention particulière à leur image. Avec Internet, tout a changé ?
Monsieur Coudrier : Oui et c'est un vrai challenge. L'internaute est l'acteur principal du web. Un de vos clients est mécontent, il en parlera peut-être à six amis. Sur Internet, vos clients mécontents parleront chacun à 6 000 amis. Cette phrase n'est pas de moi mais de Jeff Bezos, le PDG d'Amazon.
Femme : Ça fait beaucoup. Un client insatisfait multiplié par 6 000 !
Monsieur Coudrier : Et c'est la réalité !
Femme : Parlez-nous de la réputation en ligne.
Monsieur Coudrier : Elle tient parfois à peu de chose : une vidéo amateur qui montre les faiblesses d'un produit, une demande de retrait d'un lien ou d'un post. La nouvelle se propage sur le Web en un rien de temps et le mal est fait.
Femme : Alors comment anticiper cela ?
Monsieur Coudrier : Eh bien, il faut être vigilant à tout ce qui se dit sur les réseaux sociaux, les blogs, à toutes les vidéos qui apparaissent sur Youtube... Il faut réagir immédiatement. Il faut à tout prix éviter le *buzz* négatif. Ce n'est pas toujours facile à l'heure où 80 % des discours sur les entreprises sont tenus par les internautes et échappent ainsi aux entreprises.
Femme : Parfois, c'est un avantage pour l'entreprise. Un *buzz* peut aussi être positif !
Monsieur Coudrier : Vous avez parfaitement raison. Et nous essayons d'ailleurs de susciter ce genre de mouvement.

Entraînement aux examens – page 42

Activité 2

La promotion de notre nouveau modèle de tablette commence la semaine prochaine. Avec l'équipe marketing et communication, nous avons mis en place un important dispositif. Nous avons conçu un clip étonnant que nous avons décidé d'envoyer à une liste de contacts choisis. Nous comptons sur l'effet viral pour que la vidéo se propage. Nous attendons un effet dans les dix jours qui suivront la première diffusion. Nous avons également créé un site uniquement pour ce produit. Nous espérons que, rapidement, beaucoup de jeunes se joindront à cette communauté via les réseaux sociaux. Nous prévoyons une campagne promotionnelle dans la rue avec un *street marketing* innovateur et original : les passants vont découvrir dans des lieux stratégiques de plusieurs grandes villes des tablettes géantes et animées. Ils pourront les manipuler de l'intérieur. Mais nous misons surtout sur un design jeune et actuel pour atteindre un public amateur de nouvelles technologies. Un concours photo est prévu. Les meilleures photos prises avec la caméra de la tablette seront sélectionnées.

Unité 4

Leçon 1 – Page 46

2 Prendre des renseignements

Monsieur Gautier téléphone à l'organisation du Forum Convergences à Paris.

Femme : Forum Convergences, je vous écoute.

M. Gautier : Bonjour madame, je vous appelle pour réserver un stand au salon professionnel du Forum convergences.

Femme : Pour réserver un stand, vous devez remplir un formulaire.

M. Gautier : Oui, mais comment j'obtiens ce formulaire ?

Femme : Allez sur notre site Internet, téléchargez le formulaire, remplissez-le et renvoyez-le à l'adresse mail indiquée sur le site.

M. Gautier : Très bien. Et pouvez-vous aussi me donner des informations sur le prix des stands ?

Femme : Bien sûr. Mais ça dépend de ce que vous voulez. Par exemple, pour les deux jours du salon, le stand simple est compris entre 2 400 euros et 3 600 euros pour les entreprises. C'est moins cher pour les associations.

M. Gautier : Pour 2 400 euros, j'ai quelle superficie ?

Femme : 4 m².

M. Gautier : C'est un peu juste.

Femme : Pour 3 600 euros, vous avez 9 m².

M. Gautier : 9 m², c'est bien. Et qu'est-ce qui est compris dans le prix.

Femme : Pour ce prix, vous avez la moquette, des cloisons de 2,40 mètres de haut, une enseigne avec le nom de votre entreprise, un kit mobilier de base, c'est-à-dire une table et deux chaises, un boîtier électrique, un éclairage de base, un accès à la connexion wifi et votre inscription dans le catalogue officiel des exposants.

M. Gautier : Et le marquage sur les cloisons, il n'est pas compris dans le forfait ?

Femme : Non, il est en supplément.

M. Gautier : Et si je souhaite une hôtesse d'accueil ?

Femme : Nous nous en occupons. Cela vous sera facturé en plus.

M. Gautier : Je vous remercie.

Femme : Je vous en prie. Au revoir, monsieur.

Leçon 1 – Page 47

3 Réserver un stand

Femme : J'ai besoin d'un stand assez grand : environ 12 m². Un stand ouvert sur les trois côtés. Pour le sol, je ne veux pas de moquette. Je souhaite quelque chose de plus chaleureux. Il nous faut un comptoir bien sûr. Et surtout un petit coin salon, calme, avec une table basse et au minimum deux fauteuils. Nous devons pouvoir discuter agréablement avec certains clients. Et puis, un canapé. Les visiteurs sont contents de pouvoir s'asseoir pour regarder notre documentation. Des étagères et une réserve. Je souhaite que notre logo apparaisse sur les plans d'orientation du salon et sur le plan du guide de visite. Ah, et je veux insérer une publicité dans le guide de visite. Voilà, j'espère que je n'ai rien oublié.

Homme : Nous allons prendre, comme l'année dernière, un stand de 7 m². C'est parfait pour nous. Ouvert sur deux côtés. Nous voulons un grand écran, visible de loin. Pour le mobilier, il nous faut un comptoir, une table avec deux chaises et un présentoir. Cette année, avec mes collaborateurs, nous avons organisé des permanences, donc nous n'avons pas besoin d'une hôtesse. Nous souhaitons que notre logo figure sur le grand plan d'orientation et sur le plan du salon dans le guide de visite. Ah, j'oubliais, nous voulons aussi deux plantes vertes !

Leçon 2 – Page 48

2 Établir le planning du salon

Stéphanie et Thomas sont en train d'établir le planning pour le salon du bâtiment.

Stéphanie : Alors, nous devons en permanence avoir quatre personnes sur le stand.

Thomas : Au moins trois commerciaux et une quatrième personne. Comme ça lorsque les commerciaux ont des rendez-vous avec des clients, il reste toujours quelqu'un sur le stand. Donc jeudi, j'ai noté le matin Théo, Marina et Charles plus l'apprenti, Alex.

Stéphanie : Parfait, l'après-midi il y aura Hakim, Marie, toi et moi. Et on reste le soir puisqu'il y a le cocktail. Le reste de l'équipe nous rejoindra là-bas à 19 heures.

Thomas : Au fait, pour le cocktail tout est prêt ?

Stéphanie : Oui, j'ai tout vérifié. On a fait appel au même traiteur que l'année dernière. Il nous livrera sur le stand à 18 h 30. Et hier nous avons envoyé un mailing de relance à tous les invités.

Thomas : Super ! Donc, je reprends le planning. Vendredi matin, Marie, Alex, Louise et Marion du marketing seront là. L'après-midi, Charles, Théo, Alex et moi.

Stéphanie : Que des hommes !

Thomas : Ah oui ! Bon samedi, nous devons être plus nombreux, c'est le jour le plus chargé et nous avons trois présentations, deux le matin et une à 15 h 30.

Stéphanie : Sinon, voyons les rendez-vous qui sont confirmés. Je dois rencontrer monsieur Medel vendredi à 13 heures, madame Morvan samedi à 11 heures et samedi à 17 heures, j'ai rendez-vous avec les commerciaux de chez Bati+.

Thomas : Moi j'ai un déjeuné avec le directeur de Constructor vendredi à 13 heures. À 15 heures, je rencontre Hélène Delmas et j'enchaîne à 16 h 30 avec Olivier Zhou. Samedi, je n'ai pas de rendez-vous, mais je fais une des présentations du matin.

Stéphanie : Bon, il faut qu'on ajoute les rendez-vous des autres et le planning sera fini.

Thomas : Et pour le montage du stand et le démontage ?

Stéphanie : Oh, tu sais nous avons surtout de la documentation, c'est assez rapide. Deux personnes, c'est amplement suffisant.

Thomas : Mais tu oublies les branchements des ordinateurs ! Il faut les connecter à Internet, vérifier que ça marche...

Stéphanie : Tu connais bien la technique Thomas, non ?

Leçon 2 – Page 49

3 Générer du trafic sur le stand

Pour beaucoup d'entreprises, le salon professionnel est un temps fort de l'année. Laure, directrice marketing, nous donne quelques conseils.

Le salon du bâtiment réunit chaque année tous les professionnels du bâtiment. Pour nous, c'est un temps fort et un investissement important. Lors du dernier salon du bâtiment, nous avons envoyé un mailing à près de 3 000 clients et prospects. Nous leur annoncions notre présence au salon et nous les incitions à venir nous rencontrer sur notre stand pour découvrir nos nouveautés. Mais surtout, nos commerciaux ont suivi une formation au « contact salon ». Durant cette formation, ils ont analysé la manière dont un salon se déroule, le comportement des visiteurs. Et ils ont appris à aller rapidement à l'essentiel : sur un salon, il faut être capable de séduire, de convaincre rapidement. C'est primordial ! De plus, nous avons remis à tous nos commerciaux un classeur avec les nouveautés présentées de manière détaillée. Et nous en avons beaucoup ! Les commerciaux ont pu se familiariser avec les nouveautés avant le salon et préparer le discours à tenir aux visiteurs. Une stratégie gagnante ! La fréquentation de notre stand a augmenté de plus de 10 %. Cette hausse de la fréquentation va se ressentir dans le chiffre d'affaires annuel.

Leçon 3 – Page 50

2 À la rencontre des prospects

Le commercial : Bonjour madame. Je peux vous présenter notre PME ?
La visiteuse : Bonjour. Eh bien, je suis à la recherche de nouveaux fournisseurs. Je connais votre entreprise de nom uniquement. Je travaille pour un important constructeur automobile.
Le commercial : Alors, en effet, nous sommes faits pour travailler ensemble !
La visiteuse : Nous avons déjà bien sûr un certain nombre de fournisseurs pour les composants électroniques, mais nous aimons nouer de nouveaux partenariats.
Le commercial : Je comprends. Voici notre catalogue.
La visiteuse : Merci. J'ai déjà bien étudié votre catalogue en ligne. Et si vous aviez le temps, j'aurais quelques questions à vous poser.
Le commercial : Bien sûr, je suis là pour ça. Si vous le souhaitiez, nous pourrions prendre rendez-vous. Je pourrais vous présenter tranquillement notre catalogue.
La visiteuse : Volontiers. Je viens de Montréal et je suis ici seulement jusqu'à mercredi...
Le commercial : J'ai un planning très chargé, mais je vais dégager du temps pour vous. Attendez, je consulte mon agenda... Si vous étiez disponible demain dès 9 h 30, je pourrais vous consacrer plus d'une heure.
La visiteuse : Demain... c'est parfait.
Le commercial : Voici ma carte de visite. Pourriez-vous me donner la vôtre, j'aurais votre nom.
La visiteuse : La voilà.
Le commercial : Je vous remercie. À demain matin donc.
La visiteuse : Oui, à demain.

Leçon 3 – Page 51

3 Optimiser sa présence sur un salon

Terrain idéal pour prospecter les entreprises en direct, les salons professionnels sont un bon moyen de se faire connaître et d'investir de nouveaux marchés. Vous avez l'intention de visiter un ou plusieurs salons au cours de l'année ? Avant d'arpenter les allées et les stands, il est indispensable de préparer votre venue pour en tirer les meilleurs bénéfices. Nelly H., responsable commerciale vous livre quelques ficelles. [...]

Vendeur Online : [Pour approcher un prospect] avez-vous une phrase d'accroche, une technique particulière à nous faire partager ?
Nelly H. : Comme je le disais, la notion de rapidité est importante : je commence par me présenter, « Nelly H., société XY », puis en deux mots, je résume notre activité. Le but est d'enchaîner sur les centres d'intérêts et l'activité du prospect : « Et vous ? » Si je sens un intérêt de sa part, que j'ai « ferré le prospect », je procède à un échange de cartes professionnelles, de façon à en rediscuter posément et plus en détail ultérieurement. À noter également, l'intérêt des conférences, tables-rondes et ateliers thématiques qui me permettent de savoir où et à quelle heure exactement je peux trouver un prospect sur le salon. Cela m'aide à m'organiser dans le temps notamment.
Vendeur Online : Vous est-il arrivé de signer un contrat sur un salon professionnel ?
Nelly H. : Oui, à plusieurs reprises ! Il n'y a pas de règles en la matière, mais généralement, sur les salons le but est avant tout de se faire connaître, de favoriser de nombreux contacts commerciaux pour une transformation ultérieure. Il faut, pour ce faire, marquer l'esprit de votre interlocuteur parmi la foule d'autres commerciaux. Être percutant, c'est savoir parler business au bon moment, dans une conversation qui prend bien souvent des allures informelles ! [...]
Vendeur Online : Les salons professionnels sont-ils l'occasion pour vous de récolter de l'information sur vos concurrents ?
Nelly H. : Les salons sont en effet un concentré d'acteurs et de professionnels d'un même secteur d'activité. Il est bien sûr toujours intéressant d'échanger sur l'évolution du secteur, du marché. Et voir ce qui se fait ailleurs permet d'aiguiser et de peaufiner son discours... à son avantage, cela va de soi ! En outre, ça n'est un secret pour personne, se faire passer pour un prospect sur le stand d'un concurrent fait aussi partie du jeu ! [...]
Vendeur Online : Après le salon, l'heure du débriefing : comment organisez-vous les informations récoltées ?
Nelly H. : Après le salon, il est essentiel d'assurer un suivi : je fais un bilan sur la qualité et le nombre de contacts générés, informations que j'intègre dans une base de données. Si la réactivité est certes de mise, je conseille tout de même de relancer ses prospects « ni trop tôt, ni trop tard » : j'effectue en général une relance par téléphone une semaine à dix jours après le salon.

www.vendeuronline.fr

Entraînement aux examens – Page 54

Activité 1

Patrice, Anne-sophie et Myriam doivent participer au salon de l'habitat à Québec. Ils se réunissent pour faire un point avant leur départ.

Patrice : Nous partons mardi soir pour Québec pour le salon de l'habitat. Nous restons jusqu'à samedi. On vérifie ensemble que nous n'oublions rien ?
Myriam : Tu as eu la confirmation de l'heure du vol ?
Patrice : Oui, nous partons à 20 h 15 de l'aéroport Roissy Charles-de-Gaulle. Nous serons à Montréal mardi soir à 19 heures, heure locale.
Myriam : Donc les choses sérieuses commencent le mercredi.
Patrice : Exactement. Nous avons rendez-vous mercredi à 10 heures au salon avec le responsable.
Anne-Sophie Et nous montons le stand.
Patrice : Oui. On ne devra pas traîner. À 15 heures, nous avons une réunion avec nos collaborateurs québécois.
Myriam : Ce n'est pas trop loin du salon, j'espère.
Patrice : Non, 10 minutes en bus. Bon, Anne-Sophie, tu as bien fait envoyer les brochures et les catalogues à Montréal ?
Anne-Sophie Oui, c'est fait. J'ai également préparé plusieurs clés USB avec les présentations. Nous les montrerons sur l'écran du stand.
Patrice : Mercredi, le salon ouvre ses portes à 9 h 30. Nous devons donc arriver pour 9 h 15. La journée sera longue, le salon ferme à 21 heures.
Myriam : Je crois qu'il n'y a pas de conférence ni de rendez-vous mercredi.
Patrice : Non, nous serons tous les trois sur le stand toute la journée.
Anne-Sophie Jeudi matin, je dois assister à une conférence à 11 heures. Et vendredi, j'ai rendez-vous avec un fournisseur à 15 heures. C'est tout.
Patrice : Je n'ai pas de rendez-vous, mais je fais tous les jours deux présentations, une le matin à 11 heures et une l'après-midi à 15 heures.
Myriam : J'ai un rendez-vous jeudi matin et deux rendez-vous vendredi, un à 10 heures 30 et l'autre à 14 heures.
Patrice : Eh bien, c'est parfait. Sinon, comme toujours, en dehors des rendez-vous, nous sommes là pour accueillir les visiteurs, les renseigner... Je crois que nous avons tous l'habitude maintenant.
Anne-Sophie Et samedi, à quelle heure ferme le salon ?
Patrice : À 19 h 30. Ça nous laisse juste le temps de démonter le stand. Nous devons être à l'aéroport à 23 heures.

Annexes

Entraînement aux examens – Page 54

Activité 2

Guillaume Samper : Bonjour madame, vous connaissez Gréalis ?
Flora Vila : Oui bien sûr. Je travaille depuis plus de 10 ans dans la téléphonie !
Guillaume Samper : En effet ! Je suis Guillaume Samper, responsable commercial.
Flora Vila : Enchantée, Flora Vila. Je suis responsable des achats. Je suis actuellement à la recherche de nouveaux fournisseurs.
Guillaume Samper : Je peux vous présenter nos nouveautés.
Flora Vila : J'ai bien étudié votre catalogue avant de venir et vos tarifs sont élevés. Vous êtes plus cher que la concurrence...
Guillaume Samper : Le nouveau composant que nous présentons aujourd'hui au salon est très performant. Et son prix est attractif.
Flora Vila : J'ai vu. Il est moins cher que la plupart de vos produits, mais comparé aux prix de la concurrence...
Guillaume Samper : Oui mais sa durée de vie est beaucoup plus longue !
Flora Vila : Quelles garanties pouvez-vous me donner ? Nous n'avons pas encore le recul nécessaire, il me semble.
Guillaume Samper : Je peux vous montrer les tests et les études que nous avons réalisés. Je vous propose que nous prenions rendez-vous pour que je puisse vous montrer tous les documents. Et nous pourrions parler plus tranquillement.
Flora Vila : Avec plaisir, mais alors plutôt après le salon. Nos bureaux sont également à Lyon.
Guillaume Samper : Alors c'est parfait. La semaine prochaine, jeudi 10 heures dans nos bureaux, ça vous conviendrait ?
Flora Vila : Je vérifie mon emploi du temps. Eh bien, ça me semble parfait. Tenez voici ma carte.
Guillaume Samper : Merci, voici la mienne. Au revoir.
Flora Vila : Au revoir, à jeudi donc.

Bilan – Page 56

Bonjour Ana, c'est Arnaud. Je vous appelle pour vous signaler quelques modifications dans l'organisation du salon du Voyage d'affaires, la semaine prochaine à Genève. Votre conférence de lundi est déplacée à mardi matin, 10 h 30. J'ai donc déplacé votre rendez-vous avec monsieur Richou. Vous le verrez donc mardi après-midi à 15 h 30. J'ai reçu une confirmation de madame Zhao pour votre déjeuner de mercredi. Elle vous retrouvera à 12 h 45 sur le stand. Je vous envoie le planning des présences sur le stand par mail et toutes les informations pour le grand jeu-concours. Bonne journée.

Unité 5

Leçon 1 – Page 60

1 À quoi sert un SAV ?

[...]
Journaliste : Vu sous cet angle, un bon traitement des réclamations est rentable.
Monsieur Beaumont : Tout à fait : des études ont même montré que traiter convenablement une réclamation a plus d'effet qu'une campagne publicitaire pour capter de nouveaux clients.
Journaliste : Alors, votre conseil ?
Monsieur Beaumont : Anticiper les plaintes des clients. Ne croyez pas que tous les clients insatisfaits nous adressent des réclamations ; loin de là. À peine 4 % des clients mécontents le font.
Journaliste : Et le reste ?
Monsieur Beaumont : Ils nous quittent, tout simplement, et se tournent vers la concurrence ! Pas de nouvelles n'est pas toujours synonyme de bonnes nouvelles...

Leçon 2 – Page 62

3 Un client mécontent

SAV : Service après-vente, bonjour. Que puis-je faire pour vous ?
Client : Bonjour. J'appelle de la société Dreyfuss. Vous nous avez installé le mois dernier un nouveau système de téléphonie. Votre technicien est venu pour nous former, mais nous rencontrons un certain nombre de problèmes. Nous vous avons choisi notamment pour votre service après-vente. Mais la plateforme de télémaintenance n'arrive pas à nous mettre en relation avec le technicien. Et pendant ce temps, les problèmes persistent !
SAV : Quel est le nom du technicien qui s'occupe de vous ?
Client : Richard Herrier. C'est lui qui a mis en service toute l'installation et qui a donné la formation. Mais maintenant il ne nous répond plus !
SAV : Quels sont les problèmes que vous rencontrez ?
Client : Eh bien la messagerie vocale, par exemple. Si le correspondant est absent, son interlocuteur n'a pas moyen de laisser un message. Et par conséquent, l'appel est perdu.
SAV : Je vois.
Client : Nous avons aussi voulu modifier le message d'accueil, puisque nous allons fermer pour la période estivale. Mais nous n'avons pas réussi. Nous n'avons aucune indication pour faire cette manipulation. Du coup, nous allons fermer et le téléphone sonnera dans le vide. Imaginez l'image de notre entreprise que ça va donner à nos clients !
SAV : Bien sûr, bien sûr...
Client : Ah ! Et puis nous avons voulu analyser le trafic entrant et sortant, et la facturation poste par poste, parce que ce sont des données importantes pour nous. Et c'est bien plus compliqué que ce que nous a vendu monsieur Herrier : ça ne marche pas !
SAV : J'ai bien pris note de tous les points que vous avez mentionnés. Je comprends votre mécontentement. Je vais me charger personnellement du suivi de votre dossier afin que votre standard soit complètement opérationnel dans les jours qui viennent. Quel est votre nom ?
Client : Thomas Weiss, W E I 2 S, de la société Dreyfuss.
SAV : Je me renseigne pour comprendre ce qui se passe, pour savoir pourquoi le technicien ne répond pas à vos demandes. Et demain matin, je demande à Richard Herrier, ou à un autre technicien, de se rendre dans vos bureaux pour traiter avec vous, en face à face, tous les dysfonctionnements et les problèmes. Je vous confirme l'horaire exact et le nom du technicien avant 15 heures.
Client : Très bien. J'attends votre appel. J'espère ne pas avoir à appeler de nouveau.

Leçon 2 – Page 61

3 Le service clients

[...]
Capital.fr : Quelles formations préparent à ce métier ?
Florent Lebaupain : Les formations généralistes préparent bien à ce métier : école de commerce, maîtrise d'AES (administration économique et sociale), maîtrise d'économie ou de gestion... À noter que dans l'industrie, le directeur de service client est souvent issu de la promotion interne : ancien technicien, devenu gestionnaire des ventes, puis directeur de l'administration des ventes avant d'être nommé directeur de service client.

Propos recueillis par Arnaud Normand, www.capital.fr

Leçon 3 – Page 64

2 Une enquête de satisfaction

Bâti Pro : Bonjour monsieur Stehl. Je vous appelle de la Société Bâti Pro. Vous avez récemment répondu à notre enquête de satisfaction en ligne et je vous en remercie.
Monsieur Stehl : Je vous en prie.
Bâti Pro : Je ne vais pas vous retenir très longtemps. Cependant j'aimerais savoir pourquoi vous n'avez pas été entièrement satisfait de l'accueil téléphonique.
Monsieur Stehl : Nous n'étions pas satisfaits des travaux. Les finitions n'étaient pas faites et nous avons eu beaucoup de mal à joindre le responsable de notre dossier. J'ai dû appeler à plusieurs reprises avant de pouvoir lui parler.
Bâti Pro : Vous avez également signalé un problème avec votre facture ?
Monsieur Stehl : Elle n'était pas détaillée. Je ne comprenais donc pas à quoi correspondaient les différentes lignes. J'ai eu raison d'insister car j'ai finalement obtenu une facture détaillée et là je me suis rendu compte qu'il y avait une erreur. Pas grand-chose, mais quand même ! C'est d'ailleurs à croire que c'est fait exprès...
Bâti Pro : J'ai bien pris note de tout ce que vous venez de me dire. C'est très important, cela nous permet d'améliorer nos services. Je vous en remercie et je vous souhaite une bonne journée.
Monsieur Stehl : Il n'y a pas de quoi. Au revoir.

Leçon 3 – Page 65

3 Fidéliser la clientèle

Nous sommes aujourd'hui réunis pour parler des opérations de fidélisation de la clientèle. Beaucoup d'études ont montré qu'un dispositif de remerciement est très bénéfique à court terme et, finalement, assez peu coûteux. Mais encore faut-il faire les bons choix. Il faut choisir un cadeau qui fidélisera réellement notre client et en même temps se distinguer de nos concurrents. Il faut que le client soit satisfait. Notre enseigne va bientôt fêter ses 10 ans, c'est l'occasion idéale d'offrir un cadeau à nos meilleurs clients. On évitera le stylo *made in china* ou la clé USB. Je doute que nos clients apprécient ce type de cadeaux ! Il faut trouver un cadeau durable et original et garder un lien avec l'activité de notre entreprise. Nous devons également rester raisonnables en termes de prix. J'attends donc vos suggestions.

Entraînement aux examens – page 68

Activité 1

Isabelle : Bonjour Pierre. Pendant votre congé, j'ai été chargée du suivi de vos dossiers urgents. Il n'y a pas eu de problème à part un client qui a appelé plusieurs fois pour se plaindre. Il n'a pas été livré.
Pierre : Merci Isabelle. De qui s'agit-il ?
Isabelle : J'ai tout indiqué sur le tableau de suivi, dans le fichier « suivi clients 2014 ». Il s'appelle Gérard Staub.
Pierre : Je vois. C'est le responsable des achats de la société Friditec. Vous vous souvenez de sa commande ?
Isabelle : Oui, il a commandé deux boîtes d'interrupteurs électriques, il y a bien au moins trois semaines.
Pierre : En effet, c'est étrange. D'habitude, ce type de produit est livré dans un délai de 72 heures.
Isabelle : Je sais bien. Personne ne comprend ce qui s'est passé. Mais vous feriez bien de l'appeler pour le calmer. Il est très mécontent. Il a encore appelé hier. Il sait que vous êtes là aujourd'hui.
Pierre : Je vais commencer par appeler les collègues de la zone nord pour comprendre le problème avant de le rappeler. Je veux avoir une explication et une solution à lui donner. On ne peut pas se permettre d'avoir des clients mécontents. Le directeur nous demande de résoudre les cas problématiques dans les plus brefs délais.

Entraînement aux examens – page 68

Activité 2

Monsieur Ortega : Bonjour madame Crucy. Je suis monsieur Ortega. Je vous appelle de la société Invéa. Vous avez laissé un message sur notre répondeur hier soir.
Madame Crucy : Ah oui, bonjour monsieur. Je vous ai appelé parce que les marchandises que vous nous avez livrées sont arrivées endommagées.
Monsieur Ortega : Ah bon ? Je suis désolé. De quel produit s'agit-il ?
Madame Crucy : Il s'agit d'un lot de caisses plastique pour rangement. Quelques caisses étaient abîmées. La plupart des emballages étaient détériorés.
Monsieur Ortega : Je ne sais pas ce qui a pu se passer, mais si la marchandise est défectueuse, nous allons bien entendu la remplacer.
Madame Crucy : Nous avons besoin de ces caisses pour ce week-end car nous avons un stand au Salon des professionnels du secteur cosmétique de Strasbourg. Nous ne pouvons pas attendre une nouvelle livraison.
Monsieur Ortega : Je comprends. Je vais me renseigner auprès de notre délégation en Alsace. Ils ont peut-être ce produit en stock, dans ce cas, ils vous livreront directement. Sinon...
Madame Crucy : Un produit similaire fera aussi l'affaire. On a vraiment besoin de caisses !
Monsieur Ortega : Je les appelle tout de suite. Je trouve une solution et je vous rappelle avant la fin de matinée. Je suis vraiment désolé pour cet incident.

Unité 6

Leçon 2 – Page 74

2 Renault met en place le télétravail

Le constructeur automobile vient de passer le cap des 1000 salariés en télétravail. Ce dispositif concerne une large palette de métiers et de fonctions. Éric Couté, responsable télétravail chez Renault, nous éclaire sur le fonctionnement de cette modalité.

Pourquoi mettre en place le télétravail ?

Pour de nombreux collaborateurs, les temps de trajets en Île-de-France sont longs et engendrent fatigue, risques d'accident et pollution. Nous voulons réduire les temps de transport pour un meilleur équilibre entre vie professionnelle et vie privée. Disposant d'outils informatiques fiables et performants, nous avons, dès 2007, mis en œuvre un accord sur le télétravail signé par tous les partenaires sociaux.

Comment mettez-vous en œuvre cette modalité de travail ?

Le collaborateur se porte volontaire et son supérieur hiérarchique valide sa demande. Un avenant au contrat de travail, précisant le nombre de jours en télétravail et les horaires, est alors signé. S'ils le souhaitent, collaborateur ou manager peuvent à tout moment y mettre fin. Autonomie, organisation, maîtrise de l'informatique : le salarié évalue tous ces critères grâce à un guide préparatoire. Il construit lui-même son projet de télétravail. Il propose notamment les activités à réaliser à son domicile et des pistes d'organisation avec son équipe et ses clients. Un accord doit être trouvé sur les jours de présence du salarié et sur

l'organisation de l'équipe. Si ses connaissances informatiques doivent être renforcées, nous proposons un tutorat. Ordinateur portable équipé d'un système d'audio conférence, chat, téléphone intégré ou fauteuil ergonomique, nous mettons à disposition du salarié tous les outils nécessaires pour travailler.
Quels sont les bénéfices pour l'entreprise et les salariés ?
Une fois par an, nous réalisons une enquête de satisfaction auprès des salariés en télétravail et de leurs managers. Elle démontre une amélioration, un meilleur équilibre entre vie professionnelle et vie privée mais aussi un gain de productivité. Pour les activités de réflexion, on gagne nettement en efficacité. Cette organisation tire les équipes et les managers vers plus d'efficacité collective. Les objectifs sont mieux définis et mieux suivis. Ce mode de travail oblige notamment les managers à réfléchir de façon plus poussée aux processus de management et à prendre plus de hauteur. Enfin, cela contribue à motiver et fidéliser les collaborateurs.
Pour que cela fonctionne, le cadre du télétravail doit être défini en amont et conjointement. Contrairement aux idées reçues, l'esprit d'équipe ne se délite pas. Les équipes font en sorte de le préserver. Chez nous, 83 % des collaborateurs en télétravail travaillent à domicile un à deux jours par semaine. L'autre clé de la réussite réside dans une communication interne régulière qui permet le partage des bonnes pratiques et des témoignages terrain.

www.pole-emploi.fr

Leçon 2 – Page 75

3 Mieux gérer son temps grâce aux cartes heuristiques

Femme : Philippe Boukobza, vous êtes spécialiste en consulting. En quelques mots : en quoi consiste votre travail ?
P. Boukobza : Mon travail consiste à me mettre au service des personnes et des organisations pour les aider à améliorer leurs méthodes de travail et à atteindre leurs objectifs professionnels. Il faut s'intéresser à leurs situations, écouter leurs demandes et comprendre les problèmes qu'ils ont à résoudre. Puis, les aider à choisir et à appliquer des solutions. Pour apporter plus de valeur, il vaut mieux avoir une spécialité, une expertise ; la mienne c'est la pensée visuelle.
Femme : Vous êtes coach en entreprise et vous formez des professionnels sur la pensée visuelle. Qu'est-ce que c'est au juste ?
P. Boukobza : Il s'agit d'apprendre aux professionnels des techniques de travail nouvelles qui accordent autant de place à l'image qu'au texte pour visualiser l'information. Ils développent ainsi une capacité à saisir rapidement l'essentiel de l'information et à l'organiser de manière claire. Ces méthodes de pensée visuelle développent autant les compétences logiques que les compétences créatives afin d'obtenir de meilleurs résultats.
Femme : En quoi un outil comme une carte mentale peut-il aider les travailleurs à mieux organiser leur temps de travail ?
P. Boukobza : La carte mentale, que l'on appelle aussi carte heuristique, est un des outils de la pensée visuelle. Elle est utile dans beaucoup de domaines, et notamment dans le nôtre. Son utilisation demande, d'une part de ne garder que l'essentiel des informations dont nous avons besoin. On gagne du temps en se concentrant sur le principal. D'autre part, la méthode de la carte mentale implique de prioriser les informations. Finalement, le travailleur qui utilise la carte mentale organise ses tâches en se concentrant sur l'essentiel, en commençant par le plus important, et en ayant à tout moment une image globale de son travail.
Femme : Peut-être faudrait-il d'abord nous expliquer ce qu'est une carte heuristique ?
P. Boukobza : Une carte heuristique est un schéma avec un centre et des branches. Le schéma montre les relations entre les informations qui sont représentées. Au centre : le thème principal, sur les branches les informations importantes, et tout est connecté au centre. On utilise des mots clés, des images simples et des couleurs pour compléter la carte heuristique.
Femme : Tout le monde peut utiliser cet outil ?
P. Boukobza : Oui, c'est un des principaux avantages de cet outil. Il s'adapte aux besoins et à l'exigence de chacun, que l'on soit collégien ou dirigeant d'entreprise. Des étudiants l'utilisent par exemple pour mieux apprendre, les cadres pour analyser des situations ou organiser leur travail. Même Al Gore, l'ancien vice-président des États-Unis, utilise des cartes mentales pour préparer ses conférences !

Leçon 3 – Page 76

2 Bien réussir un rachat d'entreprise

Journaliste : Monsieur Martin, vous êtes spécialisé dans le domaine des rachats d'entreprise. On fait souvent appel à vous lorsqu'une entreprise recherche les conseils d'un expert pour que la fusion-acquisition se passe au mieux. Dans ces situations, les salariés sont souvent inquiets. Peut-on les rassurer ?
Monsieur Martin : Bien sûr ! Il faut savoir qu'après un rachat ou une fusion, tous les contrats de travail (CDI, CDD, contrat en alternance...) sont maintenus dans les mêmes conditions et selon les mêmes modalités. Les salariés sont protégés par le droit du travail. Ils ne peuvent donc pas être licenciés.
Journaliste : Les salaires également ne sont pas modifiés ?
Monsieur Martin : Parfaitement ! La rémunération reste la même. Bien que l'entreprise change, les salariés conservent leur ancienneté, leur qualification, les avantages acquis...
Journaliste : Qu'est-ce qui change alors ?
Monsieur Martin : Les conventions changent, les éventuelles primes. Les accords collectifs peuvent être modifiés ainsi que les accords unilatéraux... mais pas nécessairement. Dans ce cas, on doit engager une négociation pour conclure de nouveaux accords.
Journaliste : Et si un travailleur est licencié juste après un rachat ou une fusion ?
Monsieur Martin : L'employeur doit démontrer les raisons du licenciement, et en aucun cas elles ne peuvent avoir un rapport avec la fusion. Sinon, il s'agirait d'une fraude à l'obligation de reprise de chaque salarié. Et l'entreprise serait contrainte d'indemniser le salarié.
Journaliste : Quoi qu'il en soit, on sait tous que des modifications sur les contrats se produisent fréquemment après une fusion...
Monsieur Martin : Le nouvel employeur ne peut modifier le contrat d'un salarié qu'avec son accord. S'il refuse, il peut être licencié. Mais dans ce cas, les indemnités de licenciement devront tenir compte de son ancienneté dans l'entreprise qui vient d'être rachetée.
Journaliste : Alors pourquoi les rachats, sont-il très souvent mal vécus par les salariés ?
Monsieur Martin : Eh bien, je crois que tout simplement ces changements ne sont pas assez préparés en amont.
Journaliste : C'est le rôle de la DRH ?
Monsieur Martin : Exactement, son rôle est crucial. Elle doit d'abord alerter sur les impacts puis gérer les évolutions des emplois et des compétences liées aux changements. La DRH doit adopter une posture d'écoute. Et elle accompagne la direction dans la conduite du changement. Normalement, une équipe projet est nommée pour travailler sur cette conduite.

Entraînement aux examens – Page 80

Activité 1

Journaliste : Chers auditeurs, bonjour. Aujourd'hui j'ai le plaisir d'accueillir dans nos studios Julie Vivès, experte en fusions d'entreprises. Au niveau des ressources humaines, quels points êtes-vous amenée à traiter dans une situation de fusion d'entreprises ?
Julie Vivès : Effectivement, c'est souvent au niveau humain que les problèmes se posent. On fait appel à moi pour accompagner la direction dans la conduite du changement. J'aide la direction à gérer ces changements.
Journaliste : On fait appel à vous parce que ça ne se passe pas toujours très bien ?
Julie Vivès : Oui, vous avez raison. Après une fusion, il faut être vigilant. Des tensions surviennent souvent entre les salariés et la direction. La situation ne doit pas dégénérer : je dois donc être très attentive et rapide.
Journaliste : Que faites-vous à ce stade-là ?
Julie Vivès : Je conseille la direction et l'équipe des ressources humaines. Nous mettons en place un plan d'action. Je recommande à la direction d'adopter une posture d'écoute.
Journaliste : Cela paraît évident, mais est-ce si simple ?
Julie Vivès : L'une des qualités des DRH doit être l'écoute active, c'est-à-dire une écoute bienveillante. Le salarié doit pouvoir exprimer ses émotions, ses difficultés, sans crainte. Cela suffit souvent à résoudre les tensions. Il faut établir la confiance et une bonne communication entre les divers acteurs de l'entreprise.

Entraînement aux examens – Page 80

Activité 2

Animateur : Bienvenue à notre table ronde sur le télétravail. Vous avez une expérience dans ce domaine alors je vous invite à la partager avec nous. J'attends vos témoignages.
Homme 1 : Moi j'ai un poste à responsabilité dans une grande entreprise. Je dirige une équipe de 20 personnes, et j'arrive pourtant à pratiquer le télétravail un jour par semaine depuis 2012. J'ai choisi d'habiter à la campagne pour le bien-être de mes deux enfants.
Femme 1 : J'en avais assez des trajets quotidiens, alors je me suis inscrite sur un site de télétravail. Une entreprise canadienne m'a contactée. Notre collaboration s'est bien passée et cela fait maintenant 2 ans que je travaille pour cette entreprise en télétravail. Le contact social me manque un peu, je dois l'avouer. Il faut sortir de chez soi, faire autre chose, rencontrer des gens. Alors, je me suis inscrite à des cours d'espagnol. Je fais autre chose et je vois du monde.
Animateur : Tout le monde n'a pas envie d'être un télétravailleur ! Certains ont besoin d'être en permanence en contact avec leurs collègues.
Femme 2 : Pour moi, le télétravail c'est un gain de temps par rapport à mon poste précédent où je passais presque 3 heures par jour dans les transports. L'entreprise aussi est gagnante, je ne suis pas fatiguée par les transports, je suis donc plus efficace. Et je suis prête à travailler plus car je sais que je n'ai pas une heure et demie de transport qui m'attend !
Homme 2 : Oui, mais pas seulement. Ce que j'apprécie avec le télétravail, c'est que tu peux travailler de n'importe où, de chez toi mais d'ailleurs aussi. Il suffit d'avoir un ordinateur et une connexion à Internet.
Femme 2 : Moi je ne me vois pas travailler autrement maintenant. Je suis moins stressée. J'ai plus de liberté pour m'organiser. Mon fils est malade, pas de problème de garde puisque je suis à la maison. Je dois aller chez le médecin ? Je m'absente une heure et je rattrape le soir, le week-end. Bref, quand ça m'arrange. Je me suis aperçue que je suis beaucoup plus efficace dans mon travail.
Homme 2 : Moi je ne supportais plus la vie dans une grande ville. J'aime la vie à la campagne. Maintenant, c'est le rêve ! Je ne peux pas demander mieux.

Bilan – page 82

Service clients : Bonjour, service clients de la société Bayer.
Cliente : Bonjour madame. Je vous appelle de la société Alipro au sujet d'une commande que nous avons passée il y a une semaine. Nous avons commandé des produits d'entretien et de nettoyage mais nous n'avons reçu que la moitié de la commande.
Service clients Pouvez-vous me dire le numéro qui figure en haut à gauche sur le bon de livraison ?
Cliente : Euh, oui, c'est le 20 14 3 257/362.
Service clients Oui, je l'ai sur l'écran. Il s'agissait de 3 bouteilles de dissolvant, 4 bidons de détergent pour les sols et 5 bidons de nettoyant ammoniaqué. Quel est le problème madame ?
Cliente : Nous n'avons reçu que le détergent pour les sols.
Service clients Nous avons pourtant bien pris la commande. D'après l'ordinateur, tout a été envoyé. Je ne comprends pas. Je vais voir auprès du service transport au cas où il y aurait eu un problème. Laissez-moi votre numéro de téléphone afin que je puisse vous rappeler.
Cliente : C'est le 06 33 52 58 71. Et je suis madame Hibert. H-I-B-E-R-T.
Service clients Je vous rappelle sans faute dans la journée, avant 17 heures. Il y a peut-être eu une rupture de stock, sinon je ne vois pas la raison. Mais je vous le confirme tout à l'heure.
Cliente : Je vous remercie, au revoir.

Unité 7

Leçon 1 – Page 87

3 Une demande particulière

[...]
Melissa : Un instant. Je regarde. ... Oui, je peux vous proposer l'hôtel du Parc, mais il est assez éloigné du centre.
Louis Dubreuil : Ah, c'est embêtant. Vous n'avez pas quelque chose de plus central ?
Melissa : J'ai trouvé ce qu'il vous faut à l'hôtel Central. Comme son nom l'indique, il est en plein centre ville !
Louis Dubreuil : Il y a bien des chambres pour personnes à mobilité réduite ?
Melissa : Oui, bien sûr. Il y a une rampe d'accès pour les fauteuils roulants et, à l'intérieur, un ascenseur. Et la salle de bains est aménagée pour les fauteuils roulants.
Louis Dubreuil : C'est parfait. Comment accède-t-on à l'hôtel depuis la gare ?
Melissa : La gare n'est pas très loin, mais je vous conseille de prendre un taxi. Il y a une station de taxi juste devant la gare.
Louis Dubreuil : Merci.
Melissa : Monsieur Dubreuil pouvez-vous me donner le nom de la personne qui vous accompagne ? Ensuite, je vous enverrai, comme d'habitude, le voucher par mail.

Leçon 2 – Page 88

1 Un excédent de bagages

Au comptoir d'enregistrement de la compagnie aérienne.
Homme : Bonjour madame.
L'agent d'escale : Bonjour monsieur, votre carte d'embarquement s'il vous plaît.

Homme : Tenez.
L'agent d'escale : Vous avez un bagage à enregistrer ?
Homme : Oui, cette valise.
L'agent d'escale : Posez-la sur le tapis s'il vous plaît. Ah, vous avez un excédent de bagage ! Votre valise pèse 26,7 kilos et vous avez le droit à seulement 23 kilos.
Homme : Vous êtes sûre ?
L'agent d'escale : Oui, regardez, c'est indiqué ici. Vous devez payer un supplément de 80 euros.
Homme : 80 euros ! Pour à peine 4 kilos, c'est énorme !
L'agent d'escale : C'est un forfait monsieur. J'applique les consignes. Vous pouvez enlever le surplus pour ne pas payer l'excédent de bagages.
Homme : Et je fais quoi de mes affaires ? Non, non, je pars en voyage professionnel, j'ai vraiment besoin de tous ces documents ! Je peux régler par carte bancaire ?

Leçon 2 – Page 88

2 Des annonces aux passagers

Annonce 1 : Les passagers Sèvre et Tribot du vol AR 9571 à destination de Pékin sont invités à se rendre immédiatement à la porte d'embarquement numéro 26, je répète, les passagers Sèvre et Tribot sont invités à se rendre immédiatement porte 26 pour un embarquement immédiat.
Annonce 2 : Le train en provenance de Brest et à destination de Lille va entrer en gare voie 6. Éloignez-vous de la bordure du quai s'il vous plaît. Ce train dessert Le Mans et Laval.
Annonce 3 : Suite à un incident sur la voie entre Marseille et Paris, la SNCF vous prie de l'excuser pour les retards occasionnés. Nous mettons tout en œuvre pour rétablir la circulation des trains au plus vite.
Annonce 4 : Le vol AP 1597 à destination de Madrid est annulé. Nous invitons les passagers de ce vol à se présenter au guichet de la compagnie.

Leçon 2 – Page 89

3 Un imprévu

Marc ? C'est Hélène. Je t'appelle de l'aéroport. J'ai raté mon avion. Hier soir, j 'avais oublié le décalage horaire en réglant mon réveil ! J'avais tellement travaillé toute la journée. Si j'avais pu, je ne serais pas allée dîner avec nos clients… Bon j'essaye de trouver une place sur un autre vol. Je te tiens au courant. À plus tard.

Leçon 3 – Page 90

1 Un rendez-vous d'affaires

[…]
Monsieur Denis : Ah oui ?
Madame Derderian : Installez-vous, je vous prie.
Monsieur Denis : Je vous écoute !
Madame Derderian : Eh bien, nous avons développé une nouvelle gamme de produits, des produits biologiques : gâteaux secs, céréales…
Monsieur Denis : Très intéressant.
Madame Derderian : Voici quelques paquets.
Monsieur Denis : Le packaging est réussi, moderne et sobre.
Madame Derderian : J'étais sûre que ça vous plairait !
Monsieur Denis : Toutefois, je ne sais pas si, au Canada, la clientèle serait attirée par ces emballages…
Madame Derderian : Ah ?
Monsieur Denis : Oui, cela ne correspond pas vraiment à l'idée que les gens ont des produits bio. Ce sont des produits naturels donc la proximité avec la nature est importante…
Madame Derderian : Je comprends.
Monsieur Denis : Et votre packaging est trop… sophistiqué.
Madame Derderian : Nous pouvons étudier un autre packaging avec notre service marketing.
Monsieur Denis : Oui, bien sûr, mais nous n'en sommes pas encore là. Nous n'avons pas encore goûté vos produits ! Et puis, nous devons les analyser, étudier leur composition.
Madame Derderian : Certainement…
Monsieur Denis : Et vous savez que vos produits doivent répondre à des normes très strictes pour obtenir le label bio au Canada.
Madame Derderian : Je sais bien, c'est pourquoi j'ai demandé à Roxane qui est responsable de la qualité des produits de nous rejoindre. Elle pourra vous donner toutes les informations dont vous avez besoin ! Et nous vous donnerons la fiche technique de chacun des produits.
Monsieur Denis : Très bien, nous allons voir ça.
Madame Derderian : Comme nos ingrédients sont soigneusement sélectionnés, nos produits devraient pouvoir répondre aux normes de votre pays ! Et vos compatriotes devraient bientôt pouvoir les déguster !
Monsieur Denis : J'espère, mais il faudra encore obtenir la certification. C'est toujours long. Et puis, nous n'avons pas encore parlé du prix ! La négociation ne fait que commencer…

Entraînement aux examens – page 94

Activité 1

Le réceptionniste : Hôtel du centre, bonjour.
Le client : Bonjour Monsieur, je voudrais modifier ma réservation.
Le réceptionniste : Oui, il me faut la référence de votre dossier.
Le client : C'est HRX 1691.
Le réceptionniste : Alors, c'est une réservation au nom de Monsieur Martinot, une chambre double pour une personne pour 5 nuits, du 16 au 21 novembre.
Le client : C'est exact, je souhaite rester une nuit supplémentaire.
Le réceptionniste : Un instant, je regarde si c'est possible… Alors, c'est possible mais pour la nuit supplémentaire, je n'ai que des chambres individuelles.
Le client : Ah… Je ne peux vraiment pas garder la même chambre pendant tout le séjour ?
Le réceptionniste : Ça me semble difficile mais je vais voir ce que je peux faire. Vous pouvez me donner une adresse mail ?
Le client : Bien sûr, c'est smartinot, martinot, O T, @hotmail.fr
Le réceptionniste : J'essaye de vous trouver une solution et je vous envoie un mail avec votre nouvelle réservation. Vous avez choisi le petit-déjeuner inclus et vous avez réservé une place de parking, c'est bien ça ?
Le client : Oui, c'est ça. Justement, j'allais oublier… C'est possible d'annuler les deux premiers petits-déjeuners ? Je vais devoir partir très tôt et je n'aurai pas le temps de les prendre.
Le réceptionniste : Bien, j'enregistre la modification. Alors je récapitule, nous avons 6 nuits en chambre double si possible, pour une personne, du 16 au 22 novembre avec 2 nuits sans petit-déjeuner et 4 nuits avec petits-déjeuners et une place de parking.
Le client : C'est parfait, je vous remercie, j'attends votre mail.
Le réceptionniste : Je vous l'envoie très rapidement. Au revoir monsieur.
Le client : Au revoir, merci.

Entraînement aux examens – page 94

Activité 2

Situation 1

La passagère : Bonsoir monsieur, j'arrive de Toulouse et j'ai attendu ma valise mais elle n'est pas arrivée.
L'agent d'escale : Bonsoir madame. Alors il me faut l'étiquette où figure le code barre pour localiser votre valise.
La passagère : Tenez.
L'agent d'escale : Merci, alors voyons... Ah, votre valise est restée à Toulouse.
La passagère : Et vous savez quand je vais la récupérer ?
L'agent d'escale : Aujourd'hui, vous étiez dans le dernier vol en provenance de Toulouse donc demain les agents la mettront dans le premier vol.
La passagère : Bien. Et je dois venir la chercher ici ?
L'agent d'escale : Non, la compagnie va la livrer chez vous.
La passagère : Mais je suis à l'hôtel pour voyage d'affaires !
L'agent d'escale : Ce n'est pas un problème, on vous livrera votre bagage à votre hôtel.
La passagère : Et vous pouvez me dire à quelle heure ?
L'agent d'escale : Alors, s'il n'y a pas de problème, le vol arrive demain matin à 7 h 52 donc dans un délai de 2 heures maximum.

Situation 2

L'agente SNCF : Bonjour monsieur.
Le client : Bonjour madame. J'ai un billet de train pour Bordeaux ce soir, départ 21 h 38 et je souhaite le modifier, c'est possible ?
L'agente SNCF : Alors, je vais regarder. Vous avez votre billet ?
Le client : Oui, tenez.
L'agente SNCF : Vous souhaitez partir quand ?
Le client : Je souhaite partir demain soir, si c'est possible par le même train qu'aujourd'hui.
L'agente SNCF : Pour demain, le train de 21 h 38, il me reste des places uniquement en première classe.
Le client : C'est beaucoup plus cher ?
L'agente d'escale : Vous devrez ajouter 13 euros mais comme vous modifiez votre départ le jour même, vous avez aussi un supplément à payer.
Le client : Oui, je sais. Et entre le supplément pour changer de train et la place en première classe, ça fait combien ?
L'agente d'escale : 21 euros au total.
Le client : Très bien, alors je vais faire le changement.
L'agente d'escale : Vous payez par carte ?
Le client : Oui, tenez.

Unité 8

Leçon 1 – Page 98

1 Les marchés publics

Homme : Qu'est-ce qu'un marché public ?
Femme : Il s'agit d'un marché dans lequel l'État à un rôle important. C'est un contrat conclut entre l'État, les collectivités territoriales ou des établissements publics locaux et des opérateurs économiques publics ou privés. Ils répondent à des besoins en matière de travaux, de fournitures ou de services.
Homme : Les marchés publics sont très importants en France.
Femme : En effet, par exemple c'est grâce aux marchés publics que les PME réalisent une grande partie de leur chiffre d'affaires.
Homme : Quelle est la particularité des marchés publics ?
Femme : Quand on parle de marchés publics, on parle de l'argent des contribuables. La loi le protège et veille à ce qu'il soit dépensé de façon juste. Ce système juridique permet d'encadrer les décisions. Il permet d'éviter que les décisions soient prises sous influence.
Homme : Et quels sont les principes sur lesquels reposent ces marchés publics ?
Femme : Il y a trois grands principes : le principe de libre-accès, le principe d'égalité de traitement des candidats et le principe de transparence.
Homme : Pouvez-vous nous expliquer ces trois principes ?
Femme : Le libre-accès assure la concurrence et évite la corruption ou la discrimination. Toute personne qui le souhaite peut donc répondre à l'appel d'offre de marché public. L'égalité de traitement consiste à traiter tous les candidats qui ont répondu à l'appel d'offre de la même façon. On évite ainsi toutes sortes de discriminations. Enfin, le principe de transparence permet de choisir la meilleure offre d'un point de vue économique, afin d'utiliser au mieux l'argent des contribuables.

Leçon 2 – Page 100

2 Ouverture des magasins le dimanche : témoignages

Que pensez-vous du travail dominical ? Nous avons posé cette question à des clients et à des employés, Valérie, Michel, Samy, Narumi et Edmond.

Valérie : Je viens d'emménager. Je travaille toute la semaine. Je profite du dimanche matin pour aller dans les magasins de bricolage et d'ameublement. J'aime venir le dimanche car c'est calme ; il y a moins de monde et les conseillers sont plus disponibles.

Michel : J'adore aller dans les magasins le dimanche. Tout le monde est plus décontracté : les vendeurs et les clients. Mais c'est vrai que moi je n'ai pas envie de travailler le dimanche ! Je suis pour que chacun fasse comme il veut.

Samy : On vient travailler le dimanche sur la base du volontariat. Ce n'est pas une obligation. C'est important pour que tout le monde soit satisfait. J'aime mon travail et surtout le contact avec les clients et le dimanche, ils sont plus détendus. Bien sûr, je gagne un peu plus. C'est important car j'ai trois enfants.

Narumi : Je suis étudiante et je suis obligée de travailler pour payer mes études. Je gagne 150 euros pour une journée de travail le dimanche. Ça m'aide pour le loyer et ça me permet d'acheter des livres et de faire quelques sorties.

Edmond : Moi je ne vais jamais dans les magasins le dimanche. Je suis contre. Tout le monde a le droit de se reposer en famille, une fois par semaine ! Je ne crois pas que les employés qui travaillent le dimanche soient volontaires.

Leçon 2 – Page 101

4 Quand les PME se mobilisent

Erica Blanc, Directeur développement.
« Bien que notre activité d'embouteillage ne soit pas particulièrement polluante, nous avons entrepris une démarche de développement durable. Nous avons mis sur le marché des sodas moins sucrés, mené parallèlement une campagne de sensibilisation auprès des enfants et engagé une opération de récupération des bonbonnes vides afin de les valoriser. Au cours de cette période, notre activité s'est fortement développée puisque nos effectifs ont doublé. »

Henri Drogue, Directeur Général Adjoint.
« En 2001 nous avons lancé une fontaine de dégraissage biologique sans solvant, qui fonctionne en circuit fermé et prend en compte efficacement les préoccupations de santé, d'hygiène et d'environnement. Cette innovation nous a permis de nouer des partenariats avec des

distributeurs qui nous assurent aujourd'hui des débouchés sur l'ensemble des pays européens. De plus, notre projet a reçu le soutien financier LIFE de la Commission européenne. »

Franck Lévêque, PDG.
« Pour nous, le développement durable consiste à mettre l'homme, l'entreprise et l'environnement au cœur de notre métier pour favoriser notre développement. Nous évoluons dans un métier où la main d'œuvre est peu qualifiée et nous avons mis en place des programmes de formation et d'alphabétisation pour fidéliser et développer les compétences de notre personnel. »

www2.ademe.fr

Leçon 3 – Page 103

3 L'open data appliqué au transport ferroviaire

L'open data – l'ouverture de données au public – est à la base de l'application conçue par la SNCF à destination des usagers. Je vous propose d'écouter la présentation du Tranquilien par un de ses concepteurs.

Toujours dans le viseur du gouvernement en tant que « vecteur d'innovation pour l'économie et la société », l'open data est au cœur d'une application mobile que la SNCF destine aux usagers du réseau ferroviaire Transilien.
L'objectif : communiquer en temps réel le taux de remplissage des rames afin que les voyageurs puissent choisir, en composant avec leurs contraintes horaires, le train et/ou le wagon qui soit « le plus confortable en termes d'affluence ».
En développement depuis plusieurs mois, cet assistant d'informations pratiques dénommé Tranquilien a investi la logithèque de l'iPhone le 24 juin. Android suivra à court terme.
Si l'approche de la SNCF se porte sur le service au consommateur, elle s'oriente aussi sur la régulation du trafic, grâce au concours des mobinautes. Ces derniers (3 millions à se déplacer chaque jour en Transilien) sont appelés, sur le principe du « crowdsourcing », à rejoindre la communauté en transmettant des informations sur la fréquentation de leur rame. Un système de vérification informatique basé sur la géolocalisation et les plannings de circulation permettra de valider ces contributions et de dresser ainsi un panorama de chaque train, avec un code à 3 couleurs (vert, orange, rouge). 2000 contrôleurs testent actuellement le concept, qui repose sur l'ouverture des données publiques de la SNCF.

Clément Bohic, 12 juin 2013, www.itespresso.fr

Leçon 3 – Page 103

4 Les fichiers de données

Le FIBEN, Fichier Bancaire des Entreprises géré par la Banque de France, recense des informations sur les entreprises et leurs dirigeants dont le siège social ou le domicile est situé en France. Il concerne tous les types d'entreprises. Aujourd'hui 3,4 millions de personnes physiques et 5,8 millions d'entreprises figurent dans ce fichier.

Journaliste : Quels types d'informations contient ce fichier ?
Mélanie Murio : Il s'agit d'informations très variées. Elles concernent les chefs d'entreprises et leurs associés, l'activité de l'entreprise, le chiffre d'affaires. Il s'agit d'informations comptables, d'informations sur les incidents de paiement...
Journaliste : Mais à quoi sert ce fichier exactement ?
Mélanie Murio : C'est un outil d'évaluation du risque, il sert à apprécier la solvabilité et la santé des entreprises. Il facilite le dialogue entre les entreprises et les banques. Il permet aux chefs d'entreprises de connaître les critères qui vont être pris en compte lors de l'analyse de leur situation financière par des banques ou des compagnies d'assurances.
Journaliste : Et qui a accès à ce fichier ?
Mélanie Murio : Les informations contenues sont soumises au secret professionnel. Elles ne peuvent être communiquées qu'aux établissements de crédits ou de paiements, aux entreprises d'assurances et aux organismes publics dans le cas de l'octroi d'une aide publique ou de la passation de marchés publics. Si une entreprise demande un crédit à une banque, la banque peut, après consultation de ce fichier, le lui refuser.
Journaliste : Comme tout fichier, il y a un droit d'accès ou de rectification ?
Mélanie Murio : Tout à fait, des personnes présentes dans ce fichier disposent d'un droit d'accès, de rectification qui s'exerce directement auprès de la Banque de France. Il est important de le leur rappeler. Par contre, il n'y a pas de droit d'opposition. Apparaître dans ce fichier est une obligation résultant des missions de la Banque de France dès l'instant où une entreprise est immatriculée au registre du commerce et des sociétés.

Entraînement aux examens – page 106

Activité 1

Femme : Bonjour Catherine Moulin, vous êtes Directrice Santé et Environnement chez SFR. Quelles sont les actions de SFR dans le cadre de la RSE ?
Catherine Moulin : Tout d'abord, il est important de rappeler que SFR est le premier opérateur de communication alternatif en France avec 21 millions de clients mobiles et 5 millions de clients Internet haut-débit. Notre mot d'ordre chez SFR se résume à « Faire du numérique une chance ». SFR a la volonté d'être une entreprise citoyenne et responsable. SFR s'est donc engagée depuis des années dans une politique de développement durable, ambitieuse.
Femme : Parlez-nous des actions que vous menez dans ce cadre ?
Catherine Moulin : Il y a beaucoup à dire sur l'ensemble des initiatives prises par SFR. Notre politique environnementale s'articule autour de trois grands axes : un monde plus vert, un monde plus sûr et un monde plus solidaire. Côté solidarité, nous avons créé en 2005 la fondation SFR qui a permis de soutenir en 2011, 147 associations. Côté environnement, nos enjeux sont dans la réduction de nos propres impacts environnementaux, la réduction des consommations énergétiques de nos sites techniques mais aussi dans l'accompagnement de nos clients, entreprises ou particuliers. Nous devons les aider à réduire leur propre impact environnemental.
Femme : Vous pouvez-nous donner quelques exemples concrets ?
Catherine Moulin : Bien sûr, par exemple, nous permettons le recyclage des mobiles usagés dans les points de vente SFR. Nous avons une box qui est entièrement éco-conçue. Nous avons aussi un éco calculateur qui permet d'évaluer la réduction carbone de nos services.

Entraînement aux examens – page 106

Activité 2

Journaliste homme : Bonjour monsieur, avez-vous déjà fait appel à une association de consommateurs ?
Homme : Oui, ça m'est arrivé une fois. J'avais un problème avec mon opérateur téléphonique. J'ai demandé de l'aide à une association de consommateurs. Voilà, je voulais changer d'opérateur, mais mon opérateur me demandait de payer 100 euros plus mon forfait pendant 6 mois encore ! L'association de consommateurs a résolu le problème. J'ai pu changer d'opérateur et je n'ai rien payé à mon opérateur téléphonique.
Journaliste homme : Et vous madame, vous avez déjà fait appel à une association de consommateurs ?

Femme : Oui, j'ai eu un problème avec une commande passée sur Internet. J'avais commandé plusieurs articles sur un site Internet. J'ai payé mais mon colis n'est jamais arrivé. Le site marchand prétendait que je les avais reçus et refusait de me rembourser. J'ai pris contact avec la société de livraison, mais je n'ai rien obtenu. Une amie m'a conseillé de m'adresser à une association de consommateurs. C'est ce que j'ai fait. Grâce à l'association de consommateurs, le site marchand m'a remboursée !

Bilan – Page 108

Madame Sévillon : Bonjour, je suis madame Sévillon, j'appelle de la mairie de La Rochelle, pourrais-je parler à Monsieur Turchetti ?
La réceptionniste : Oui, un instant je vous le passe.
Monsieur Turchetti : Oui allô ?
Madame Sévillon : Monsieur Turchetti, madame Sévillon, de la mairie de la Rochelle.
Monsieur Turchetti : Bonjour.
Madame Sévillon : Vous avez répondu à notre appel d'offres pour l'installation de structures de jeux pour enfants sur les plages. Votre dossier est très intéressant et je souhaite évoquer quelques points avec vous.
Monsieur Turchetti : Bien sûr. Je vous écoute.
Madame Sévillon : Eh bien voilà, il s'agit des délais de mise en œuvre. Vous prévoyez de commencer les travaux mi-juillet.
Monsieur Turchetti : Oui, c'est ça.
Madame Sévillon : Eh bien, en fait nous souhaitons avancer les travaux pour que les vacanciers puissent profiter de ces jeux dès cet été.
Monsieur Turchetti : Ah... Ce n'est pas ce qui était prévu initialement.
Madame Sévillon : Non, en effet, mais le conseil municipal a réfléchi et vraiment ce serait un plus pour notre ville d'avoir ces structures dès cet été. Pensez-vous que ce soit envisageable ?
Monsieur Turchetti : Je dois étudier cela précisément. Nous allons devoir faire très vite. Je ne sais pas si les entreprises seront disponibles. Cela risque d'entraîner des coûts supplémentaires...
Madame Sévillon : Pourriez-vous modifier votre proposition en tenant compte de ces nouvelles dates ?
Monsieur Turchetti : Bien. Je vais essayer de vous envoyer ça rapidement.

Unité 9

Leçon 1 – Page 112

1 Les résultats de l'entreprise

[...]
Du côté des prises de commandes, nous avons noté une forte augmentation de la part de pays comme l'Allemagne et la Suède avec, par exemple pour la Suède, une hausse de plus de 20 % des commandes. Tous les efforts que nous avons faits ces dernières années, notamment en investissements et en innovation, sont en train de porter leurs fruits. Cela se reflète dans nos chiffres.
Pour l'année prochaine ? La situation économique mondiale n'est certes pas très bonne, mais la France conserve néanmoins un équilibre correct, notamment par rapport aux pays méditerranéens. Nos résultats 2014 dépendront à la fois de l'environnement général, et de notre stratégie face à la tendance des marchés. Si certains pays vont mieux, l'Europe reste une zone fragile avec un environnement encore incertain. Dans ce contexte, notre objectif pour l'exercice 2014 est d'abord de maintenir notre rentabilité au même niveau que cette année. Je pense que nous pourrons également afficher une croissance légèrement positive.

Leçon 2 – Page 113

2 L'entreprise communique ses comptes annuels

1 – Je vous ai réunis aujourd'hui pour étudier certains documents comptables et plus particulièrement le bilan de notre entreprise pour 2012. Nous allons commencer par étudier quelques chiffres de l'actif, c'est-à-dire ce que possède notre entreprise. L 'actif immobilisé, qui apparaît à la première ligne, se monte à 4 243 971 euros. Il est constitué par tout ce qui reste de manière durable dans l'entreprise : principalement les bâtiments et les terrains, le matériel. En-dessous, l'actif réalisable (ou actif circulant).
Il est plus fluctuant. Il concerne les éléments directement en lien avec l'exploitation courante de l'entreprise (les stocks, les créances clients, la trésorerie). Il est donc en constante évolution. Il s'élève, fin 2012, à 612 761 euros. Le total de l'actif disponible à la troisième ligne, s'élève en 2012 à 438 382 euros.
Voyons maintenant la deuxième partie de cette synthèse, le passif, c'est-à-dire les ressources de l'entreprise, les moyens dont nous disposons pour financer nos actifs. À la première ligne, les capitaux propres qui sont nos ressources permanentes comme le capital social, nos réserves... Ils sont, en 2012, de 3 717 953 euros. Nous avons provisionné 93 161 euros. À la troisième ligne, nos dettes, c'est-à-dire ce que nous devons aux fournisseurs, aux organismes sociaux et aux impôts. Le total du passif est de 5 295 114 euros.
Le total du passif est bien identique à celui de l'actif. Notre bilan est donc parfaitement équilibré.

2 – Et maintenant, continuons avec le compte de résultat de l'année 2012. C'est un des états financiers les plus importants d'une entreprise. Le compte de résultat nous donne une vision globale de l'ensemble des flux qui modifient positivement ou négativement le patrimoine de l'entreprise. Qu'avons-nous dépensé et qu'avons-nous gagné en 2012 ? Il apparaît très clairement à la lecture de ce tableau que nos dépenses sont nettement inférieures à nos bénéfices.
J'attire votre attention sur quelques lignes. Pour rappel, le résultat financier traduit la différence entre les produits financiers et les charges financières. Il est, en 2012, de 167 985 euros.
Le résultat exceptionnel, c'est-à-dire l'écart entre les produits exceptionnels et les charges exceptionnelles, atteint 34 768 euros.

Leçon 2 – Page 114

2 Rebondir en temps de crise

[...]
Femme : Tout d'abord, et c'est fondamental, il faut faire preuve d'optimisme. Il est démontré que ceux qui croient à la lumière au bout du tunnel sont les plus performants. Ensuite, si la crise est perçue comme une opportunité, ça change tout ! De nouveaux territoires très riches doivent être explorés. Et bien sûr, il faut savoir saisir les opportunités ce qui implique aussi d'être prêt à faire évoluer ses pratiques.
Journaliste : Faire preuve de souplesse...
Femme : C'est ça, mais aussi faire preuve d'imagination, être créatif. Il est déterminant d'inventer de nouvelles solutions. Et puis il faut savoir clarifier ses objectifs stratégiques, savoir identifier les 20 % d'investissements qui produiront 80 % de résultats. Il faut classer ses priorités. Et attention, la précipitation est en général contre-productive et l'anxiété diminue la lucidité. Il faut parfois savoir ralentir... pour mieux avancer ensuite.

Leçon 3 – Page 117

3 Une chômeuse en fin de droits… qui crée un site d'emploi !

Journaliste : C'est une histoire assez exceptionnelle que celle d'Isabelle Durand pas à cause de l'argent qu'elle gagne. Pour l'instant, cette femme au chômage depuis plus de 3 ans ne tire pas le moindre sous de son activité, pas exceptionnelle non plus parce qu'Isabelle Durand aurait trouvé une idée que personne d'autre n'aurait eu avant elle. Non, cette comptable de formation a lancé un site de jobbing. D'autres, avec plus de moyens qu'elle, proposent déjà de mettre en relation des particuliers qui se rendent des services. C'est ça le jobbing. Non ce qui rend cette histoire exceptionnelle, c'est justement que Isabelle Durand était au chômage depuis 3 ans, les indemnités s'arrêtent, elle emménage chez son ami, à Clairac un gros village du Lot-et-Garonne. Et ce qui est exceptionnel donc, c'est qu'elle trouve la ressource de lancer toute seule, sans moyens, petitsjobs.fr.
Isabelle Durand : J'ai eu beaucoup de galères pendant mes recherches. J'aurais aimé pouvoir proposer mes services pour des petits boulots que je sais faire en administratif, taper des courriers, mais je ne savais pas comment les proposer ni où aller pour les proposer ces petits boulots. J'ai voulu, voilà, créer un endroit pour ça. Pour moi bien sûr, pour me donner du travail, et puis pour les autres, pour que les gens puissent se retrouver dans un endroit unique, pour eux.
Journaliste : Et le site marche, il compte déjà 2500 annonces. Et pourtant l'histoire est toute récente, elle a commencé en juin dernier.
Isabelle Durand : Je me suis énormément documentée. J'y ai réfléchi longuement, mis sur papier des idées et lorsque j'ai été prête, j'ai cherché quelqu'un pour faire le site. J'ai trouvé effectivement, juste à côté, à 10 kilomètres, quelqu'un qui créait des sites. Et c'est parti.
Journaliste : Alors combien ça coûte de lancer un site de jobbing quand on s'adresse à sa voisine quasiment ? 1200 euros.
Isabelle Durand : C'était beaucoup, je l'ai prise sur mes économies et après au lancement du site, il faut le référencer, et tous les mois je paye Google en fait pour référencer le site.
Journaliste : Tous les mois Isabelle investit 50 euros pour le référencement et n'allez pas croire que le site ne ressemble à rien ou qu'il ne fonctionne pas, c'est un vrai site Internet pratique, bien fait, ceux qui déposent des annonces sont des chômeurs, des gens qui cumulent les petits boulots et puis aussi des retraités ou des salariés qui ont besoin de mettre un peu de beurre dans les épinards.
Isabelle Durand : Le plus serait un ménage-repassage, garde d'enfants aussi, assistance à la personne, bricolage, des cours particuliers aussi, beaucoup.
Journaliste : Contrairement à d'autres sites qui proposent ce type de prestations, cette femme qui n'a plus de revenu tient à ne faire payer personne. Ni ceux qui proposent leurs services, ni ceux qui y recourent.
Isabelle Durand : Le site est totalement gratuit. On dépose une annonce gratuitement, on contacte les gens gratuitement. Tout est gratuit.
Journaliste : Alors on peut se demander pourquoi Isabelle Durand fait ça. Réponse.
Isabelle Durand : Moi, il m'apporte du travail, même si il m'apporte pas de rémunération en ce moment, il m'apporte du travail. C'est déjà énorme. Mais si en plus de ça, il apporte du travail à des gens, ça c'est merveilleux. C'est très émouvant pour moi.
Journaliste : C'est à l'émotion et aux valeurs qu'elle carbure. Ça s'entend et puis c'est aussi une formidable revanche pour cette femme qui galère depuis plus de 10 ans. Le business plan, le retour sur investissement, ça n'est pas vraiment dans son vocabulaire.
Isabelle Durand : Je veux pas me dire que ça va me rapporter beaucoup ou que ça va me rapporter un salaire. Je suis pas dans cette optique, je suis voilà. Si ça me permet déjà de m'autofinancer le référencement chez Google, tout cela déjà c'est bien je trouve, c'est bien.
Journaliste : En attendant, elle bosse Isabelle Durand et elle déborde d'énergie. Et il en faut des heures de travail pour faire connaître un site sans budget com, sans pub, toute seule derrière son ordinateur, à Clairac, Lot-et-Garonne.

www.franceinfo.fr, 30 décembre 2013.

Entraînement aux examens – page 120

Activité 1

[Les producteurs français de lait] regroupés au sein de FairCoop, une coopérative de producteurs, sont sur le point de développer FaireFrance, leur marque de produits laitiers. Philosophie de ce projet commercial présenté mercredi soir à Haut-Lieu : des produits « bons » et « équitables » du point de vue du prix. Encouragés par le succès de FaireBel, déclinaison belge du concept, les coopérateurs pourraient déployer les produits FaireFrance d'ici la fin de l'année dans nos magasins.
Qu'est-ce que FairCoop ? Une coopérative de producteurs dont le but est de lancer une marque propre aux fermiers français, baptisée FaireFrance. En anglais, le mot « *fair* » signifie équitable. La stratégie de FairCoop repose donc sur une politique de prix juste pour le producteur et le consommateur. Et s'ils commencent avec le lait, les instigateurs du projet ne s'interdisent pas d'élargir le concept à terme. [...] Le projet européen FairCoop se décline depuis plusieurs années déjà en Autriche, en Allemagne, au Luxembourg, aux Pays-Bas et depuis trois ans, en Belgique, sous la marque FaireBel. De l'autre côté de la frontière, cinq cents producteurs adhèrent au mouvement, qui ne cesse de prendre de l'ampleur. Ils sont déjà sept cents en France à avoir rejoint FairCoop.
« Le bon lait équitable. » C'est le slogan de FaireFrance et FaireBel. [...]
La qualité de ces produits est le cheval de bataille du projet. Quant à leur prix (0,90 € le litre de lait demi-écrémé en Belgique), il garantit une juste rémunération du producteur sans être trop cher pour le consommateur.
« On ne fait pas de marge excédentaire sur le dos du consommateur. », expliquait mercredi soir Philippe Massoz aux agriculteurs venus l'écouter. [...]
Pour tout litre de lait vendu, 10 centimes sont versés à la coopérative. Chaque coopérateur détenant des parts, la somme collectée est répartie en fin d'année. En Belgique, FaireBel vient ainsi de verser 36 € par part à chaque coopérateur (contre 23 € l'an dernier).
FaireFrance peut espérer de beaux jours devant elle : chaque Français consomme, tenez-vous bien, 400 litres de lait par an !

www.lavoixdunord.fr, 21 juillet 2012.

Entraînement aux examens – Page 120

Activité 2

Gaspard : Bonjour Stéphane ! Comment tu vas ? Tu travailles toujours chez Provita ?
Stéphane : Eh bien non Gaspard ! L'année dernière mon entreprise a fermé. J'ai donc dû chercher un nouvel emploi.
Gaspard : Tu as eu du mal à trouver du travail ?
Stéphane : Oui et non ! J'ai été embauché dans une entreprise de produits informatiques, mais je ne suis pas resté. Les conditions n'étaient vraiment pas bonnes…
Gaspard : Et alors ?
Stéphane : Avec ma femme et un ami, on a monté une petite entreprise. Une start-up !

Gaspard : Ah bon ? Et vous faites quoi ?
Stéphane : Nous louons toutes sortes de choses. En fait, nous faisons l'intermédiaire entre celui qui a quelque chose à louer, et celui qui doit louer quelque chose.
Gaspard : Je n'aurais jamais pensé à ça. Et ça marche ?
Stéphane : Oui, parce qu'on propose des choses très diverses ! Par exemple, on peut louer la cave ou le grenier de quelqu'un qui ne l'utilise pas. On met aussi en relation des entreprises, surtout des PME, qui n'utilisent pas tout leur espace. On loue des villas, c'est plus classique, et toutes sortes d'objets...
Gaspard : Par exemple ?
Stéphane : Oh, la liste est longue, ça va de l'ordinateur, aux costumes, en passant par la tondeuse à gazon, une caméra professionnelle, un sac à main... Une fois, on a même loué une trompette pour une journée ! On a plus de 150 000 objets en location, alors tu penses bien qu'il y a des trucs insolites !
Gaspard : Eh bien, justement, j'ai besoin d'une perceuse. Tu as ça ?
Stéphane : Évidemment !

Unité 10

Leçon 1 – Page 124

1 Un bilan de compétences : qu'est-ce que c'est ?

Émile a rendez-vous avec sa supérieure hiérarchique.
Barbara : Bonjour Émile. Je vous en prie, asseyez-vous.
Émile : Bonjour Barbara. Je vous remercie.
Barbara : Alors vous m'avez demandé un rendez-vous. Que se passe-t-il ?
Émile : Eh bien, depuis un certain temps, je m'interroge sur ma carrière, sur ma place dans l'entreprise... Ça fait 10 ans que je travaille chez Inter Média. Alors j'ai pensé qu'il était temps que je fasse un bilan de compétences.
Barbara : C'est votre droit. Je suis plutôt favorable, cependant, nous devons en parler. Je songeais même un peu à vous le suggérer...
Émile : Ah bon ?
Barbara : J'ai remarqué que depuis quelques temps vous ne sembliez plus aussi motivé qu'avant. Vous vous investissez moins. Vous savez que nous sommes en pleine restructuration, il peut y avoir des opportunités d'évolution intéressantes pour vous, mais à condition que vous sachiez ce que vous souhaitez !
Émile : C'est exactement ça. Je n'ai pas envie de quitter Inter Média, néanmoins j'ai envie de changement. Je n'ai plus envie d'exercer mon métier actuel, mais je ne sais pas ce que je veux faire, ni ce que je peux faire.
Barbara : Dans ce cas, je crois qu'un bilan de compétences peut vous être vraiment profitable. Cela vous aidera à construire un projet réaliste et réalisable.
Émile : Je l'espère ! Je me suis déjà renseigné sur quelques cabinets de conseil...
Barbara : Parfait ! Maintenant il faut voir les formalités avec la DRH et notamment le financement. Vous devez avant tout faire une lettre pour formaliser votre demande et enclencher le processus. Et on en reparle ensuite.
Émile : Très volontiers.

Leçon 1 – Page 124

2 Témoignages

Driss, ingénieur, 31 ans
Mon bilan de compétences m'a permis de porter un regard critique sur mon parcours professionnel. Ce n'est pas une évaluation, c'est plutôt une expertise. Le but est de faire le point sur ses véritables motivations, ses intérêts et aussi ses compétences. Maintenant, je sais ce qui m'intéresse vraiment et je sais vers quoi je peux m'engager. Un bon bilan est une aide à la décision.

Stéphanie, chargée de marketing junior, 27 ans
Je traversais une période de doute et le bilan m'a redonné confiance. Au fil des sessions, il s'est avéré que j'étais faite pour le métier que j'exerce. Le bilan de compétences m'a permis de me rendre compte de ce qui était nuisible pour moi, et au contraire, de ce qui constituait un vrai moteur. En fait, j'ai appris à valoriser mon parcours.

Adrien, webdesigner, 33 ans
Mon travail ne m'intéressait plus. J'avais l'impression de tourner en rond, de ne pas évoluer. J'ai donc décidé de faire un bilan de compétences. Au début, j'ai été un peu déstabilisé. J'ai été déçu par la manière dont j'étais perçu. Finalement, je me suis découvert sous un autre jour. Je me suis pris en charge et maintenant je m'épanouis dans mon travail. Le bilan de compétences n'est pas un miracle ! Pour être utile, il faut s'investir.

Gaëlle, commerciale, 33 ans
Moi aussi j'ai fait un bilan il y a deux ans. Ça a vraiment été salutaire ! J'ai carrément changé de métier ! Ça faisait un moment que je me demandais si j'étais capable de faire autre chose, si je pouvais aller plus loin et si j'étais capable d'occuper un poste à responsabilité. On m'a conseillé de faire une VAE, une validation des acquis de l'expérience, et c'est ce que j'ai fait. Grâce à la VAE, j'ai obtenu un diplôme qui m'a permis d'évoluer.

Marianne, assistante de direction, 30 ans
Je ne regrette pas mon bilan de compétences, bien au contraire ! Mais je n'imaginais pas que ça allait me demander autant d'investissement. Un bilan de compétences dure 24 heures, réparties sur 2 mois environ. Mon bilan avait lieu pendant mes heures de travail, mais pendant ce temps le travail s'accumulait au bureau. Mais surtout, il faut travailler entre les séances. En plus des rendez-vous avec le consultant, je pense qu'il faut bien compter deux heures de travail personnel par semaine.

Leçon 2 – Page 126

1 L'aventure de l'entrepreneuriat

Journaliste : Bonjour à tous pour ce nouveau numéro de notre émission « Bienvenue les entrepreneurs ». Aujourd'hui, nous sommes heureux que Serge Da Silva, entrepreneur dans l'innovation, nous accompagne pour nous parler de son parcours. Bonjour Serge et bienvenue.
Serge Da Silva : Bonjour.
Journaliste : Alors Serge, racontez nous votre parcours.
Serge Da Silva : Eh bien à la base je suis chercheur, j'ai un doctorat en génie chimique. Quand j'ai terminé ma thèse, j'avais plein d'idées en tête et surtout je souhaitais concevoir des produits industriels qui correspondaient à mes valeurs. Ayant l'esprit d'initiative, j'ai créé en 2004 ma société : 6T-MIC. Mais je craignais que mon aventure ne devienne très vite impossible car je n'arrivais pas à convaincre des investisseurs de me suivre dans la commercialisation de ces produits. En 2007, j'ai alors du faire un choix difficile : continuer mon activité ou arrêter. J'ai décidé d'adopter une autre stratégie : abandonner la conception de produits industriels au profit de conseils en recherche et développement ! Très vite, ma stratégie s'est révélée gagnante et j'ai été heureux de décrocher un contrat, puis deux, puis trois... J'étais fier que mon entreprise se stabilise !
Et puis, de la collaboration avec mes clients, est née une deuxième société, KEMERID. Cette entreprise conçoit et commercialise des produits chimiques. Je suis revenu à ma première idée : réaliser des produits industriels !

Journaliste : Avez-vous bénéficié d'aides ou d'accompagnements ?
Serge Da Silva : En 2002 et en 2005, j'ai participé au concours national de la création d'entreprises innovantes. Mes projets ont été retenus et j'ai été soulagé que des aides financières arrivent : 35 000 € en 2002 et 115 000 € en 2005. Ces aides m'ont permis d'investir, lancer et développer mon activité. J'ai également été accompagné par un incubateur spécialisé dans les entreprises innovantes. Des experts m'ont conseillé et aidé dans le lancement de mon activité ! Grâce à l'Incubateur Midi-Pyrénées, j'ai bénéficié d'une aide financière supplémentaire.
Journaliste : Vous vous souvenez de votre première embauche ?
Serge Da Silva : Bien sûr ! Grâce à une aide financière à l'embauche de collaborateurs par l'Agence Nationale de la Recherche, j'ai pu embaucher un ingénieur en recherche. Il est toujours en poste dans l'entreprise !
Journaliste : Quels sont vos plus beaux souvenirs dans cette aventure ?
Serge Da Silva : Gagner des aides financières lors du concours national de la création d'entreprise innovante est l'un de mes plus beaux souvenirs ! J'étais fier d'avoir travaillé si dur pour présenter mes projets et qu'ils aient été retenus puis surtout d'être ressorti vainqueur ! Cela m'a conforté dans mon choix de vie : l'entrepreneuriat.
Journaliste : Vous êtes également professeur à l'Institut d'Administration des entreprises de Toulouse, vous avez donc sûrement des conseils pour les futurs entrepreneurs ?
Serge Da Silva : Il faut avoir l'envie d'entreprendre ! Votre ambition pourra vous emmener loin, mais faites le point sur vos objectifs, vos valeurs et votre volonté avant de vous lancer ! Une fois l'idée trouvée, étudiez bien votre business plan, le marché, et adaptez-vous ! Faites preuve de patience, entourez-vous et lancez-vous correctement !

D'après www.emploietnous.fr

Leçon 3 – Page 128

2 Des femmes entrepreneurs témoignent

Marie-Christine Oghly a 54 ans. Elle est PDG d'EnginSoft France, société spécialisée dans la mécanique des fluides et l'optimisation des calculs.
Lorsqu'elles sont seules, les femmes chefs d'entreprise sont également confrontées à des préjugés tenaces qui les empêchent de progresser. À commencer par un manque de crédibilité au démarrage. Lors de déplacements professionnels, il m'arrive de me faire voler la vedette par un jeune collaborateur. Parce que c'est un homme, le client le prend pour le patron. Et moi, je passe pour son assistante ! Parfois, les femmes ont aussi du mal à imposer leur autorité.

Françoise Cocuelle, 53 ans, dirige l'imprimerie E. Grille.
Les qualités attendues des femmes de pouvoir ? Charisme et détermination. Les hommes, sans avoir à démontrer constamment leurs qualités, arrivent souvent au pouvoir plus facilement que nous. Quand j'ai repris l'imprimerie familiale, à 29 ans, j'étais une mère de famille un peu déboussolée : j'étais la seule représentante du sexe faible au sein de l'entreprise. Ils lançaient des plaisanteries de potaches pour tester ma réaction mais sans imaginer que j'allais affirmer mon autorité. Pour affirmer mon autorité, j'ai dû jouer cartes sur table avec mes collaborateurs. Je les ai réunis en leur demandant ouvertement si cela les dérangeait d'être dirigés par une femme. Ça a fait taire les plus récalcitrants. Quand je suis arrivée, l'entreprise était en grande difficulté financière. Je me suis battue en allant voir les banquiers et j'ai obtenu un prêt de 15 000 euros. J'ai même démarché de nouveaux clients pour redresser le chiffre d'affaires. Surtout, je communiquais aux salariés, chaque semaine, l'évolution du chiffre d'affaires de l'entreprise. Tout était transparent.

Carole Faure présidente de Kaolink, éditeur de jeux vidéo sur mobile.
Lorsque j'ai constitué mon tour de table, mon banquier, sans se gêner, m'a demandé si j'avais des enfants, tout en m'expliquant que la vie d'un chef d'entreprise était consommatrice de temps. Il ne pensait pas qu'un patron en jupe pouvait concilier son rôle de mère avec celui – accaparant – de dirigeante d'entreprise. Et c'est la question que se posent aussi la plupart de mes partenaires.

D'après www.chefdentreprise.com

Entraînement aux examens – Page 132

Activité 1

Homme : Amina Saïd, vous avez 44 ans et vous êtes responsable du service Innovation et Entreprise chez Optique Planète, une entreprise d'optique et de hautes technologies située dans la région Centre. Vous êtes mère de deux enfants et vous avez commencé votre carrière professionnelle comme ingénieur dans une entreprise américaine du même secteur. Vous avez ensuite travaillé dans une filiale d'EADS. Quelle est votre mission dans votre entreprise actuelle ?
Amina Saïd : Eh bien, je mets en contact des chercheurs créateurs de start-up avec des financiers, ou des incubateurs. Je peux conseiller les entreprises dans leur réponse à un appel d'offre. Mon rôle est aussi un rôle d'accompagnement des PME dans leurs projets de recherche et dans l'équipement de leurs laboratoires.
Homme : Comment arrivez-vous à concilier vie professionnelle et vie de famille ?
Amina Saïd : J'ai la chance d'être soutenue par mon mari. Il a accepté de changer de région pour venir avec moi, et a commencé une nouvelle carrière professionnelle ici. Normalement, ce sont les femmes qui acceptent de faire ce genre de sacrifices.
Homme : Vous dirigez une grosse équipe composée essentiellement d'hommes, n'est-ce pas ?
Amina Saïd : Oui, mais je n'ai pas eu de problème pour me faire reconnaître. En général, ce sont plutôt les dirigeants et les conseils d'administrations qui sont sceptiques sur la capacité des femmes à occuper des postes de direction.
Homme : Pensez-vous qu'être femme est un handicap ?
Amina Saïd : Pas du tout, au contraire, je pense que c'est un atout ! Nous les femmes, nous sommes habituées à gérer un grand nombre de tâches à la fois dans notre vie privée. Nous n'avons aucun mal à transposer ces compétences dans notre vie professionnelle. Et c'est ce que je fais chaque jour. Je dois tout de même reconnaître que j'ai eu la chance que mes supérieurs me fassent confiance et me permettent d'évoluer.
Homme : Dans votre famille, y a-t-il des femmes qui ont des postes de responsables ?
Amina Saïd : Oui, ma sœur a un poste important au Crédit Agricole. Mon père nous a appris à ma sœur et à moi que le fait d'être une femme n'est pas une barrière à l'ambition professionnelle. J'espère donner envie à d'autres femmes de suivre ma voie.

Entraînement aux examens – Page 132

Activité 2

Bonjour et bienvenue dans les bureaux de *Midi Incubateurs*. Nous avons ouvert en février dernier cette structure de plus de 1 000 mètres carrés pour accompagner et aider les jeunes entreprises de moins de 5 ans à développer leurs activités dans les meilleures conditions. Nous accueillons actuellement 25 entreprises. Nous ouvrons nos portes à des start-up qui se consacrent à la construction et à l'énergie.

Nous souhaitons créer un important pôle d'innovation dans la région Midi-Pyrénées.
Suivez-moi, je vais vous faire visiter les locaux. Alors ici, à droite, vous avez des bureaux. Ils sont séparés par de simples cloisons vitrées. Certaines de ces parois, comme vous le voyez, sont couvertes de post-it. Elles servent de support aux idées de ces jeunes. Ils ont vraiment investi cet espace, qui est le leur, et dans lequel on veut vraiment qu'ils se sentent à l'aise pour y développer toutes leurs idées. Les entrepreneurs se retrouvent à la cafétéria ou sur la terrasse, ou encore lors de *speed-dating* organisés par *Midi Incubateurs*.
Ces échanges, c'est l'occasion de partager leur quotidien, et ça leur permet de ne pas souffrir de l'isolement que certains ressentent souvent au démarrage. Les conditions financières sont intéressantes : ils payent un loyer de 1 500 euros. Ça peut paraître cher mais en fait il comprend tout un accompagnement. Et la plupart d'entre eux ont obtenu pour la première année une subvention de 25 000 euros. Bon, je vais maintenant vous montrer les espaces communs et la cafétéria qui sont au rez-de-chaussée et la terrasse.

Bilan – page 134

Journaliste : Pas facile de s'y retrouver dans la crise, et encore plus difficile de la comprendre... Endettement, *subprimes*, plans de sauvetage... Merci monsieur Dufournet d'être ici aujourd'hui pour nous aider à y voir plus clair. Commençons par le plus simple : la crise, qu'est-ce que c'est ?
Expert : Détrompez-vous, ce n'est pas le plus simple ! D'abord il faut distinguer la crise financière de la crise économique. La première, on l'appelle souvent « krach » ou « krach boursier ». Elle touche les marchés financiers, les États, les banques. Il y a eu beaucoup de crises financières ! Quand elles sont graves, elles peuvent entraîner une crise économique.
Journaliste : Et donc la crise économique, c'est ce que nous vivons maintenant ?
Expert : Oui. Et elle touche tous les acteurs de l'économie : les entreprises et les administrations, mais aussi et surtout les consommateurs. On constate alors une baisse du pouvoir d'achat, l'augmentation du nombre de chômeurs, des entreprises qui font faillite parce que l'activité économique se porte mal. Bien sûr ce sont les plus fragiles qui subissent le plus la crise, c'est-à-dire les ménages et les petites entreprises.
Journaliste : Mais la crise ne va pas durer indéfiniment ?
Expert : Non bien sûr ! Lorsque la croissance repart, tout repart : les salaires, le pouvoir d'achat des familles, la création d'entreprises, l'emploi... C'est la reprise.
Journaliste : Et c'est pour bientôt ?
Expert : Depuis le deuxième trimestre 2013, la zone euro connaît à nouveau une croissance positive, mais on ne peut pas encore réellement parler de reprise.

Le DVD-Rom

Ce disque est un DVD-Rom qui contient les ressources complémentaires vidéo et audio de votre méthode (Livre de l'élève et Cahier d'activités).

Vous pouvez l'utiliser :

- **Sur votre ordinateur (PC ou MAC)**

Pour visionner la vidéo, écouter l'audio, extraire l'audio et le charger sur votre lecteur mp3 ou convertir les fichiers mp3 en fichier audio Windows Media Player (PC) ou AAC (Mac) et les graver sur un CD-audio à usage strictement personnel.

- **Sur votre lecteur DVD compatible DVD-Rom**

Pour visionner la vidéo et écouter l'audio.

Mode d'emploi et contenu du DVD-Rom

Pour afficher le contenu du DVD-Rom, il est nécessaire d'explorer le DVD à partir de l'icône du DVD. Après insertion du DVD-Rom dans votre ordinateur, celle-ci s'affiche dans le poste de travail (PC) ou sur le bureau (Mac).
– Sur PC : effectuez un clic droit sur l'icône du DVD et sélectionnez « Explorer » dans le menu contextuel.
– Sur MAC : cliquez sur l'icône du DVD.
Dans le cas où la lecture des fichiers vidéo ou audio démarre automatiquement sur votre machine, fermez la fenêtre de lecture puis procédez à l'opération décrite ci-dessus.

Le contenu du DVD-Rom est organisé de la manière suivante :

- **un dossier AUDIO**

Double-cliquez ou cliquez sur le dossier AUDIO. Vous accédez à deux sous-dossiers : LIVRE_ELEVE et CAHIER_ACTIVITES.
Double-cliquez ou cliquez sur le sous-dossier correspondant aux contenus audio que vous souhaitez consulter.
Afin de vous permettre d'identifier rapidement l'élément audio qui vous intéresse, les fichiers audio ont été nommés en faisant référence à l'unité, à la leçon et à la page du manuel à laquelle le contenu audio se rapporte. Exemple : UNITE1_LECON1_ P008 → Ce fichier audio correspond à de la page 8 du manuel, leçon 1 de l'unité 1.

- **un dossier AUDIO**

Double-cliquez ou cliquez sur le dossier VIDEO. Vous accédez à deux sous-dossiers : VIDEO VO et VIDEO VOST.
Double-cliquez ou cliquez sur le dossier correspondant aux contenus vidéo que vous souhaitez consulter (VO pour la version originale sans les sous-titres, VOST pour la version originale avec les sous-titres en français).
Double-cliquez ou cliquez sur le fichier vidéo correspondant à la séquence que vous souhaitez visionner.

Les fichiers audio et vidéo contenus sur le DVD-Rom sont des fichiers compressés. En cas de problème de lecture avec le lecteur média habituel de votre ordinateur, installez VLC Media Player, le célèbre lecteur multimédia open source.

Pour rappel, ce logiciel libre peut lire pratiquement tous les formats audio et vidéo sans avoir à télécharger quoi que ce soit d'autre.
→ Recherchez «télécharger VLC» avec votre moteur de recherche habituel, puis installez le programme.

N° d'éditeur : 10261435 - Dépôt légal : mars 2018 - Imprimé en France par Estimprim en janvier 2020